文史哲學集成

張少康著

文心雕龍新探

文史哲出版社印行

文心雕龍新探／張少康著　-- 初版. -- 臺北市
：文史哲，民 80
3,286 面；21 公分　(文史哲學集成；232)

ISBN 957-547-012-5（平裝）NT$240.00

1.文心雕龍 - 批評，解釋等

820　　80001448

文史哲學集成 232

文心雕龍新探

著者：張少康
出版者：文史哲出版社
登記證字號：行政院新聞局局版臺業字〇七五五號
發行所：文史哲出版社
印刷者：文史哲出版社
台北市羅斯福路一段七十二巷四號
郵撥〇五一二八八一二彭正雄帳戶
電話：三五一一〇二八
實價新台幣四〇〇元
中華民國八十年七月初版

ISBN 957-547-012-5

序

「五四」運動以後，我國學術界在西方文藝思潮的影響下，對中國古代文學理論的研究，頗爲重視。從本世紀的三十年代到四十年代，陸續出版了幾種很有份量的中國文學批評史專著。在古文論巨著《文心雕龍》的研究方面，也出現了黃侃《文心雕龍札記》、范文瀾《文心雕龍注》、劉永濟《文心雕龍校釋》等幾種功力頗深的著作。建國以後，古文論的研究有進一步的開展。大家認識到，運用新的觀點方法，整理研究中國古代的文學理論批評，不但對於閱讀欣賞古代文學作品、借鑒古代作家的創作經驗，很有裨益；同時對建立民族化的文學理論體系，尤爲必要。在這種認識的指導下，古文論的研究日趨繁榮，《文心雕龍》尤爲人所注目，僅新的全注本（有的還附有白話譯文）就有四五種，專門研究著作有十多種，單篇論文更是不勝枚舉。在當前學術研究領域，《文心雕龍》的研究已經成爲一門顯學，以至出現了「龍學」這一名稱。在已出的多種專著中，有些是頗有深度的。像楊明照先生的《文心雕龍校注拾遺》，校釋字句，考核精確，繼承了淸代樸學的優良傳統；王元化先生的《文心雕龍創作論》，把《文心雕龍》中關於創作的理論與西方文論進行比較分析，見解新穎精闢，打開了新的研究路子；詹鍈先生的《文心雕龍的風格學》，專門探討《文心雕龍》的風格理論，內容翔實，提供了不少有價値的材料和見解。這些著作，在學術界都已得到重視和好評。

儘管《文心雕龍》研究過去已經取得很大成績，但還有許多工作要做。《文心雕龍》全書內容豐富，涉及面廣，體大思精，它用精緻的駢文寫成，有時語言較爲深奧而不易理解，還容易引起歧義；因此，全書中還有許多問題需要進一步探索和討論，一時還不能得出結論。至於劉勰的身世，由於資料不足，不少情況也待繼續考訂。少康先生的這本書，對劉勰身世和《文心雕龍》的理論作了新的探索。他對全書的理論體系和內容作了詳細論述，提出了不少新的看法，言之成理，持之有故，有的看法相當精警而富有啓發性。對劉勰身世，雖着墨不多，也能獨抒己見。本書對劉勰理論歷史淵源的探討，尤爲重視。他在這方面搜集了許多資料，除劉勰以前的文學理論外，廣泛涉及到哲學、歷史、藝術、宗教各個方面，並與劉勰的理論聯繫起來，細致剖析其源流關係。關於劉勰理論的歷史淵源，過去的中國文學批評史和研究《文心雕龍》的著作、論文中，也有所涉及，但比較簡單粗略，本書在這方面當做一個重點來研究，作了較多的發掘和開拓，提出了不少可貴的見解，因此顯得特別富有新意和特色。對於劉勰所利用的前人思想資料有較多的瞭解，有助於更準確全面地認識劉勰的思想，並能認識劉勰對前人的理論如何繼承並有所發展，從而更準確地評價他理論的創造性和歷史地位。爲了全面透徹地認識劉勰的文學理論內涵，我們應當從各種不同角度，就某些方面進行深入細緻的研討，大家群策群力，分工協作，就能把「龍學」研究更快地推向前進。少康先生在《文心雕龍》理論的歷史淵源方面作了重點探討，是一件很有意義的事情。

要做好中國古代文論的研究工作，一方面要有良好的古漢語和文學史修養，瞭解古文論的確切涵義，認識古代文論是如何總結古人的創作經驗並反過來指導創作；另一方面要有較高的馬克思主義文藝理論水平，用它作武器來剖析、評價古代文論。少康先生過去研治文藝理論多年，具有較好的理論素養，同時對中國古代的語言文字、文學創作以及哲學、歷史等現象都頗爲重視，認眞鑽研。他近年來出版的《中國古代文學創作論》、《文賦集釋》兩書，顯示出他在以上兩方面都有較深的功力。現在又有這本具有深度和特色的新著問世，對於他的治學勤奮，精進不已的精神，我是很欽佩的。因作此短文，表達我的欽佩贊賞的心情。

王運熙

一九八六年一月

文心雕龍新探目次

前　言

公元五、六世紀，當歐洲的文藝理論和美學的發展進入黑暗、停滯的中世紀時，在東方却出現了一位具有世界意義的偉大文學理論批評家劉勰。魯迅先生稱劉勰的《文心雕龍》「解析神質，包擧洪纖，開源發流，爲世楷式」（註一），並與西方的亞里斯多德《詩學》相比美，這是並不誇大的。從某種意義上說，《文心雕龍》更有許多超過《詩學》的地方。它顯然比《詩學》有更爲嚴密的理論體系，更加豐富的具體內容。它旣是一部文學理論著作、文章學著作，又是一部文學史、各類文章的發展史，而且也是一部重要的古典美學著作。現在，大家把對《文心雕龍》的研究稱爲「龍學」，這是它當之無愧的。

劉勰的文學思想和文學理論旣博採衆長，又富於獨創性。我們應該對他的文學理論體系，他在理論發展史上的貢獻，以及他的文學思想的歷史淵源，作一個比較全面、比較深入、比較具體的探討和分析。這是筆者所以要寫這樣一部書的宗旨。然而，要做這樣一件工作，要達到這樣一個目的，是有很多困難的。這主要有以下兩個原因：第一，要對劉勰的文學理論體系本身作出一個符合實際的全面論述，是不容易的。因爲目前學術界對劉勰的文學理論中許多重要問題的看法，尚無基本一致的認識。第二，劉勰學識淵博，他的文學思想涉及的面很廣，接受歷史上的思想資料也特別多，與中國古代許多重要的學術思想、文藝思想有密切關係，要論述劉勰文學理論的歷史貢獻與思想淵源，就要認眞研究歷史上許多重要的哲學思想、政治思想、文藝思想、美學思想，而這是非常複雜而困難的問題。從筆者的學識水平來說，確有難以勝任和不自量力之感。然而，路總是要人走出來的，何況在這方面，筆者早已不是拓荒者，許多專家、學者曾從各個方面、各個不同角度，對這一問題作過不少研究。筆者所論可能是不成功的，但是只要能爲「龍學」的研究提供一點新的想法，即使是失敗了，也大約還是有意義的。爲此，筆者還是願意來大膽地試一試。

【附註】

註　一　《論詩題記》

壹、劉勰的生平和思想

劉勰和他的《文心雕龍》正在日益受到國內外學者的重視，然而，有關劉勰的生平和思想的資料，歷史上遺留給我們的確實是太少了。即以劉勰的生卒年而論，目前雖經學者們多方考證和研究，也還沒有一個明確的結論。劉勰的生年一般都是依據對《文心雕龍》成書年代的考訂而推算出來的。因爲《文心雕龍·序志》篇中有「齒在逾立，則嘗夜夢執丹漆之禮器，隨仲尼而南行。……於是搦筆和墨，乃始論文」之語，可見其寫作《文心雕龍》大約在三十歲剛過不久。《文心雕龍》究竟成書於何時，歷來也有不同看法。現存各類《文心雕龍》一般都題「梁劉勰撰」，故也有人認爲是成書於梁代。但是大多數學者還是同意清代劉毓崧《通誼堂文集·書文心雕龍後》一文中的意見，認爲書當成於南齊末年。劉毓崧的這個看法，論證比較充分，從目前來看仍是不可推翻的。其云：

《文心雕龍》一書，自來皆題梁劉勰著，而其著於何年，則多弗深考。予謂勰雖梁人，而此書之成，則不在梁時，而在南齊之末也。觀於《時序》篇云「暨皇齊馭寶，運集休明，太祖以聖武膺籙，世祖以睿文纂業。文帝以貳離含章，高宗以上哲興運，並文明自天，緝遐(原注：

『遐，疑當作熙。』）景祚。今聖曆方興，文思光被」云云。此篇所述，自唐虞以至劉宋，皆但舉其代名，而特於齊上加一「皇」字，其證一也。魏晉之主，稱謚號而不稱廟號，至齊之四主，惟文帝以身後追尊，止稱為帝，余並稱祖稱宗，其證二也。歷朝君臣之文，有褒有貶，獨於齊則竭力頌美，絕無規過之詞，其證三也。東昏上高宗之廟號，係永泰元年八月事，據「高宗興運」之語，則成書必在是月以後。梁武帝受和帝之禪位，係中興二年四月事，據「皇齊馭寶」之語，則成書必在是月以前。

按永泰元年為公元四九八年，中興二年為公元五〇二年，其間相距約四年。劉氏又指出：「所謂『今聖曆方興』者，雖未嘗明有所指，然以史傳核之，當是指和帝而非指東昏也。」劉氏的理由《梁書·劉勰傳》說劉勰《文心雕龍》書成之後，曾欲取定沈約，沈約時正值「貴盛」之際；而沈約的「貴盛」，實自和帝時始。由此推定《文心雕龍》成書當在齊末，大約公元五〇一年至五〇二年之間。劉氏的說說法是可信的。像《文心雕龍》這樣一部「體大思精」之作，劉勰由起草到寫定，當然不可能是一朝一夕之功。但是，以劉勰的才學來看，他決非「覃思之人」，不會像張衡那樣「研《京》以十年」，如左思那樣「練《都》以一紀」，大約有兩、三年也就差不多了。這樣，我們假定他是在南齊永元元年（公元四九九年）開始寫作，到中興元年（公元五〇一年）殺青，恐怕於情理還是符合的。由公元四九九年上推三十年左右，那麼，劉勰的生年大約是在公元四六八年或四六九年，也就是劉宋的明帝泰始四年或五年。范文瀾同志《文心雕龍注》卷十中推定為公元四六五年（宋明帝泰始元年），我認爲是稍微早了一些，這是由於范文瀾先生把劉勰開始寫作《文心雕龍》推定在三十三、四歲，又設想其寫作《文心雕龍》一書用了三、四年的緣故。

劉勰的卒年比生年更難考定，因爲《梁書》本傳沒有確切記載，而又無其他有力之旁證材料。《梁書．劉勰傳》涉及到劉勰之死，僅有如下一段記載：

有敕，與慧震沙門於定林寺撰經。證功畢，遂啓求出家，先燔髮以自誓。敕許之。乃于寺變服，改名慧地。未期而卒。

從這裏我們可以知道劉勰在出家改名慧地之後，不到一年就去世了。范文瀾同志根據這一段話，認爲撰經一事當在劉勰之師僧祐死後。僧祐死於梁天監十七年（公元五一八年）。范文瀾先生又認爲撰經約一、二年畢功，從而考定劉勰約卒於梁普通二年，即公元五二一年。不過，范文瀾先生這個推測是缺乏說服力的。因爲劉勰與慧震在定林寺撰經一事究竟在何時，史無明言。而慧震之事跡亦無任何材料。僧祐死時，據《梁書．劉勰傳》記載，正在劉勰因陳表而「遷步兵校尉，兼舍人如故」之時。劉勰當時在仕途上適值春風得意，又深受昭明太子蕭統的寵幸，爲他所「深愛接之」。從劉勰的生平經歷和思想發展來看，不可能在這個時候離開昭明太子蕭統去定林寺撰經，也更不會脫離仕途要求出家。（此點我在下面論述其思想時還要詳談。）李慶甲先生在《劉勰卒年考》（註一）一文中根據南宋釋祖琇的《隆興佛教編年通論》、志磐的《佛祖統記》、本覺的《釋氏通鑑》、元代釋念常的《佛祖歷代通載》、覺岸的《釋氏稽古略》等書記載，提出劉勰之去定林寺與慧震等撰經以及表求出家當是在昭明太子蕭統死後，這一點我認爲是有道理的，也是可信的。楊明照先生在《文心雕龍校注拾遺》中也同意這一點。蕭統的死對劉勰在政治上的發展是有很大影響的。這時，曾經提拔過劉勰的臨川王蕭宏、南康王蕭績已先後去世（蕭宏死於梁普通七年，即公元五二六年；蕭績死於梁大通三年，即公元五二九年）。蕭統一死，劉勰在政治上失去依靠，且東宮易主，劉勰自然不可能再在東宮任職。據《梁書·文學傳·劉杳傳》記載，劉杳也是昭明太子的「東宮通事舍人」，「昭明太子薨，新宮建，舊人例無停者，敕特留杳焉。」又《梁書·殷鈞傳》記載，殷鈞曾爲昭明太子時的「太子家令，掌東宮書記」，「昭明太子薨，官屬罷。」蕭綱當太子後，他的文學思想與蕭統迴異，就選善寫宮體詩的庾肩吾當了東宮通事舍人。（見《梁書·庾肩吾傳》）這些說明蕭統死後，劉勰在政治上已無大的發展前途，且梁武帝後來與蕭統亦有矛盾，故而，劉勰在這種情況下退出政治舞台，再次入定林寺撰經，並表求出家，是完全合乎情理的事了。無論從客觀形勢或劉勰的主觀思想來說，都是可以理解的。蕭統之死是在梁中大通三年，即公元五三一年，劉勰之卒當在是年之後，上距蕭統之死時間不會很長。李慶甲同志謂死於公元五三二年，楊明照先生謂死於五三八或五三九年，不過均尚少確證。但大致地說不會超出這個期間。

關於劉勰的身世，《梁書·劉勰傳》記載也很簡單。在當時的門閥社會裏，劉勰究竟出身於士族還是寒族，學術界也是有爭論的。我基本上同意王元化先生在《文心雕龍創作論》中的意見，劉勰乃是屬於寒族出身的知識分子。這一點從現有的歷史材料來分析，是可以得到明確的結論的。王利器先生在其《文心雕龍校證》一書的「序錄」中，認爲劉勰出身士族，「東莞劉氏，世居京口，實爲過江的僑姓。」他的主要根據是《宋書·劉秀之傳》和《宋書·劉穆之傳》。但是，誠如王元化先生已經指出的，劉穆之雖曾參予宋高祖劉裕的開國大業，死後位列三公，食邑千戶，然而，他本人也是寒族出身。他的直系曾孫，與劉勰並輩的劉祥就直言不諱地承認是寒族出身。《南齊書·劉祥傳》云：「祥少好文學，性韻剛疎，輕言肆行，不避高下。司徒褚淵入朝，以腰扇障日，祥從側過，曰：『作如此舉止，羞面見人，扇障何益？』淵曰：『寒士不遜。』祥曰：『不能殺袁、劉，安得免寒士？』」當時的士族既譏祥爲寒士而加以鄙視，劉祥更自以寒士爲高。至於劉勰既非劉穆之直系子孫，自然不可能有擠入士族之奢望。劉秀之是劉穆之的「從兄子」，雖亦爲司空，食邑千戶，然其後代，亦已衰落。而且劉秀之一家的地位顯然不如劉穆之一家。劉穆之的孫子劉瑀對其族叔就很看不起，直呼其爲「黑面阿秀」。（見《宋書·劉穆之傳》）這裏値得我們注意的是《梁書·劉勰傳》云：「祖靈眞，宋司空秀之弟也。」然據《宋書·劉秀之傳》記載，秀之的兄弟有欽之、粹之、恭之等，而未見有靈眞之記載，這說明靈眞可能沒有做過官，而且也可使人懷疑靈眞是否秀之的親弟弟。其名字亦與秀之一輩的習慣不同。可見，劉勰一脈的家境情況歷來是不佳的。而劉穆之的後代則在政治地位和經濟狀況來說都要比之高得多。像劉勰父一輩的劉歆、劉衍、劉瑀等都做過不小的官，與劉勰同輩的劉彪在齊代雖「降爲南康縣侯」，却仍「食邑千戶」，而劉勰一家則顯然是不在他們眼裏的。所以，要說劉勰一家能依靠劉穆之、劉秀之的地位，甚至說是士族出身，那是很難令人相信的，恐怕于實際情況也是不符的。劉勰的祖先是東莞莒人，由於南北分立而遷居京口，自然也說明其祖先原是有地位的。但是劉勰一系却早已沒落，在政治上沒有什麼發展。他的父親劉尙雖做過越騎校尉，只是一小官，且早死，其事跡亦不可考，到劉勰時更是一蹶不振了。

不過，劉勰在這樣的家庭環境裏長大，從政治上尋求出路，很自然地成爲他青年時代思想的主流，其仕進願望是十分強烈的。這一點劉勰自己在《文心雕龍．程器》篇中就說得很清楚。其云：

蓋士之登庸，以成務為用。……安有丈夫學文，而不達於政事哉。……是以君子藏器，待時而動，發揮事業，固宜蓄素以弸中，散采以彪外，楩柟其質，豫章其幹，摛文必在緯軍國，負重必在任棟梁，窮則獨善以垂文，達則奉時以騁績，若此文人，應梓材之士矣。

這就是他所奉爲圭臬的那種儒家積極進取的態度。然而，在當時「上品無寒門，下品無世族」的門閥社會裏，像劉勰那樣的「寒士」，要在仕途上有所發展，眞是談何容易！對此，劉勰是有許多牢騷和不滿的。他在《文心雕龍．程器》篇中還說道：

蓋人稟五材，修短殊用，自非上哲，難以求備。然將相以位隆特達，文士以職卑多誚：此江河所以騰涌，涓流所以寸折者也。名之抑揚，既其然矣；位之通塞，亦有以焉！

魯迅在《摩羅詩力說》中借此數語而批評「東方惡習」，絕不是偶然的。它確實比較充分地表現了封建社會中下層文人的一種帶有普遍性的憤慨情緒。劉勰這種思想與左思在《咏史》詩中所說：「世胄躡高位，英俊沉下僚。地勢使之然，由來非一朝。」是完全一致的。

劉勰既然抱定了這樣一種人生處世態度，爲什麼又在很年青的時候就進入定林寺「依沙門僧祐」呢？而且「與之居處積十餘年」之久。劉勰入定林寺的時間大約在南齊永明八、九年間（公元四九〇年至四九一年）。因爲他是在梁天監初「起家奉朝請」，並於天監三年（公元五〇四年）起任中軍臨川王蕭宏記室，當是在這期間離開僧祐和定林寺。據《高僧傳》記載，定林寺僧超辨死於永明十年（公元四九二年），而劉勰爲之作碑文，僧柔死於延興元年（公元四九四年），劉勰亦爲之作碑文，可知他必於永明十年前進入定林寺。由他「起家奉朝請」時上推「十餘年」，正好是永明八、九年之際。這時劉勰大約二十歲剛過。關於劉勰青年時代入定林寺依沙門僧祐的原因，學術界有兩種代表性的觀點，一說由於家貧，一說由於信佛。但是，我們認眞研究這兩種說法，似均未妥。楊明照先生在《文心雕龍校注拾遺》一書中的《梁書劉勰傳箋注》一文中說：

按舍人早孤而能篤志好學，其衣食未至空乏，已可概見。而史猶稱為貧者，蓋以其家道中落，又早喪父，生生所資，大不如昔耳。非以家徒壁立，無以為生也。如謂因家貧，致不能婚娶，則更悖矣。……然則舍人之不婚娶者，必別有故，一言以蔽之，曰信佛。……《高僧傳》卷十一釋僧祐傳：「年十四，家人密為訪婚，祐知而避之定林，投法達法師。達亦戒德精嚴，為法門梁棟。祐師奉竭誠，及年滿具戒，執操堅明。」舍人依居僧祐，既多歷年所，於僧祐避婚為僧之事，豈能無所聞知，未受影響？

楊明照先生雖未明言劉勰因信佛而入定林寺，但既以爲他緣信佛而不婚娶，則依僧祐之原因當亦不言而明。王元化先生在《文心雕龍創作論》中則說：

> 當然，不可否認，劉勰入定林寺可能還有其他原因，如佛教信仰以及便於讀書等等（當時的寺廟往往藏書極豐）。不過，我們不能把信仰佛教這一點過於誇大，因為他始終以「白衣」身分寄居定林寺，不僅沒有出家，而且一旦得到進身機會，就馬上離開寺廟登仕去了，足證他在定林寺時期對佛教的信仰並不十分虔誠。再就劉氏家世來看，亦非世代奉佛，與佛教關係並不密切。他自稱感夢撰《文心雕龍》，夢見的是孔子，而不是釋迦。《文心雕龍》書中所表現的基本觀點是儒家思想，而不是佛教或玄學思想。這一切都充分說明他入定林寺依沙門僧祐居處的動機並不全由佛教信仰，其中因避租課徭役很可能占主要成分。至於他不婚娶的原因，也多半由於他是家道中落的貧寒庶族的緣故。

王元化先生對劉勰不是因爲信佛才入定林寺的論述是很有根據，也是有說服力的。而且我們應當看到當時社會中很多篤信佛教的人並不一定入佛寺，而入佛寺者也並非都是因爲虔誠信佛。不過，王元化先生認爲劉勰是因爲家貧避租課徭役而入定林寺之說，則似尚可商榷，其理由似尚不足以否定楊明照先生所提出的非爲家貧的觀點。我們覺得他們兩位在否定對方立論方面都是有說服力的，而在自己立論方面，則尚不很充分。這個原因恐怕是由於劉勰之入定林寺依沙門僧祐既非爲家貧，亦非爲信佛，而是別有更重要的原因。

根據我初步研究的結果看，劉勰入定林寺依沙門僧祐的主要目的，是要借助和僧祐的關係，利用僧祐的地位，以便能結交上層名流、權貴，爲自己的仕進尋求出路，而這一點是可以從當時的社會現實狀況和他本人的實際遭遇和經歷得到證明的。

齊梁之際，佛教隆盛。信佛誦經成爲社會上一種時髦的風尚。世家大族、帝王權臣、皇親國戚，莫不以崇佛爲嗜好，以能拜名僧爲師爲榮。著名佛寺乃是權貴名流出沒之所，聽講佛法成爲上流社會人們重要的社會活動，帝王權臣都爭相組織佛事活動。此種盛況，湯用彤先生在《魏晉南北朝佛教史》第十三章中曾以極豐富的材料作了詳盡論說，我們這裏就不須贅述了。湯用彤先生又說：「南朝佛法之隆盛，約有三時，一在元嘉之世，以謝康樂爲其中巨子，謝固文士而兼擅玄趣。一在南齊竟陵王當國之時，而蕭子良亦獎勵三玄之學。一在梁武帝之世，而梁武帝亦名士，而篤於事佛者。」劉勰的一生就經歷了竟陵王蕭子良和梁武帝蕭衍所處的兩個佛法隆盛時期，而僧祐正是在南齊竟陵文宣王蕭子良當政時期出了名，而到梁武帝執政時期一直紅極一時的名僧。他不僅是當時佛教界的重要人物，而且是在齊梁兩代享受政治上特殊待遇，與齊梁兩代一些主要執政者關係異常密切的重要人物。根據梁代高僧慧皎寫的《高僧傳·僧祐傳》記載，僧祐本姓俞，「父世居於建業」。僧祐年幼時即好佛，曾拜建初寺僧范爲師。十四歲時因逃避婚事而至定林寺，投奔法達法師。這是在宋孝武帝大明二年（公元四五八年）。「及年滿具戒，執操堅明。初受業於沙門法穎。穎既一時名匠，爲律學所宗。祐乃竭思鑽求，無懈昏曉，遂大精律部，有邁先哲。齊竟陵文宣王每請講律，聽衆常七八百人。」法穎本是佛學中律學大師，齊高帝蕭道成即帝位後，曾封他爲僧主，爲一代名僧。他在齊建元四年（公元四八二年）死後，佛教中精通律學的權威就由他的弟子僧祐擔當起來了。齊竟陵文宣王蕭子良當國之時，就非常敬重僧祐，而僧祐也就名聲大盛了。考《高僧傳》所載蕭子良請僧祐講論佛法，大約在南齊永明五年（公元四八七年）前後。《南齊書・竟陵文宣王傳》云：「（永明）五年，正位司徒。給班劍二十人，侍中如故。移居鷄籠山邸，集學士抄《五經》、百家，依《皇覽》例爲《四部要略》千卷。招致名僧，講論佛法，造經唄新聲，道俗之盛，江左未有也。」又，《高僧傳・僧祐傳》亦云：「永明中，敕入吳。試簡五衆，並宣講十誦，更伸受戒之法。凡獲信施，悉以治定林、建初及修繕諸寺，並建無遮大集舍身齋等。及造立經藏，搜校卷軸，使夫寺廟廣開，法言無墜，咸其力也。」可見，僧祐正是在法穎死後、齊永明中蕭子良提倡佛教的情況下，聲名大振的。而劉勰之投奔僧祐也正是在僧祐成爲名僧，受到南齊主要當政者的推崇和重視之後。

劉勰在定林寺長達十餘年，是僧祐的得力助手。本傳說他「博通經論，因區別部類，錄而序之。今定林寺經藏，勰所定也。」楊明照先生《梁書劉勰傳箋注》說：「僧祐使人抄撰諸書，由今存者文筆驗之，恐多爲舍人捉刀。」這是有道理的。但劉勰却始終沒有在定林寺出家，且在定林寺後期所撰之《文心雕龍》充滿了儒家經世致用觀點，正說明他雖身居佛寺，而心實存魏闕也。特別是他在入梁之後很快登仕，累官不止，正是他投奔僧祐後結識名流權貴的結果。天監初，首先提拔劉勰爲官的臨川王蕭宏，是梁武帝蕭衍的異母弟弟，蕭宏就是曾在定林寺拜僧祐爲師的。在梁王朝建立以前，顯然由於僧祐的關係，他和劉勰大約早已熟識，有過交往。故而梁武帝即位不久，蕭宏由臨川王而進封爲中軍將軍之後，即招請劉勰任其記室。楊明照先生說：「意蕭宏往來定林寺頂禮僧祐時，即與舍人相識，且知擅長辭章，故於起家奉朝請之初引兼記室。」又說：「王府記室之職，甚爲華要，專掌文翰。」顯然，蕭宏是很賞愛劉勰的。劉勰在蕭宏手下當記室時間也很長，約有七、八年之久。劉勰終齊之世不得一官，而入梁之後立即「起家奉朝請」，後又連續爲官二、三十年，受到梁武帝一家之賞識，這決不是偶然的。梁武帝一家與僧祐的關係是十分密切的。早在齊代，梁武帝蕭衍在竟陵文宣王蕭子良門下時，與沈約、任昉等，號稱「竟陵八友」，那時已和僧人有許多接觸，和僧祐自然也是老關係了。梁武帝即位之後，對僧祐則更加敬重了。據《高僧傳·僧祐傳》記載，「今上深相禮遇，凡僧事碩疑，皆敕就審決。年衰脚疾，敕聽乘輿入內殿，爲六宫受戒，其見重如此。」《高僧傳》作者慧皎爲梁時人，其謂「今上」，即指梁武帝。梁武帝之妃丁貴嬪是皇太子蕭統的母親，據《高僧傳》記載也是拜僧祐爲師的。蕭統也是篤信佛教的，史書上未記載他和僧祐之關係，這大約是因爲他年齡小的關係。僧祐死時他剛剛十八歲。此外，劉勰和梁武帝蕭衍的另一個異母弟弟南平王蕭偉（先封爲建安王）的關係也很密切。蕭偉也是拜僧祐爲師的。劉勰曾爲他寫《梁建安王造剡山石城寺石像碑》一文。據《高僧傳·僧祐傳》，此石像建成於梁天監十五年春。劉勰寫作此文當亦在此年或此年前後。同時，劉勰還當過梁武帝的兒子南康王蕭績的記室。從他爲官的情況來看，基本上都是在梁武帝的近親、世子手下，說明他和梁武帝一家的關係非同一般。他並沒有什麼社會地位，不過是一個寒士，能受此厚遇，除了他本身的才華之外，恐怕主要是賴僧祐之力，這是很顯然的事。劉勰看來也並非政治上的經世之材，他的長處是在既通佛學，又擅辭章，充當文書幕僚倒是一塊好料。《梁書》本傳曾言：「勰爲文長於佛理，京師寺塔及名僧碑志，必請勰制文。」這當然也是他在定林寺期間刻苦好學的結果。定林寺是當時著名大寺廟，其豐富的藏書，自然也給劉勰的成長提供了重要的客觀條件。不過，在那個社會裏，僅僅依靠才學是不行的，沒有政治上的靠山，才學再高也是踏不進仕途的。因此，劉勰之入定林寺依沙門僧祐又並不出家，「待時而動」，其欲走僧祐這一條特殊的終南捷徑，也就很明顯了。

從上述對劉勰的生平經歷及其入定林寺的原因的分析中，我們可以看到劉勰不管在入梁以前還是入梁以後，他的基本政治態度都是以儒家的經世致用作爲自己人生處世的原則的，這在他的思想中占有主要的地位。因此，以入梁爲界線，把劉勰的思想劃分爲前後兩期，認爲他前期以儒爲主，後期以佛爲主；或認爲他前期信佛，後期信儒，都是不妥當的。這裏有兩個問題需要講清楚，一是他晚年出家問題，二是關於他現存的兩篇佛學著作及其與《文心雕龍》所表現的思想是什麼關係的問題。劉勰一生積極入世而到晚年突然拋棄世俗生活，而決心燔髮出家，這也是有原因的，誠如我們上面談他的卒年時已說到的，這乃是他晚年政治上發展受挫折的結果，同時也是他到了晚年厭倦官場生活，佛教思想起了決定影響性的結果。我們說劉勰一生中基本上是持儒家入世態度，並不排斥他同時又篤信佛教，受有佛學思想的深刻影響。在當時的社會裏，或者說在封建社會裏的知識分子中，儒佛並用的人是很不少的。「外儒家而內釋老」，從政出仕以儒家思想爲準則，修身養性以佛老爲標的，這是很普通的，甚至可以說是文人中的一個相當普遍的現象。劉勰也是如此。他的《文心雕龍》寫於入梁以前，而《石像碑》和《滅惑論》則作於入梁以後。學術界目前對《滅惑論》的寫作年代是有爭論的。《滅惑論》載於題爲僧祐編的《弘明集》中。《弘明集》當是梁天監年間編成的，它比題爲僧祐編之《出三藏記集》要早，因爲《出三藏記集》所記佛學著作目錄中有《弘明集》。《出三藏記集》的成書年代據日本學者興膳宏先生的考證，當作於梁天監十四年以後的一兩年中。據磧砂藏本《弘明集》記載，《滅惑論》下題：「東莞劉記室勰」。劉勰當記室有二：一爲中軍臨川王蕭宏記室，一爲仁威南康王蕭績記室，後一次同時兼東宮通事舍人。一般說，在兼通事舍人時應題舍人而不當題記室。同時，劉勰任南康王記室時，大約在梁天監十一年左右，此時《弘明集》當已編成。故《滅惑論》之寫作不可能是在任南康王記室之時，而當在他任中軍臨川王記室之時。《滅惑論》是針對《三破論》而作的。《三破論》爲一匿名道士假南齊張融之名所作，必在張融已死之後。按張融死於公元四九七年。誠如李慶甲先生所指出的（註二），張融死後，不久，齊東昏執政，信奉道教，後來齊和帝亦是如此。當時若要宏揚道教，完全不必寫匿名文章。故《三破論》當是梁武帝在天監三年舍道奉佛之後所作。這時佛道之爭十分激烈，《三破論》產生於此時，是合乎情理的。同時，梁武帝爲了維護佛學思想，曾下令難神滅論，群臣六十二人都應詔表態，否定神滅論，主張神不滅論，這些也都被收入《弘明集》中。所以，應梁武帝之需要而反駁《三破論》，貶道崇佛，寫《滅惑論》這一類文章，顯然也是不難理解的。《滅惑論》之作大約在梁天監三年至天監十年之間，這與當時梁武帝的三教同源思想也是符合的，它比《石像碑》之作要早一些。這兩篇文章的內容是反映了劉勰所受佛教思想的影響的，尤爲值得注意的是《滅惑論》明顯地體現了儒、釋、道三教合一的思想。那末，這種情況能否說明劉勰在入梁前後思想發生了質的變化呢？能不能說入梁以前是儒家思想，而入梁以後是玄佛並重或以佛家思想為主呢？

我們認為不能這樣說。因為劉勰入梁以前雖無留存下來的佛學著作，但並非沒有寫過佛學文章。除《高僧傳》已提到的為僧柔和超辨寫的兩篇碑文外，僧祐的有些文章很可能就是由劉勰代寫和起草的。劉勰還幫助僧祐做了許多整理佛經的工作。他既「博通經論」，又不承認他有佛教思想影響，恐怕是說不過去的。入梁以後，劉勰幾乎一直在做官，而且仕途上一直是比較順利的。所以他也沒有了《文心雕龍．程器》篇中的那些牢騷和不滿了。梁武帝奉佛教為國教，佛教活動實際上也成為政治活動中的很重要一部分。劉勰參予了當時一些重要的佛事活動，比如梁天監七年按照梁武帝旨意，在定林寺組織了僧侶和俗士共同抄一切經論，定為八十八卷，劉勰就是其中很重要的一個。毫無疑問，他是以俗士身分參加此項工作的。此外，他還寫了佛教的一些重要碑文，如僧祐死後，其碑文就是劉勰寫的。然而，這一切在那個把佛教看得高於一切的社會裏，也可以說，正是像他那樣的一個文人在出仕期間經常要做的工作，並不能說明他這時已經虔誠信佛，而不再有儒家積極入世的主張了。問題的關鍵是在於儒和佛（當時玄佛合流，也可說是玄佛）是否是完全對立而不可統一的？事實顯然不是這樣。從某一方面看，儒佛似乎是矛盾的，儒家主張入世，佛教提倡出世，但從另一方面看，儒佛又並非對立，而是可以統一的。劉勰在《滅惑論》中就明確地說過：「孔釋教殊而道一。」這就是劉勰的看法，也是他一生所奉行的處世態度之依據。他在政治上取儒家之經世致用，在思想信仰上又尊重佛教。入梁以前和入梁之後，並無根本變化。我們要認識劉勰這種思想特點，就會明白他的《文心雕龍》中的思想和佛學論文中的思想是可以共存的，至少在他思想上是這樣看的。這不僅在他是如此，也是當時社會思潮的特點。儒、道、佛三教合流是當時思想史發展的一個重要特點。東漢末年，儒學衰微，魏晉之交，玄學勃興。向秀、郭象注《莊子》，持內聖外王之說，主張名教與自然合一，實際上是主張儒道兩家思想合流的。魏晉時期，儒家思想地位不高，玄學占了統治地位，然而，儒家思想作爲封建社會的正統思想，影響仍是很深的，並沒有被排斥、被否定。玄學家在提倡以虛無爲本體的前提下，總是企圖把儒家思想也納入到自己的體系之中。佛教傳入中國，要藉玄學以光大，玄佛合流，因此也與儒學合流。特別是在進入南朝之後，儒學又開始復甦。這大約是從劉宋時期開始的。在南齊經過蕭子良的提倡，到梁代又得到梁武帝的提倡，儒家思想在社會上又受到了比較大的重視。齊梁之際的三教合流思想大約在南齊蕭子良當國之際，就比較突出了。湯用彤先生在《魏晉南北朝佛教史》中曾經說過：

按佛法之廣被中華，約有二端。一曰教，一曰理。在佛法教理互用，不可偏執。而在中華則或偏於教，或偏於理。言教則生死事大，篤信為上。深感生死苦海之無邊，於是順如來之慈悲，修出世之道法，因此最重淨行，最重皈依。而教亦偏於保守宗門，排斥異學。至言夫理，則在六朝通於玄學，說體則虛無之旨可涉入老莊；說用則儒在濟俗，佛在治心。二者亦同歸而

> 殊途。南朝人士偏於談理，故常見三教調和之說。內外之爭，常只在理之長短。辯論雖激烈，然未嘗如北人信教極篤，因教爭而相毀滅也。

湯用彤先生此一段論述是十分深刻的，它對於我們理解當時的社會思潮、並深入研究劉勰的思想都有極爲重要的意義。所以，我們在南朝的一些著名思想家、文學家身上均可看到這種現象。例如宗炳的《明佛論》、謝靈運的《辨宗論》這些著名的文章中，都不同程度地體現了儒、釋、道三教調和的思想。劉勰正是生活在這樣一個注重談理、傾向於三教合流的社會條件之下，怎麼能不受影響呢？劉勰的青年時代正是南齊永明年間。這是南朝學術發展比較活躍的時期，它與蕭子良的思想和作爲有密切關係。蕭子良在宋齊之際是一位很起作用的人物，齊高帝蕭道成對他很重視。蕭子良是一位政治家，也是思想家。他很注意學術文化的發展。他在自己的西邸聚集了一大批文人，「竟陵八友」是其中的核心。蕭子良既提倡玄學和佛學，也提倡儒學。《南齊書·陸澄傳》云：「永明纂襲，克隆均校，王儉爲輔，長於經禮。朝廷仰其風，冑子覬其則。由是家尋孔教，人誦儒書，執卷欣欣，此焉彌盛。」蕭子良在雞籠山西邸組織文人抄《五經》、百家等，對儒學復興是起了作用的。梁武帝提出三教同源之說，除了信佛以外，他還企圖改變「鄉里莫或開館，公卿罕通經術」的狀況，故「詔求碩學，治五禮，定六律，改斗歷，正權衡。」天監四年，梁武帝下詔云：「二漢登賢，莫非經術，服膺雅道，名立行成。魏晉浮蕩，儒教淪歇，風節罔樹，抑此之由。朕日昃罷朝，思聞俊異，收士得人，實惟酬獎。可置《五經》博士各一人，廣開館宇，招內後進。」他並分遣博士祭酒到州郡立學，並「大啓庠斅」，讓皇太子、皇子、宗室、王侯就業。梁武帝「親屈輿駕，釋奠於先師先聖，申之以宴語，勞之以束帛，濟濟焉，洋洋焉，大道之行也如是。」（以上均見《梁書·儒林傳》）梁武帝的學術思想深受蕭子良的影響，他的三教調和的思想也是和蕭子良的思想一致的。劉勰的青年時代是在蕭子良當政時期，他的中年時代是在梁武帝執政時期，由於僧祐的關係，他對蕭子良和蕭衍的思想當然也是十分清楚的，顯然是受他們的影響。而且他在梁代爲官二、三十年，如果在思想上和以梁武帝爲代表的社會思想潮流不一致，恐怕也是很難在政治上站住脚的。因此，三教調和思想乃是劉勰一生思想中的主流。他的《文心雕龍》中儒家思想從表面上看是比較突出的，但其中也表現了儒、道、佛結合的文藝思想，此點我們下面將要着重分析。而他有關佛學著作中則表現了比較突出的佛學思想，同時也表現了三教調和的思想。這些具有不同傾向、特點的著作是在不同的條件下，爲了不同的目的而寫的，不能據此來劃分他思想發展的前後期，強調他前後期思想的不同。從劉勰的《滅惑論》來看，中心是駁斥那個匿名道士假張融名義寫的擁道反佛的《三破論》。這顯然是與梁武帝之「捨道歸佛」有密切關係。梁武帝之好佛亦是重在理，而不在教，故亦與玄學相通，他也自講《老》、《莊》、《周易》，其佛學亦不脫離玄學。他之捨道歸佛，主要是反對道教，而道教與玄學並不是一回事。因此，我們可以看到劉勰的《滅惑論》中雖反道教，而對老莊玄學則仍肯定很高。認爲在以「虛無」爲本方面，兩教是完全一致的。他在充分肯定佛教的最高地位同時，明確論述了三教調和的觀點。他說：「至道宗極，理歸乎一；妙法眞境，本固無二。」又說：「梵言菩提，漢語曰道。」「是以一音演法，殊譯共解；一乘敷教，異經同歸。經典由權，故孔釋教殊而道契；解同由妙，故梵漢語隔而化通。但感有精粗，故教分道俗；地有東西，故國限內外。其彌綸神化，陶鑄群生，無異也。」這裏，劉勰着重說明了儒道和釋道本是相通的，其根本原理與目的也是一致的，不過一爲宗教，一爲世俗，有所不同罷了。他的這種熔儒、釋、道於一爐的思想，自然是有其政治上的目的的，這就是爲了適應梁武帝的需要。上面是我們對劉勰基本思想的看法。

【附　註】

註　一　見《文學評論叢刊》第一輯

註　二　《劉勰〈滅惑論〉撰年考辯》，載復旦大學蔣孔陽主編之《中國古代美學藝術論文集》。

貳、《文心雕龍》的文學理論體系及其思想淵源

劉勰的《文心雕龍》一共五十篇，是一部有完整的科學體系和嚴密的組織結構的文學理論巨著。劉勰在《文心雕龍》的《序志》篇中曾對他全書的體系作過一個概況的介紹。他說：

蓋《文心》之作也，本乎道，師乎聖，休乎經，酌乎緯，變乎騷，文之樞紐，亦云極矣。若乃論文敍筆，則囿別區分，原始以表末，釋名以章義，選文以定篇，敷理以舉統，上篇以上，綱領明矣。至於割情析采，籠圈條貫，摛神性，圖風勢，苞會通，閱聲字，崇替於《時序》，褒貶於《才略》，怊悵於《知音》，耿介於《程器》，長懷《序志》，以馭群篇，下篇以下，毛目顯矣。位理定名，彰乎《大易》之數，其為文用，四十九篇而已。

可見，劉勰在寫作《文心雕龍》以前，是有過一個周密的考慮的。從他的這一段說明中，我們可以知道，《文心雕龍》全書內容分「上篇」及「下篇」，其中包括三大部分：前五篇是總論，第六至第二十五篇是對各類不同文體的歷史發展狀況敍述；第二十六篇至第四十九篇是有關文學創作、文學批評、文學發展、作家修養等綜合性理論問題的論述。《文心雕龍》所論之「文」，是廣義的文，它幾乎包

括了一切用語言文字寫作的文章，而其重點則是論述以詩賦爲中心的狹義的文學。根據這個特點，參考劉勰本人對體例的說明，從現代科學的文學理論觀點來看，劉勰《文心雕龍》中的文學理論體系，主要有以下十四個問題。下面，我們將在對他的文學理論體系作具體剖析的基礎上，來進一步探討他的文學思想的歷史淵源。

一、原道論

——論文學的本質與起源

《原道》是《文心雕龍》全書的第一篇。劉勰之所以把它放在這樣重要的地位，是因為它講的是文學的本質問題，也是劉勰文學思想中的一個核心問題。劉勰以前，漢代的一部重要學術著作《淮南子》中有「原道訓」一篇。高誘注道：「原，本也。本道根眞，包裹天地，以歷萬物，故曰原道。」《淮南子》是從哲學的角度講「原道」，劉勰是從文學本質的角度講「原道」，兩者是不同的。但是，也有共同的方面，這就是說，「道」是天地萬物之本，亦是「文」之本。所以，清代的紀昀在評《文心雕龍・原道》篇時說：「文以載道，明其當然；文原于道，明其本然。識其本，乃不逐其末。」我們認為這個解釋是符合劉勰原意的。劉勰在《文心雕龍・原道》篇中所要說明的中心問題便是指出文的本質乃是「道」的體現。故其開宗明義第一句話便說：「文之為德也大矣，與天地並生者何哉？」這是對「文」的實質的一個重要說明，其關鍵是在對「德」字的理解上。許多研究者對這一句話似乎重視不夠。《文心雕龍》的舊注一般對它沒有作什麼注釋。范文瀾先生《文心雕龍注》中說：「按《易小畜大象》『君子以懿文德』。彥和稱文德本此。」范注以儒家德教來釋「德」字，大約是從劉勰信奉儒家學說的角度來推測的。但劉勰此處之「德」，指的是「文」和天地並生之特點，以「文德」

釋之，是不確的。周振甫先生《文心雕龍注釋》一書中說：「德，指功用或屬性，如就禮樂教化說，德指功用；就形文、聲文說，德指屬性。就形文、聲文說，物都有形或聲的屬性；就情文說，又有教化的功用。文的屬性或功用是這樣遍及宇宙，所以說『大矣』。」這個解釋也欠明確，說形文聲文有形或聲的屬性，並未涉及其本質，僅指其外在表現形式；說情文有教化功用，則與范注「文德」說接近，指內容而言，與形文聲文亦不統一。這大約與劉勰原意並不相符。從劉勰原文含義來看，「文之為德也大矣」，是因為「文」是「道」的體現，從這一點上說，是和「天地並生」的。陸侃如、牟世金先生《文心雕龍注釋》中釋「德」字為「意義」，把這一句譯為：「文的意義是很重大的。」其實，沒有把「德」字的含義反映出來。因為劉勰的原意是：「文之為德」，其意義是很重大的。我們認為，從《原道》篇的基本思想來看，這個「德」就是「得道」的意思。劉勰這一句話的意思是說：文作為「道」的體現，其意義是很重大的，所以是和天地並生的，因為天地也是「道」的體現。這和《老子》中講的「德」即是「得道」之意是一致的。劉勰在《文心雕龍》一開始就明確告訴我們，文學的本質是：道是其內容，文是其表現形式。

劉勰在《原道》篇中所說的「文」的概念，有廣義和狹義兩方面的含義。廣義的「文」，實質上即是說的宇宙萬物的表現形式。比如：日月疊璧，以垂麗天之象，這是天文；山川煥綺，以鋪理地之形，這是地文；而「傍及萬品，動植皆文」，「龍鳳以藻繪呈瑞，虎豹以炳蔚凝姿」，「雲霞雕色」，「草木賁華」，這就是萬物之文。任何事物都有它一定的外在表現形式，這就是廣義的「文」；而任何事物又都有它內在的本質和規律，這就是「道」。「道」對於不同事物來說，有它不同的表現形式，因此，「文」也就千差萬別，各不相同。「道」是物的內容，「文」是物的形式；「文」就是「道」的外化。作爲萬物之靈的「人」，乃是「五行之秀」，是「天地之心」，他自然也有其內在的「道」與外在的「文」。人的「文」，就是「人文」，也就是用語言文字來表現的文章，它自然也就包括了我們今天所說的純文學在內。對於作爲天地萬物的表現形式的廣義的「文」來說，「人文」是狹義的文，即是作爲人的性靈之表現的具體的文章。天地萬物的「道」和「文」（廣義的文），在人身上的體現即是「心」和「文」（狹義的文）。在劉勰看來，「道」和「心」的含義是差不多的。《文心雕龍·序志》篇中說：「文果載心，余心有寄。」所以，「道」和「心」是「文」的內容，「文」（包括廣義和狹義）則是其美的表現形式。劉勰在《文心雕龍》中所要論述的不是廣義的「文」，而是狹義的「文」，亦即「人文」。然而，不論是廣義的「文」，還是狹義的「文」，作爲「道」的體現這一點是一致的，所以，《原道》篇就要從廣義的「文」與「道」的關係來說明狹義的「文」，亦即「人文」的本質。劉勰認爲「道」是內容，「文」是形式，這是包括人在內的宇宙萬物所客觀存在的自然規律。故而他說：天地之「文」，「此蓋道之文也。」動植之「文」，「夫豈外飾，蓋自然耳。」而人文呢？「心生而言立，言立而文明，自然之道也。」這裏的「自然之道」的「道」，和本篇題目《原道》之「道」，以及講天文地文時說的「道之文」的「道」，是不同的。「原道」之「道」，以及「道之文」的「道」，指的是事物的本質和規律，而此處「自然之道」之「道」字，即是一般說的

「道理」之意。周振甫先生《文心雕龍選譯》中譯爲「自然的道理」，這是很正確的。此「道」並非特殊術語，因爲這裏上文所說「心生而言立，言立而文明」中的「心」與「文」，即「道」與「文」。有的先生把這個「自然之道」的「道」和「道之文」的「道」相混，合而爲一，結果就容易把「道」的含義弄亂，反而不容易認識劉勰論「道」的眞正意思所在。由此而得出劉勰之「道」即老莊之「自然之道」，未免過於簡單。劉勰在《原道》篇中反復闡明「人文」和天地萬物之「文」都是「道」的體現，認爲這是一個很自然的道理。因爲人和天地動植等物的區別，就在於天地動植萬物是「無識之物」，而人則是「有心之器」，「夫以無識之物，郁然有彩，有心之器，其無文歟！」

劉勰雖然首先闡明了「文」和「道」的一般道理，但是，他並沒有到此爲止，這僅僅是對「文」的最廣泛意義的說明。他在《原道》篇中，還進一步從「人文」的起源、發展，來闡明了人文的本質及其特點。劉勰根據傳統的說法，認爲《周易》的八卦是「人文」的起源。他說：「人文之元，肇自太極，幽贊神明，易象惟先。」對劉勰這幾句話也有一個解釋的問題。「太極」在這裏是指什麼？一般認爲這裏的「太極」即是《易傳》中所說的「太極生兩儀」之「太極」。「太極」生天地，人是「天地之心」，「心生而言立，言立而文明」，所以「太極」是「人文之元」。其實，這裏的「太極」是指的「易象」，即八卦。因爲「太極→天地→人→文」這個道理在《原道》第一段中已經講清楚了，第二段說的是最早的「人文」之產生和發展。這四句話中，「肇自太極」和「易象惟先」的含義是一樣的，它是駢文常見的「互文見義」的表達形式。這幾句話的意思是：人文的起源，始自八卦，它乃是神明意志的體現。因此，下文接着就說：「庖犧畫其始，仲尼翼其終。」也就是說，八卦是由伏羲首先畫下來的，孔子作十翼，使其含義更加分明了。劉勰這裏關於孔子作《易傳》的說法，也是採取的傳統說法，這本是不確切的。不過我們在這裏先不去管它。這和《原道》篇第三段開始四句的表達形式是一致的。其云：「爰自風姓，暨於孔氏，玄聖創典，素王述訓。」「風姓」即指伏羲，「玄聖」亦指伏羲，「爰自風姓」和「玄聖創典」同義，指伏羲始畫八卦，是人文之始。「孔氏」亦即「素王」，「暨於孔氏」和「素王述訓」同義，指「仲尼翼其終」，皆爲駢體文之「互文見義」。其實，八卦並非「人文」之起源，它不是最早的文字。文字的產生顯然比八卦要早。不過，劉勰這種看法在當時是一種流行的觀點。比如蕭統在《文選序》中就說：「逮乎伏羲氏之王天下也，始畫八卦，造書契，以代結繩之政，由是文籍生焉。」而且，蕭統這種對「人文」起源的看法，很可以作爲說明劉勰對「人文」起源看法之重要旁證。因爲蕭統的《文選》很可能是劉勰參與幫助編選的。我們在這裏要着重指出的是，劉勰所強調要說明的是從伏羲畫八卦到孔子作《易傳》，作爲事物普遍規律的「道」，才得到了充分的文字的闡明。其後，《六經》中的其他各篇，都是從不同角度對《易經》所闡述的「道」的具有經典性的具體發揮。經過聖人的這樣一些工作，「道」也就能爲大家所懂得、所掌握，而孔子由於「熔鈞六經」，起到了「寫天地之輝光，曉生民之耳目」的偉大作用。在論述「人文」之首先被創造出來的時候，劉勰採用了《繫辭》的觀點，認爲是伏羲受神明的啓示而畫了八卦。他所說的「幽贊神明，易象惟先」，亦即是《繫辭》所說的「河出圖，洛出書，聖人則之」之意。於是，劉勰對「人文」的本質和特點就作了如下歸納與總結。他說：

爰自風姓，暨於孔氏，玄聖創典，素王述訓，莫不原道心以敷章，研神理而設教，取象乎《河》、《洛》，問數乎蓍龜，觀天文以極變，察人文以成化；然後能經緯區宇，彌綸彝憲，發揮事業，彪炳辭義。故知道沿聖以垂文，聖因文而明道，旁通而無滯，日用而不匱。

劉勰認爲，從伏羲到文王、周公、孔子這些聖人的功績，就在於他們創造和發展了「人文」，使作爲宇宙萬物普遍規律的「道」，通過文字而得到了明白的表述和深入的闡發，而聖人也因爲創造和發展了「人文」，而懂得了「道」，並爲萬民立身行事樹立了榜樣，使他們有了可供依據的準則。也就是說，「人文」不僅僅是「道」的體現，而且是對抽象的「道」的具體的表述，是「道」的最集中的反映。這樣，劉勰把天地萬物之文和人文緊密地結合了起來。

劉勰所說的廣義的「文」所體現的「道」，是說的宇宙萬物內在的普遍的自然規律，這是近於老莊所說的那種哲理性的「自然之道」的。但是劉勰所說的狹義的「文」，即「人文」所體現的「道」，則是指的具體的儒家的社會政治之「道」。換句話說，劉勰認爲儒家的社會政治之「道」乃是對作爲普遍的自然規律的哲理之「道」的具體運用和發揮，這也是「六經」之所以有崇高地位之原由。這樣，劉勰就把老莊那種哲理性的「自然之道」具體化爲儒家之「道」，又把儒家之「道」上升爲普遍的自然規律之體現，抽象化爲老莊的哲理之「道」。這裏，我們必須看到，在《文心雕龍》中，劉勰的着眼點仍然是在具體的儒家之「道」，因爲《文心雕龍》所要闡述的不是天地萬物之「文」，而是「

人文」。他之所以要把近於老莊的抽象的哲理之「道」和儒家的具體社會政治之「道」結合起來，其目的是要從哲學上提高儒家之「道」的地位，把老莊之「道」熔鑄到儒家之道中來，這和魏晉南北朝時期玄學的氾濫和老莊哲學在上層社會中的重要地位是有密切關係的。

劉勰對於「道」的這樣一種認識，從歷史淵源上看，主要是繼承和發展了荀子和《易傳》的思想而來的。荀子是先秦的一位以儒爲主，兼取各家之長的重要思想家。荀子所說的「道」就是以儒爲主，兼包老莊之「道」的。荀子在對「道」的論述中，一方面含有普遍的自然規律的意義，例如《解蔽》篇中說：「夫道者，體常而盡變，一隅不足以擧之。」指出「道」乃是一種事物所普遍存在的規律。《哀公》篇說：「夫大道者，所以變化遂成萬物也。」《天論》篇說：「天有常道矣。」梁啓雄在《荀子簡釋》中謂此「二道字指天行或天演。」這是正確的。這兩處的「道」，都是說的客觀事物內在的規律。又荀子在《天論》篇中說：「萬物爲道一偏，一物爲萬物一偏。」梁啓雄說，這個「道」即是指「大自然」。它說明「道」乃是廣泛地存在於「萬物」之中的，任何一個具體的「物」都是「道」的一種表現形式。從這些地方看，荀子所講的「道」是接近於老莊所說的「自然之道」的。由於這種原因，在如何認識「道」的方法上，荀子和老莊也有共同之處。老莊認爲要認識「道」，必須通過「玄覽」、「虛靜」，而達到「大明」境界，進入了這種認識的最高階段，才能眞正認識「道」，把握「道」。《莊子・在宥》篇中指出只有達到「大明」境界，才有可能懂得什麼是「至道之精」、「至道之極」。其《天道》篇說：「聖人之靜也，非曰靜也善，故靜也。萬物無足以鐃心者，故靜也。水靜則明燭鬚眉，平中准，大匠取法焉。水靜猶明，而況精神？聖人之心，靜乎天地之鑒也，萬物之鏡也。夫虛靜恬淡，寂寞無爲者，天地之平，而道德之至，故帝王聖人休焉。」荀子也吸取了老莊的這種思想，他認爲對「道」的認識也要靠「虛壹而靜」。他在《解蔽》篇中說：「人何以知『道』？曰心。心何以知？曰虛壹而靜。」他指出，虛靜可以達到「大清明」境界，就能認識「道」，把握「道」。不過，老莊認爲要達到「大明」這種認識的高級階段，必須依靠「無知無欲」，排斥一切具體的認識和實踐；而荀子則是主張要通過學習，在具體認識和實踐的基礎上而進入「大清明」境界的。故老莊之虛靜論有明顯的神秘的唯心主義傾向，而荀子則是有樸素的唯物主義傾向的。劉勰由於把老莊之「道」和儒家之「道」統一了起來，所以，他在論「文」的創作時，即如何以「文」去體現「道」時，也首先強調「虛靜」，這在《神思》篇中有明確論述。不過在創作上論「虛靜」時他又更多是受老莊影響的，此點我們將在下文論「神思」時再詳談。

荀子對於「道」的認識，除了有上述和老莊之道一致的方面以外，主要的還是講的儒家的社會政治之「道」，而且認爲這就是作爲普遍的自然規律的「道」的集中表現。他在《儒效》篇中說：「聖人也者，道之管也。天下之道管是矣。百王之道一是矣。」《天論》篇中又說：「百王之無變，足以爲道貫。」認爲「天下之道」、「百王之道」都滙集到了聖人那裏，聖人把它們統一起來了。而經歷了百代帝王都沒有改變的東西，足以成爲貫穿始終的「道」。他把儒家的社會政治之「道」看成爲具有哲理性的一種普遍的原理。而聖人正是這種原理的闡述者和代表者。荀子還說，文是明道的，他在

《正名》篇中指出，言詞辨說乃是「心之象道也」，是「心」對「道」的認識之表現。在《儒效》篇中，荀子說《詩》、《書》、《禮》、《樂》、《春秋》這些儒家經典，都是闡述「道」的，不過它們所闡述「道」的角度又是各不相同的。他說：「故《詩》、《書》、《禮》、《樂》之（道）歸是矣。《詩》言是其志也，《書》言是其事也，《禮》言是其行也，《樂》言是其和也，《春秋》言是其微也。」荀子不僅把儒家的社會政治之「道」和老莊的「自然之道」統一了起來，而且認爲它集中體現在《六經》之中，所謂「天下之道畢是矣」。由此可知，劉勰對「道」的基本認識，以及他關於道、聖、文、經之間的關係的分析，是和荀子的思想有一脈相承的關係的，正是吸收了荀子的思想資料而作了具體的發揮。

劉勰關於「文」本於「道」的思想的另一個重要思想來源是《易傳》，主要是《繫辭》。《繫辭》的寫成時間在《易傳》各篇之中是最晚的，大約在戰國後期。《繫辭》中所說的「道」，和荀子所說的「道」是很接近的，它和荀子一樣，既是一種哲學上的「道」，又是一種社會政治之「道」、儒家之「道」。《繫辭》論「道」的特點也是要把儒家的社會政治之「道」上升爲哲學上的「道」，強調它是體現宇宙萬物普遍規律的一種亘古不變的眞理。《繫辭》說：「一陰一陽之爲道。」認爲宇宙萬物之產生及其變化發展，都是陰陽兩種因素相結合的結果。事物由於所稟賦的陰陽二氣之不同，而分別表現爲各種不同的情狀。因此，這裏所說的「道」，正是指事物所具有的一種普遍的規律。《繫辭》又說：「易與天地準，故能彌綸天地之道。仰以觀於天文，俯以察於地理，是故知幽明之故。」這裏所謂「天地之道」，即是指天地萬物所具有的內在規律和本質。《繫辭》的作者認爲這種「道」是體現於萬物之中的，它「知周乎萬物」，「曲成萬物而不遺」，《易》就是講的這樣的「道」，聖人所闡明的也是這樣的「道」。《繫辭》這種對於「道」的認識和劉勰在《原道》篇中說的「文之爲德也大矣，與天地並生者何哉」的觀點是很一致的。《繫辭》把宇宙萬物分爲「道」和「器」兩大類，說：「形而上者謂之道，形而下者爲之器。」「器」是體現「道」的。這一點也直接爲劉勰所接受，《文心雕龍·夸飾》篇中就引用了這兩句話。《繫辭》中所說的這種「道」和「器」的關係，實際上也就是劉勰在《原道》篇中所講的廣義的「道」和「文」的關係。

然而，把「道」上升到哲學的高度，還並不是《繫辭》作者論「道」的關鍵所在，這只是爲了說明聖人之「道」是一種崇高的眞理而已。《繫辭》論「道」的重點仍是在於說明這種至高的「道」乃是由聖人來加以闡明的。《易經》就是聖人對天地萬物「自然之道」的具體的論述，並把它運用於說明具體的社會政治之「道」的表現。所以，《繫辭》說：「聖人立象以盡意，設卦以盡情僞，繫辭焉以盡其言。」《繫辭》的作者認爲，聖人之所以成爲聖人，是因爲他能懂得這個作爲宇宙萬物普遍規律的「道」，並能把它用來說明社會政治生活中的種種所應遵循之原則。「夫《易》，聖人之所以極深而研幾也。」聖人研究和掌握《易》「道」，目的是爲了懂得如何治理天下。「唯深也，故能通天下之志。唯幾也，故能成天下之務。」「是故聖人以通天下之志，以定天下之業，以斷天下之疑。」《易經》正是要從這個角度說明聖人所論述的社會政治之道，乃是作爲事物普遍規律的天地萬物之道的最重要的表現。「是以盼於天之道，而察於民之故。」《易經》之目的是要把自然天道與社會人道相結合，以自然天道來說明社會人道。《繫辭》認爲《易經》即是最早之「人文」。《易經》中的卦辭、爻辭，乃是聖人對「道」的具體說明，是用自然天道來闡明社會人道的具體表現。其云：「聖人有以見天下之賾，而擬諸其形容，象其物宜，是故謂之象。聖人有以見天下之動，而觀其會通，以行其典禮，繫辭焉以斷其吉凶，是故謂之爻。」「極天下之賾者存乎卦，鼓天下之動者存乎辭。」這種思想可以說完全爲劉勰所接受，他在《原道》篇後一部分中所論述的，正是對《繫辭》中這種思想的具體發揮。他對道、聖、文三者關係的分析，也是從總結《繫辭》中的這種觀點而來的。因此，劉勰不僅引用了《繫辭》中「鼓天下之動者存乎辭」的話，並進一步說明道：「辭之所以能鼓天下者，乃道之文也。」劉勰指出，人文之所以能起到巨大的社會政治作用，乃是因爲它是「道」之文。

《繫辭》在解釋聖人爲什麼能具體地闡明天地萬物之道，把天文、地文發展爲人文時，認爲是上天神的意志的體現，「天垂象，見吉凶，聖人象之。河出圖，洛出書，聖人則之。」這就是劉勰在文學起源問題上觀點的由來。劉勰接受了《繫辭》這種「人文」起源論，把「人文」的最早產生歸之於神的顯靈，顯然不能僅僅歸之於前代思想資料的客觀影響，還應當看到劉勰本人思想的複雜性，特別是他所受的佛教思想的影響。佛教的有神論和神不滅論和《繫辭》中的思想是可以相通的。劉勰所處的時代正是佛教泛濫十分嚴重的時代。在當時那一場神滅論與神不滅論的尖銳激烈的思想鬥爭中，劉勰是鮮明地站在神不滅論一邊的。他是一個有神論者，而不是無神論者，這從他所遺留下來的兩篇佛教論文中可以看得很清楚。所以，劉勰在論「文」與「道」的關係時，常常把「道心」和「神理」並提。《原道》篇中說：聖人之「文」，「莫不原道心以敷章，研神理而設教，取象乎河洛，問數乎著龜。」其篇末「贊」中也說：「道心惟微，神理設教。」「神理」這個概念在六朝以前很少出現，它主要是在佛教典籍中用得比較多。在中國文學理論批評史上「神理」這個概念在不同的時代、不同的人和不同的場合，有各種不同的含義。後來文學理論批評中有些人講的「神理」，常常是指藝術描寫能表達出事物內在的自然之理。比如王夫之在《唐詩評選》中評杜甫《石壕吏》說：「片斷中留神理，韵脚中見化工。」又評杜甫《千秋節有感》詩說：「杜於排律，極爲漫爛，使才使氣，大損神理。」後來，王國維在《人間詞話》中說：「美成《青玉案》詞：『葉上初陽乾宿雨。水面清圓，一一風荷擧。』此眞能得荷之神理者。」亦與王夫之所論甚爲接近，指荷花之內在的自然之理，描繪得傳神。然而，劉勰所說的「神理」顯然與此不同，而是一種哲學和宗教意義上的「神理」，它與「道」的含義實際上是一致的，指的是一種事物內在的本質與規律，而它又是由神明所啓示給人類的。按：《文心雕龍》一書中，涉及「神理」者共有七處。《原道》篇中凡三見，除上述兩處外，尚有一處，其他篇中凡四見，現並列擧如下：

若乃河圖孕乎八卦，洛書韞乎九疇，玉版金鏤之實，丹文綠牒之華，誰其尸之，亦神理而已。

——《原道》

《經》顯，聖訓也；《緯》隱，神教也。聖訓宜廣，神教宜約；而今《緯》多於《經》，

神理更繁，其僞三矣。——《正緯》

贊曰：民生而志，咏歌所含。興發皇世，風流《二南》。神理共契，政序相參。英華彌縟，萬代永耽。——《明詩》

五色雜而成黼黻，五音比而成《韶夏》，五情發而為辭章，神理之數也。——《情彩》

造化賦形，肢體必雙；神理為用，事不孤立。夫心生文辭，運裁百慮，高下相須，自然成對。——《麗辭》

這七處講「神理」，其基本含義都是相同的，都是指神明所啓示予人類的客觀眞理，亦即是「道」。上述《原道》篇中所說之「神理」，是直接從河圖、洛書兩句所引申出來的，認爲易象、洪範都是神明意志的體現。《正緯》篇中指出《緯》書是一種「神教」，即神明的訓示，是體現「神理」的。這和上例完全一致。《明詩》篇贊中所說，是對詩歌的讚美。所謂「神理共契，政序相參」，即是指古代優秀的詩歌，既是「神理」之體現，又是政教之表述，這和《正緯》篇中講的「聖訓」、「神教」之說可參照，也就是說，詩歌從根本上說，既反映了「聖訓」，又包含了「神教」。《情采》篇說的是，無論「形文」、「聲文」、「情文」都是「道」也就是「神理」之體現。這和《原道》篇所說「原道心以敷章，研神理而設教」，可以參照。《麗辭》篇前四句是講人的產生和「人文」的起源，「神理爲用，事不孤立」，正是說的最早的「人文」——八卦，都是兩兩相對而成偶的。所以，此「神理」概念與上述多處亦同義。由此可知，劉勰所說的「神理」是不能和後來文學理論批評中的「自然之理」相提並論的，而確實帶有神秘的色彩。而他在兩篇佛學著作中也曾講到「神理」的概念。比如：

彼皆照悟神理，而鑒燭人世，過駟馬於格言，逝以傷於上哲。——《滅惑論》

夫道源虛寂，冥機通其感；神理幽深，玄德思其契。——《石像碑》

鎮南將軍江州刺史建安王，道性自凝，神理獨照，動容立禮，發言成德，英風峻於閭平，茂績盛乎魯衛。——《石像碑》

這裏講的「神理」，都是指佛道而言的，是反映了佛教的有神論思想的。但是，這裏我們也必須看到這樣一點：劉勰所講的「道」有宇宙萬物的本質規律之含義，因此也包含了「自然之道」的因素。而他在講「人文」起源時又吸收了神明啓示的觀點。所以，他在《文心雕龍》中講的「神理」，既包含有「自然之理」的方面，又帶有神秘的色彩。後者主要就在於他認爲這種客觀的「自然之理」在被人掌握之時，起初是由神明作中介，加以啓示的。對「神理」含義的理解上，劉勰也是表現了儒、道、佛合流的思想。

劉勰在論述文學的本質與起源問題時，所表現的這種儒、道、佛三教合流的思想，仍是與當時社會上的三教合流思潮完全一致的。不過他的《文心雕龍》主要是論述「人文」的，是一部文學理論著作，是他爲了求得政治上的發展而寫的。他在《文心雕龍·程器》篇中說：「蓋士之登庸，以成務爲用。魯之敬姜，婦人之聰明耳；然推其機綜，以方治國，安有丈夫學文，而不達於政事哉！」儒家思想表現得較爲突出，是以儒爲主而兼通道、佛的。但這也主要是在有關文學的本質、社會功用等問題上較爲明顯，而在文學的創作理論方面，則佛道思想、特別是老莊和玄學思想的影響，則要更多一些。

具體地分析和研究劉勰《文心雕龍‧原道》篇中關於「文」的本質和起源的論述，探討它的歷史淵源，對於我們正確認識劉勰的文學思想體系是非常重要的，是我們打開劉勰文學思想體系大門的一把鑰匙。學術界關於劉勰的「道」到底是什麼「道」的討論中，有的認爲是老莊的「自然之道」，有的認爲儒家之「道」，有的認爲是佛家之「道」。這些都有一定道理，但是也都有絕對化的偏向。其實，劉勰的「道」，既是具體的社會政治之「道」，又是抽象的哲理性的「道」，它是以儒家爲主，而又兼通佛、道的。這是他受歷史上多方面的複雜的思想資料影響之結果，因此，劉勰的文藝思想中既有主導的方面，也有其複雜的、兼容並包的方面。

我們弄清楚了劉勰「文」本於「道」的具體內容，就可以進一步認清他爲什麼如此重視「徵聖」、「宗經」的原因了。既然「文」是體現「道」的，而聖人之「文」又是闡明「道」的最集中最典型的表現，《六經》就是聖人之「文」的代表，從這樣的「道→聖→經→文」的關係中，自然會得出文章寫作必須「徵聖」、「宗經」的結論。劉勰在《徵聖》一篇中通過對聖人文章在內容和形式兩方面特點的分析，指出聖人文章在內容和形式的基本方面已經爲後人文章創造了以資學習的楷模，從內容方面說，他認爲聖人文章包括了「政化」、「事迹」、「修身」三部分。他說：

先王聲教，布在方冊；夫子風采，溢於格言。是以遠稱唐世，則煥乎爲盛；近褒周代，則郁哉可從。此政化貴文之徵也。鄭伯入陳，以文辭為功；宋置折俎，以多文舉禮。此事跡貴文之徵也。……然則志足而言文，情信而辭巧，乃含章之玉牒，秉文之金科矣。

劉勰認為文章的內容和功用，無非就是政治教化、禮儀事功、修身養性，而這三方面在聖人文章中都已有了充分的描寫。從文章的表達形式來看，聖人的作品也有四個基本特點。這就是：

夫鑒周日月，妙極機神；文成規矩，思合符契；或簡言以達旨，或博文以該情，或明理以立體，或隱義以藏用。

這四種表達方式上的特點，概括了繁、略、隱、顯等不同的寫作技巧，也為後人提供了寫作的基本方法。他還具體的舉了經書中的例子對這四種表達方式加以說明：

故《春秋》一字以褒貶，《喪服》舉輕以包重，此簡言以達旨也。《邠詩》聯章以積句，《儒行》縟說以繁辭，此博文以該情也。書契斷決以象《夬》，文章昭晰以效《離》，此明理以立體也。「四象」精義以曲隱，「五例」微辭以婉晦，此隱義以藏用也。

聖人的文章「銜華而佩實」，是一切文章之最高典範。為此，既然「文」是體現「道」的，而「道」又是由聖人之文所闡明的，那麼，後人寫作就必須「徵聖立言」，而論「文」則當亦「必徵於聖」。

聖人之文章最有代表性的是《六經》，所以，「窺聖必宗於經」。劉勰說：「經也者，恒久之至道，不刊之鴻教也。」聖人的經書，具有「象天地，效鬼神，參物序，制人紀，洞性靈之奧區，極文章之骨髓」的重大作用。《樂經》未留存下來，而現存之《五經》，劉勰指出它們各有自己的特點。

例如，《易經》的特點是「談天」，也即是說，它是講宇宙萬物的本體爲主，是哲理性著作。從寫作角度說，正如《繫辭》所指出的那樣：「旨遠辭文，言中事隱。」《書經》的特點是「記言」，由於是遠古之事，語言難懂，但是通過《爾雅》這樣的書的幫助、訓詁，就可以使人對文意一目了然，它的寫作特點其實是明暢的。《詩經》是「言志」的，用比興的手法來抒情，故而「摛風裁興，藻辭譎喻，溫柔在誦，故最附深衷矣」。《春秋》的特點是「辨理」，它記載詳盡，却又包含了微言大義，從寫作上看是善於以詳略的不同運用，來顯示其作用。《禮經》的特點是「立體」，目的是爲了確立體制，制訂儀禮，各種條款章法十分詳細，一字一句都是可貴的。劉勰通過對《五經》的分析，說明它實際上已經包括了各種類型的文體，而後代所有的文體種類，都是由《五經》派生出來的。他說：

故論說辭序，則《易》統其首；詔策章奏，則《書》發其源；賦頌歌讚，則《詩》立其本；銘誄箴祝，則《禮》統其端；紀傳盟檄，則《春秋》爲根；並窮高以樹表，極遠以啓疆，所以百家騰躍，終入環內者也。

從上述分析中，我們可以知道，徵聖、宗經乃是《原道》篇中所提出的「道沿聖以垂文，聖因文而明道」原則所推出的一個必然結果。而這種由原道而引申出徵聖、宗經之觀點，我們在荀子的文學思想中已可見出其端倪。由於荀子把儒家社會政治之「道」看作是「自然之道」的具體化，因此提出一切議論文章均應以聖王爲師。他在《正論》篇中說：

凡議，必將立隆正，然後可也；無隆正，則是非不分而辯訟不決。故所聞曰：「天下之大隆，是非之封界，分職、名、象之所起，王制是也。」故凡言議期命，是非以聖、王為師。

《非相》篇又說：

凡言不合於先王，不順禮義，謂之奸言。

劉勰既然在對「道」的理解上深受荀子影響，那麼其徵聖、宗經之旨亦受荀子啓發，自不待言，荀子以聖王爲師的主張，也是具體體現於經書的，認爲《五經》就是聖王之道的集中表現。荀子這種原道、徵聖、宗經的思想在漢代又得到揚雄的進一步提倡和發揮。揚雄論文也是既受道家思想影響，又受儒家思想影響的。故他既作《太玄》，又著《法言》，其旨亦在揉合儒道。揚雄論文強調要合先王之法度，而所謂聖王主要是指孔子，即要以孔子的言論、文章爲標準。其《法言》中的《吾子》篇云：

好書而不要諸仲尼，書肆也；好說而不要諸仲尼，說鈴也。

其《寡見》篇又云：

或問《五經》有辯乎？曰：惟《五經》為辯。說經者莫辯乎《易》，說事者莫辯乎《書》，說體者莫辯乎《禮》，說志者莫辯乎《詩》，說理者莫辯乎《春秋》，舍斯，辯亦小矣。

其《問神》篇又云：

書不經，非書也；言不經，非言也。言書不經，多多贅矣。

可見，揚雄之徵聖、宗經主張也是非常鮮明的。而他對《五經》特點的分析，上本之於荀子，下實開劉勰《宗經》篇所論之先河。劉勰之原道、徵聖、宗經主張，顯然和荀子、揚雄之論文主張有一脈相承之關係。但是，我們又不能把劉勰的原道、徵聖、宗經思想和荀子、揚雄的思想簡單地等同起來。劉勰所處的時代是儒家思想衰落、玄佛思想興盛的時期，齊梁之際儒家思想雖有復甦景象，也還不能與玄佛思想相抗衡，而劉勰在《文心雕龍》中雖然很強調儒家思想在文學創作中的地位和作用，然而主要也還是在文學的社會功用等方面，在他的創作理論方面更多地還是受道家、玄學和佛學思想的影響。同時，我們還應該看到在論述文學發展、文學創作、文學批評及評價作家作品的時候，劉勰也並沒有很嚴格地貫徹他的徵聖、宗經原則，還是從實際出發作了具體的實事求是的分析。因此，劉勰並沒有揚雄那樣極端、片面的文學觀點，在對屈原及其作品、對漢代的辭賦等的評價上，也遠比揚雄要全面、穩妥得多。

二、神思論

——論文學的構思與想像

「神思」是劉勰在《文心雕龍》中提出的僅次於「原道」的重要問題。《原道》是《文心雕龍》上篇的第一篇，而《神思》則是《文心雕龍》下篇的第一篇，它是劉勰論文學創作各篇中最重要的一篇。劉勰在《神思》中比較集中地論述了文學創作理論中的一些基本觀點。「神思」是劉勰在《文心雕龍》中提出的一個非常重要的理論概念，它表明了劉勰對以藝術想像爲中心的文學創作過程中的思維活動特點的認識，對其他有關創作理論的各篇，具有指導意義。如果說劉勰關於「原道」的論述中所反映的儒家思想影響比較突出，那麼他關於「神思」的論述中，則比較突出地表現了老莊玄學和佛學思想的影響。

「神思」這個概念，嚴格地說，在美學和文藝理論的領域之中，並不是劉勰首先提出的。最早接觸到「神思」這個概念的，大約要算是東晉的玄言詩人孫綽。他曾寫過一篇《游天台山賦》。據《文選》五臣注，李周翰說他此賦並非他親身登臨之後所寫，而是「聞此山神秀，可以長住，因圖其狀，遙爲之賦」。也就是說，是根據自己的聽聞，以想像爲之。賦前有一篇序，敍述其構思創作過程。序中先說到天台山乃是「玄聖之所游化，靈仙之所窟宅」，所以「舉世罕能登陟，王者莫由禋祀」，然後說：「余所以馳神運思，晝咏宵興，俛仰之間，若已再升者也。方解纓絡，永托茲嶺，不任吟想之至，聊奮藻以散懷。」這裏，孫綽所說的「馳神運思」，實際上即是指馳騁神思，開展藝術創作的構思與想像活動。它所說的意思與劉勰所謂「神思方運」是完全一致的。這是最早從藝術創作角度對神思的論述。其後，在南朝是劉宋時代著名的佛學家、畫家和繪畫理論家宗炳，比較明確地提出了「神思」的概念。他在著名的《畫山水序》這篇講繪畫創作的文章中，論述到了畫家在創作過程中的「神思」問題。宗炳是從繪畫創作的心物交融關係的角度，對神思活動作了分析的，雖然還是比較概括、一般的論述，但卻與劉勰對「神思」的論述十分接近，並且爲其「神思」論奠定了基礎的。歷來大家評論劉勰的「神思」論，比較多地看到了它與司馬相如的「賦心」論（見於《西京雜記》的記載），和陸機《文賦》中的「精騖八極，心游萬仞」之間的聯繫，這自然是不錯的，也確實是很重要的，但是很少注意到它與比劉勰早將近一百年的宗炳的論述的關係，其實這是很重要的。宗炳既是一位虔誠的佛教徒，又十分精通玄學，同時也很懂藝術，是一位重要的畫家，對繪畫理論更有深入研究，他對中國山水畫的創作和理論的發展是很有貢獻的。而且我們還應當看到宗炳的爲人和他的著作，劉勰肯定是很熟悉的。宗炳和當時著名的唯物主義思想家何承天有過一場關於佛教哲學思想的大爭論。爭論雙方的代表作，劉勰的老師僧祐都把它們收進了《弘明集》。僧祐編輯《弘明集》，劉勰自然是很清楚的，而且很可能就是劉勰幫助他編輯的。楊明照先生在《梁書·劉勰傳箋注》中曾說：「僧祐使人抄撰諸書（按：楊先生此即指僧祐『使人抄撰要事，爲《三藏記》、《法苑記》、《世界記》、《釋迦譜》及《弘明集》等』〔見《高僧傳・僧祐傳》〕），由今存者文筆驗之，恐多爲舍人捉刀。」這是很可信的。當然，這些佛教典籍不少在成書之時，劉勰已離開定林寺，但有些很可能在劉勰離開定林寺前已開始編輯，而劉勰離開定林寺後，也還有可能繼續參與有關工作。由此推想，劉勰對宗炳的《畫山水序》一文，肯定也是見過的，受其影響當是很自然的。更主要的是，我們可以從宗炳的《畫山水序》中看到它在創作思想上與劉勰《文心雕龍》中的論述，很多是接近的。首先，宗炳認爲山水畫乃是畫家借山水以「暢神」的產物，也就是說，山水畫的重點是在寄托藝術家的心意情思。他說：「峰岫嶢嶷，雲林森眇，聖賢映於絕代，萬趣融其神思。」提出藝術家的「神思」應當和山水的「萬趣」融和統一。這種對創作過程中心物交融關係的認識，顯然是和劉勰論「神思」的要點——「神與物游」的主旨相符合的，都是爲了說明創作的過程也正是作家主觀的心意情思和客觀現實形象緊密結合的過程。宗炳又說：「夫以應目會心爲理者，類之成巧，則目亦同應，心亦俱會，應會感神，神超理得，雖復虛求幽岩，何以加焉！」這個「應目會心」說與劉勰《文心雕龍・物色》篇所說的「目既往還，心亦吐納」，以及《神思》篇「登山則情滿於山，觀海則意溢於海」之論，又何其相似！其次，宗炳還提出了「澄懷味像」之說，認爲藝術家神思活動的展開，要建立在虛靜的精神狀態之上，構思過程中不應當有種種雜念干擾。這和劉勰《神思》篇中所說的「陶鈞文思，貴在虛靜」，也如出一轍。再次，從藝術表現上看，宗炳指出了「夫理絕於中古之上者，可意求於千載之下；旨微於言象之外者，可心取於書策之內」的特點，根據當時「言不盡意」的觀點，強調繪畫可以體現象外之意，而對繪畫的理解不能局限於畫內具體形象。這當然是玄佛思想影響之結果。它和劉勰《神思》篇所說：「思表纖旨，文外曲致，言所不追，筆固知止。」也是一脈相承的。第四，宗炳認爲要使「神思」活動得以充分展開，達到「暢神」的目的，必須要能「閑居理氣」，提出了「神思」和「理氣」的關係。劉勰在《文心雕龍》中也提出馳騁神思，必須虛靜，而虛靜狀態的獲得，必須要靠「養氣」。《養氣》篇指出，必須「清和其心，調暢其氣」，方能保持文思暢通，而不滯塞。這和宗炳所論也是一致的。劉勰和宗炳《畫山水序》中相同的這幾個觀點，同時也是《神思》篇中的主要觀點。因此，我們研究劉勰的「神思」論，不能不充分重視宗炳的畫論。從宗炳與劉勰在創作思想上的歷史淵源關係中，可以進一步啓發我們認識劉勰在創作思想上的受老莊、玄學和佛學思想的深刻影響。

劉勰在《神思》篇中首先指出了「神思」、亦即藝術思維活動過程中生動豐富的藝術想像活動情狀：

> 文之思也，其神遠矣。故寂然凝慮，思接千載；悄焉動容，視通萬里；吟咏之間，吐納珠玉之聲；眉睫之前，卷舒風雲之色；其思理之致乎？故思理為妙，神與物游。

劉勰在這裏說明了「神思」活動無遠不到，無高不至，可以不受形骸之束縛，超越時間和空間的局限，具有無比廣闊的範圍和幅度，是極其豐富多采的。而且在整個「神思」活動的過程中，文學家的藝術思維都有始終和客觀物象相結合的重要特點。這種神思活動是和作家的感情之波瀾起伏緊密地聯繫在一起的，故而「神思方運」之際，「登山則情滿於山，觀海則意溢於海，」而具體寫作之際，則「談歡則字與笑並，論蹙則聲共泣偕」。（《誇飾》）劉勰對藝術想像的特徵作了非常形像的描繪和相當深刻的概括。

藝術思維活動是一個十分複雜、精微的精神活動現象，在當時的歷史條件下，劉勰當然不可能對它作出符合歷史唯物主義的科學解釋。因此，當我們深入考察劉勰這種「神思」論的哲學思想基礎時，可以看到它仍然是以形神分離說的唯心主義觀點作爲其立論支柱的。劉勰在《神思》篇的一開始就說：

古人云：「形在江海之上，心存魏闕之下。」神思之謂也。

劉勰所引古人的話，見於《莊子・讓王》篇。劉勰引用這兩句話的意思，是在於說明「神思」是可以離開「形」而活動的，是可以超越於形骸之外而自由活動的，因此藝術想像就具有上述特點。也就是說，他是用形神分離說來解釋這種藝術想像的特點的。劉勰的這種說法，並不是什麼新的發明和創造，這是一種古已有之的傳統觀點，而且在六朝也是相當普遍流行的觀點。

在形神關係問題上，莊子是主張重神不重形的，並且表現了明顯的形神分離觀。這不僅從《讓王》篇上述引文中可以清楚地看出來，在《養生主》篇中，莊子還說：「指窮於爲薪，火傳也，不知其盡也。」王先謙《集解》注道：「形雖往而神常存，養生之究竟。薪有窮，火無盡。」這是借火薪之喻，以說明形滅神不滅。爲此，這個薪火之喻後來在南朝就成爲佛教泛濫時期形滅神不滅這場大爭論中的一個重要論題。形神觀是莊子哲學中的一個重要組成部分。莊子把「道」看成是「無」，把「物」看成是「有」；「物」可以銷毀，而「道」則是無往不在的。因此，《齊物論》中說：「形固可使如槁木，而心固可使如死灰乎？」「神」和「形」的關係在莊子那裏正是從「無」和「有」的關係上派生出來的。所以，莊子「以生爲附贅縣疣，以死爲決疣潰癰」（《大宗師》），主張人生應當「外其形骸」，不拘泥於物。魏晉玄學對莊子的這種「有無」、「形神」觀點作了極大的發揮。王弼提出的「本無末有」的本體論，以及他的「言不盡意」的認識論，都爲重神不重形及形神分離說提供了更爲系統的哲學根據。故而湯用彤先生在《魏晉玄學論稿・言意之辨》一章中說：「神形分殊本玄學之立足點。」六朝時期佛教有了極大的發展，玄佛合流是這個時期思想史發展上的重大特點，而佛教唯心主義的一個基本出發點即是形神分離說和神不滅論。在形神關係上，玄學和佛學是沒有分歧的，而且佛學之強調形神分離和神不滅更爲突出，它乃是整個佛教的哲學思想基礎。所以，宗炳和何承天爭論的核心也就是神是否隨形滅而滅的問題。宗炳的《明佛論》一名《神不滅論》，洋洋萬言，主要就是從各方面來闡明精神不隨形體而滅的觀點。《明佛論》與《畫山水序》一文有着深刻的內在聯繫，乃是《畫山水序》一文中藝術創作思想和美學思想的哲學基礎。宗炳在《明佛論》中認爲，神是始終不滅的，它雖然要藉形以生，但是，神與形合，乃是因緣會而有，所以雖合而並不同滅。宇宙萬物之有神從根本上說是一樣的，然而，神與形合的過程，則是隨緣遷流，各不相仿，粗妙不同，故而就人來說，則有聖愚之別。神之游因緣會而與物合，故物正是「暢神」之工具耳！由於強調神不隨形滅而滅，故可離形而遨遊。所以，宗炳之「神思」論正是建立在形神分離說的基礎上的。劉勰在這一點上和宗炳是完全一致的。劉勰的《滅惑論》、《梁建安王造剡山石城寺石像碑》這兩篇佛學著作，也是鮮明地表現了他是堅定地站在神不滅論一邊的。《滅惑論》在批評道教（按此道教指煉丹求仙的神仙道教，而非老莊及玄學）時說：「夫佛法練神，道教練形，形器必終，礙於一垣之里；神識無窮，再撫六合之外。」《石像碑》中說：「並造由人工，而瑞表神力。」也充分說明劉勰乃是有神論者，而不是無神論者。劉勰的「神思」論雖然是以形神分離說爲基礎的，但是，他對「神思」的現象作了相當深入的解剖，揭示了它的一些重要特點，這毫無疑問是有重大價值的。

在分析劉勰的「神思」論時，我們還應當注意到他在《神思》篇中的「贊」中提出的「神用象通」的問題。對於這句話的解釋，一般都認爲是創作過程中精神活動與客觀物象相溝通、相結合，這當然是不錯的。但是，如果我們聯繫當時的文藝思想發展狀況來考察，那麼，「神用象通」的提法也是有來由的，它是和佛教藝術思想有密切聯繫的。佛教在六朝有極大的發展，尤其是在南朝更爲盛行，山林勝景，佛寺林立，每一個佛寺中都有很多佛像雕塑。佛像既是雕塑藝術品，同時又是被佛教徒認爲是神佛借以寄寓、並藉之以顯靈的神靈形象。神佛是借助於雕塑的佛像來顯示自己的具體存在的，因此，佛教徒遂把佛像看成是神佛「觸象而寄」的產物。例如盧山高僧慧遠在《萬佛影銘序》中說：「神道無方，觸象而寄。」當然，神佛也可以借物顯靈，所以有時也稱「觸物而寄」。這種帶有神秘性的對佛像塑雕的看法，也和中國古代對神話人物形象的看法有關。比如晉代郭璞在《山海經》的序中曾說過：「游魂靈怪，觸象而構，流形於山川，麗狀於木石。」佛像雕塑藝術中的「觸象而寄」和郭璞所說的「觸象而構」是一致的，這實際上就是「神用象通」的意思。劉勰所說的「神用象通」顯然是脫胎於「觸象而構」、「觸象而寄」的思想的。不過，劉勰的重點是在說明文學創作形象構成的特點。既然神佛可以藉象以顯，那麼人的思維活動內容自然也可以藉客觀物象來呈現。劉勰的「神用象通」之說，不能說沒有一點神秘主義的色彩，因爲他對「神」的理解本身是以形神分離說和有神論爲基礎的，這一點我們不必爲他諱言。但是，劉勰的可貴之處，是他在論創作構思的時候，其着眼點不是這種神秘的解釋，而是把它從「觸象而寄」的說法中解脫出來，吸取其中合理內核，提出了創作構思本身的「神與物游」、「擬容取心」問題，比較深刻地說明了藝術構思過程中形象構成的特點，從而對文學的創作構思理論發展，作出了重大貢獻，這是我們應當充分加以肯定的。

「神思」活動的開展，需要有「虛靜」的精神狀態。劉勰在《神思》篇中把「虛靜」的精神狀態之重要性，提到了很高的位置。強調「虛靜」，目的在於保證藝術想像活動開展的時候，能夠專心致志、不受任何主觀或客觀的干擾。如果一個文學家在進行藝術構思時，思想不集中，常常同時在考慮個人的名利得失，或者爲周圍環境中的種種雜事而分散注意力，那是肯定構思不好的。所以，我國古代論創作構思非常重視內心的「虛靜」，認爲它是構思成敗的關鍵。在劉勰之前，《西京雜記》論說司馬相如創作《子虛》、《上林》賦，就表現出了這一點。所謂「意思蕭散，不復與外事相關」，即是指他排除了主客觀干擾，進入了一種「虛靜」的狀態。陸機在《文賦》中開篇第一句就是：「佇中區以玄覽」，這正是爲「精騖八極，心游萬仞」作準備的。

「虛靜」本是一個哲學和美學上的範疇，它的提出是很早的。在文學理論上的運用，最早應該說是始於陸機《文賦》，而到劉勰的《文心雕龍》，則有了極大的發展，提得也更爲明確了。從哲學上說，儒、道、佛三家都講過虛靜問題，其內容是旣有聯繫又有區別的。那麼，劉勰講的虛靜主要是受哪一家的影響呢？這個問題當前學術界有不同的看法，有的認爲劉勰講的是儒家的虛靜，有的認爲是道家的虛靜，也有的認爲是佛家的虛靜，這也是涉及到對劉勰思想的總的評價的有關的問題。要確切地回答這個問題，我們首先要搞淸楚以下幾點：第一，儒、道、佛三家對虛靜的認識有什麼異同？從歷史發展的角度來看，這三家之間又有什麼聯繫和發展？第二，虛靜是怎樣從一個哲學上的認識論問題，逐漸運用到文學理論批評上來的？第三，劉勰本人對虛靜是怎樣論述的？這與他的整個思想體系有什麼關係？爲了正確地認識劉勰虛靜說的歷史淵源，我們應當比較全面地去硏究和分析這幾個問題。

虛靜作爲一種哲學上的認識論，最早是由老子提出來的。老子所說的「致虛極，守靜篤」，是一種「得道」的手段和必要途徑。老子主張要「滌除玄覽」，虛靜觀物，方能掌握事物的本質與內在規律。這種思想有其積極的一面，卽是要使人的認識擺脫具體的表面現象的局限，而深入到事物內部去認識其本質規律；但是，老子的虛靜說又有其消極的錯誤的一面，卽是否定人的具體的感性認識的作用，主張「絕學」、「棄智」，認爲這種具體的感性認識是妨害人去全面地完整地深入地認識事物的。其後，戰國中期的宋鈃、尹文學派發展了老子的虛靜說，他們並不否定具體的感性的認識的作用，而更强調「心」在認識中的作用，要使心能虛而靜，以便具有「大明」的高度認識水準。他們的論述見於《管子·心術》篇。宋尹學派之後，提倡虛靜最突出，並且對之作了全面論述的是莊子。莊子的虛靜說是對老子虛靜說的進一步發揮，同時它也吸取了宋尹學派的某些觀點。莊子認爲必須絕對地排斥具體的視聽等感性認識，方能進入虛靜的高級認識階段，從而認識「道」，掌握宇宙萬物的本質和規律。他把知識學問和虛靜的認識論對立了起來，因此我們可以說，他是把老子虛靜說中的消極方面更加擴大、更加突出了。但是，另一方面，莊子又非常明確地强調了虛靜的目的是爲了使人的認識達到「大明」境界。其《天道》篇對此作了充分的論述。其《天地》篇也說：「視乎冥冥，聽乎無聲。冥冥之中，獨見曉焉；無聲之中，獨聞和焉。」從這一點看，莊子不僅吸收了宋尹學派的「大明」說，而且把它提到了非常突出的地位。他對虛靜說的積極作用的認識和强調，其影響是非常大的，也是有重要貢獻的。戰國末期的荀子雖然是一位大儒，但是，如果我們更確切地說，則是一位集大成的思想家。荀子在《解蔽》篇中所提出的，由「虛一而靜」而致「大清明」的境界，是比較全面的，它既沒有老莊論虛靜那些缺點，又比較注意到了老莊論虛靜的積極方面。由此可見，先秦各家論虛靜雖然各有不同，各有優劣，但是在由虛靜而致大明這一點上，是一致的、共同的。而這一點正是後來文學理論批評上强調虛靜的主要內容。我們不應當把先秦各家的思想看成是水火不相容的，其實他們在論爭過程中也是互有吸收，有他們的繼承發展關係的。文學理論批評上所講的虛靜是他們各家的共同的成果，因此要絕對地說一定是那一家的影響，也是很困難的。

不過，一般的文藝家在講虛靜時，從直接引用來看，基本上是老莊的話。這不僅是因爲老莊講虛靜最多、最細微、最詳盡，而且是他們哲學思想的重要基礎。還有一個重要原因是，把虛靜由哲學上的認識論發展成爲文學創作的構思論的一個重要內容，是有一個發展過程的。先秦時期的老子、宋尹、荀子在論虛靜時，都只是從哲學的認識論來講的，並沒有把它和文學創作構思聯繫起來，而莊子則有所不同，他不僅多次詳細地論述了哲學上虛靜的認識論的重要性，而且把虛靜的觀點運用到了神化的技藝創造之中。他在《養生主》、《達生》等篇中分析庖丁解牛、梓慶削木爲鐻、痀僂者承蜩、津人操舟等著名故事時，都突出地强調了虛靜的決定作用。而這些故事對後世的文學創作和文學理論的影響是極其深遠的。我們可以說，後來文學創作理論上講的虛靜，基本上都是從莊子論神化的技藝創造故事中得到啓發，並進而作了具體生動的發揮的。因爲技藝創造和藝術創造是有共同相通之處的。文學理論批評上的虛靜說並不是直接從哲學上的虛靜發展來的，而是經過了莊子論技藝創造爲中介的。如果我們看不到文藝思想發展史上這一重要特點，那麼就很難正確地去分析劉勰虛靜說的歷史淵源了。與此同時，我們還要看到佛教哲學也是講究虛靜的，它和老莊和玄學是一致的，而這也是玄佛合流的重要表現之一。劉勰在《滅惑論》中曾說：「尋柱史嘉遁，實惟大賢，著書論道，貴在無爲，理歸靜一，化本虛柔。」又說：「佛之至也，則空玄無形，而萬象並應；寂滅無心，而玄智彌照。」這就說明，他對道家、佛家的虛靜都是肯定的，而且認爲正是在這一點上，佛家之道與道家之道在根本上是一致的，劉勰從哲學思想上對虛靜的認識，顯然是和他《文心雕龍》中講的虛靜有不可分割的密切聯繫的。

劉勰在《文心雕龍》中的《神思》篇裏對虛靜的論述，就直接引用了《莊子・知北游》篇中所引老子的話，「疏瀹五藏，澡雪精神」，只作了個別文字上的修飾。這自然不是偶然的。他在《養氣》篇說明虛靜狀態的保持需要「養氣」，並且在「贊」中用「水停以鑒，火靜而朗」，作爲比喻，說明虛靜可以達到「大明」的道理。而這個比喻也是運用《莊子》中典故而來的。莊子在《天道》篇中就曾說過：「水靜則明燭鬚眉，平中准，大匠取法焉。」劉勰在《神思》篇中還引用過輪扁斫輪和伊摯言鼎的故事，說明他對莊子所說的那些技藝故事是相當欽佩的。如果我們再聯繫劉勰的基本思想來看，那麼他的虛靜也是以一家爲主而兼通別家的。從提倡虛靜這一點看，劉勰是以老莊爲主，而又吸取了別家之長的。劉勰在提出虛靜是神思的首要條件時，還特別提出了知識學問、經驗閱歷等的重要性，認爲「積學以儲寶，酌理以富才，研閱以窮照，馴致以繹辭」，乃是與虛靜相配合而同爲「馭文之首術，謀篇之大端」的。從文學理論的歷史發展來看，首先是直接得之於陸機《文賦》的。陸機在《文賦》的「佇中區以玄覽」一句下，緊接着就講要「頤情志於典墳」，說明知識學問的重要性。劉勰和陸機一樣，並不是在提倡虛靜時，又否定具體感性知識的重要性，這是與老莊哲學中所講虛靜的觀點不同的，而是和宋尹學派及荀子的觀點接近的。然而，我們還必須看到的是，莊子在論述那些神化的技藝創造故事中，他的主觀意圖和那些故事本身所表現的客觀意義是存在着矛盾的，他一方面竭力強調這些神化的技藝創造故事乃是「無視無聽」，完全排斥了具體感覺器官的具體感性認識的結果。另一方面，這些故事本身所表現出來的意義，往往就有力地否定了他這種錯誤的觀點。這些故事有力地說明了要獲得對事物的最高認識，要掌握客觀事物的本質規律，必須有豐富的具體感性知識，要經過無數次的具體實踐來積累經驗。庖丁是從解了數千頭牛的反覆實踐中逐漸掌握了神化的高超解牛技巧的。痀僂者是經過了刻苦的訓練，從竿子頭上放「二丸」不掉，一直放到「五丸」不掉，才能「承蜩猶掇」的。而對後代文學創作和文學批評影響最深刻的，還不是莊子的主觀意圖，而更主要的是這些技藝故事本身所表現的客觀意義。因此，後代文學理論批評受莊子虛靜說的積極方面影響比較突出，而很少表現出其虛靜說的消極方面，其原因恐怕正是在這裏。由此亦可以看出，劉勰之虛靜說主要也是受莊子論技藝創造故事的影響之結果，當然，也不排斥他同時吸收了荀子等論虛靜的積極方面內容。所以，劉勰的創作思想中，仍是以道佛爲主而兼有儒家之長的。

劉勰神思論中另一個重要問題，是對言意關係的理解。對言意關係的理解是我國古代文學創作理論中的一個十分突出的關鍵問題。進入了虛靜的精神狀態之後，就能充分自由地展開想像的翅膀，在整個宇宙中遨遊。然而，藝術家這種豐富多彩的藝術想像活動內容，能不能用語言文字把它全部形象地描繪出來呢？這裏就碰到了一個言能盡意還是不能盡意的問題。陸機在《文賦》中就曾經提出過「意不稱物，文不逮意」的問題，認爲這是一個非常困難的問題。即以他自己寫《文賦》來說，本想把創作中的具體問題、創作中的種種奧妙，都詳盡地精確地敍述出來，但是，「若夫隨手之變，良難以辭逮」，「是蓋輪扁所不得言，故亦非華說之所能精。」劉勰的認識和陸機是完全一致的，他在《神思》篇中說：

> 方其搦翰，氣倍辭前，暨乎篇成，半折心始。何則？意翻空而易奇，言徵實而難巧也。是

以意授於思，言授於意，密則無際，疏則千里。或理在方寸而求之域表，或義在咫尺而思隔山河。

藝術思維過程中，想像的內容常常是絢麗多姿的，但要把它具體落實到語言形象中，却並不那麼容易了。劉勰這裏所提出的思、意、言的關係，和陸機《文賦》中所說的物、意、文的關係，實質上是一致。他們所說的「意」，都是指的構思過程中與物象相聯繫的具體的意，就詩賦等狹義的純文學來說，即是指構思中形成的「意象」。劉勰說的「言」，即是陸機說的「文」。陸機所說「意不稱物」的「物」是指構思中形成的「意」的客觀內容，而劉勰所說「意授於思」的「思」，即指「神思」，亦即「神與物游」的內容，是就構思過程中形成的「意」的主觀內容而說的。而實際上陸機的「物」也是與主觀的「情」相結合的「物」，劉勰的「思」也是與客觀的「物」相結合的「思」。他們都看到了創作過程中具有兩個比較困難的問題：一是構思中形成的意（或意象），能否正確地反映客觀事物，能否正確地體現作者主觀意圖；二是能不能運用好語言文字把構思中形成的意（或意象）確切地表達出來。劉勰認爲前一方面還不是很困難，而後一方面則常常不能如願。有時言可以把意描寫得很精確，有時則往往相差得很遠。那麼，應當怎樣來認識和解決這個問題呢？

劉勰指出，這裏有一個作家的才能問題，也和作家的學識是否廣博，經驗是否豐富有關。從作家的才能、個性特點來看，是各不相同的。大致來看，有兩種類型：「人之稟才，遲速異分。」「駿發之士，心總要求，敏在慮前，應機立斷；覃思之人，情饒歧路，鑒在疑後，研慮方定。」比如：「淮南崇朝而賦《騷》，枚臯應詔而成賦，子建援牘如口誦，仲宣舉筆似宿構，阮瑀據案而制書，禰衡當食而草奏。」都屬於才思敏捷類的。「相如含筆而腐毫，揚雄輟翰而驚夢，桓譚疾感於苦思，王充氣竭於思慮，張衡研《京》以十年，左思練《都》以一紀。」都是屬於喜歡深思熟慮而後成文的。這兩類作家雖然特點不同，但都具有「博練」之才，既有豐富學識，又善於分析概括。「若學淺而空遲，才疏而徒速；以斯成器，未之前聞。」因此，一個作家如果能具備「博而能一」的條件，自然是大大地有助於克服「意翻空而易奇，言徵實而難巧」的困難的。而且文學創作過程是一個粗求精、去僞存眞的藝術提煉、加工過程，好像用蔴來織布一樣，可以把原始的生活素材改造制作而成爲有充分典型意義的藝術形象，「杼軸獻功，煥然乃珍」，這樣，「拙辭或孕於巧義，庸事或萌於新意」，就具有光彩奪目的藝術魅力。這個思維過程不能完全脫離語言，構思愈成熟，形象愈具體，就會給用語言文字把它物質化奠定良好基礎。然而，語言在表達思維內容方面總是有局限性的，「百聞不如一見」，不管你說得怎麼具體細微，總不如自己親眼看一看，來得更加眞切。更何況，文字的表達也是和語言本身存在差距的。有的人善於說，但並不一定能寫得好。因此，劉勰對言意關係的認識是肯定「言不盡意」的：

至於思表纖旨，文外曲致，言所不追，筆固知止。至精而後闡其妙，至變而後通其數，伊摯不能言鼎，輪扁不能語斤，其微矣乎！

文學藝術要求通過語言來再現藝術構思的豐富生動內容，而語言作爲一種表達思維內容的工具又存在這樣的缺陷，爲了盡可能比較好地解決這個矛盾，我國古代的文藝家主張文學作品應當能體現出「言外之意」、「文多之旨」，即利用言語所能夠表達、可以直接描繪出來的部份，去暗示和象徵語言所不能表達、難以直接描繪出來的部分，盡可能地擴大藝術表現的範圍。正是從這個角度，劉勰提出了文學創作的「隱秀」之美問題。

所以，我們認爲劉勰在言意關係方面，從根本上說，是接受了當時玄學和佛學中所普遍流行的「言不盡意」、「寄言出意」思想影響的。他在《序志》篇中說：「言不盡意，聖人所難；識在瓶管，何能矩矱！」這就表現得更清楚了。當然，目前學術界對劉勰是主張「言不盡意」，還是主張「言盡意」是有爭論的。不過，從上面的分析和引述來看，我們認爲劉勰本人已經講得很明白了。問題是對他在《文心雕龍》中那些重視語言表達精確性的論述，應當如何正確理解。比如：他在《神思》篇中說：「神居胸臆，而志氣統其關鍵；物沿耳目，而辭令管其樞機。樞機方通，則物無隱貌；關鍵將塞，則神有遁心。」在《物色》篇中，他也說到：「皎日嘒星，一言窮理；參差沃若，兩字窮形。」「吟咏所發，志唯深遠；體物爲妙，功在密附。故巧言切狀，如印之印泥，不加雕削，而曲寫毫芥。」能不能根據這些論述來說明他是主張「言盡意」的呢？我們認爲，劉勰重視具體語言表達上的精確性，並不等於就是主張「言盡意」，否則，他的《文心雕龍》本身在言意關係上的論述，不就矛盾了嗎？其實，在劉勰的文學思想體系裏，主張「言不盡意」和重視語言表達的精確性，並不是矛盾的，而是可以統一的。從語言可以表達和描繪的部分來說，他認爲應當是非常精確的，這就是他講「秀」的部分應當「以卓絕爲巧」的原由。從語言無法表達和描繪的部分來說，他是肯定「言不盡意」，而主張要借助語言可以表達和描繪的部分，來暗示和象徵作家的「言外之意」的。這就是他說的「隱」的部分應當是「以復義爲工」、體現「文外之重旨」的原由。文學作品應當是「隱」和「秀」的統一體，而且只有重視了語言表達的精確性，才有可能有深遠而味之無盡的「言外之意」。對言意關係的這樣一種認識是並不奇怪的，就拿莊子來說，雖然他是竭力主張「言不盡意」、「得意忘言」的，甚至說用語言書寫的書籍都是「糟粕」，但是，事實上他也不能眞正地廢棄語言，因爲他這種「言不盡意」、「得意忘言」的觀點本身仍是要用語言來表達的。莊子雖然把語言僅僅看成是得意的一種工具，然而，沒有這種工具，也不能「得意」。因此，這個工具也還是非常之重要的。事實上，莊子本人也是非常重視語言表達精確性的，這也就是爲什麼他的著作具有如此高的藝術價値的原因之一。從對言意關係的理解來看，一般說，儒家是主張「言盡意」的，而佛老是主張「言不盡意」的。他們的看法各有其優點，也各有其不足的方面。看不到語言表達思維內容和描繪客觀事物上的局限性，這是不對的；而片面地過分地貶低和否定語言的作用也是錯誤的。劉勰這裏也從他的「擘肌分理，唯務折衷」的論證方法出發，兼取各家之長，這正是他的優點。劉勰既承認「言不盡意」，努力想法去克服這個缺點，注重「言外之意」，又同時强調語言表達上的精確性，正說明他企圖把儒、道、佛在言意關係上的主張統一起來，體現了他思想上把儒、道、佛熔爲一爐的基本特點。

此外，劉勰的「神思」理論還有一個値得我們重視的問題是神思和養氣的關係。黃侃先生在《文心雕龍札記》中說：

養氣謂愛精自保，與《風骨》篇所云諸氣字不同。此篇之作，所以補《神思》篇之未備，而求文思常利之術也。

這個論斷是很有見地的。神思活動的開展需要有虛靜的精神狀態，而虛靜這種精神狀態的培養，關鍵在養氣。清代紀昀評此篇也說：

此非惟養氣，實亦涵養文機，《神思》虛靜之說，可以參觀。彼疲困躁擾之餘，烏有清思逸致哉！

這就把《養氣》篇之精神揭示得很明白了。其實，把虛靜和養氣聯繫起來，並不始自劉勰，莊子早就比較詳盡地論證了這個問題。《莊子・人間世》篇云：

回曰：「敢問心齊。」仲尼曰：「一若志，無聽之以耳，而聽之以心；無聽之以心，而聽之以氣。聽止於耳，心止於符。氣也者，虛而待物者也。唯道集虛，虛者，心齋也。」

莊子所謂「心齋」，也即是指「虛靜」的狀態。這段話中「聽止於耳」一句當爲「耳止於聽」之誤，清代俞樾已經指出。這裏的「氣」，即是指一種內心虛靜的精神狀態。陳鼓應先生《莊子今注今譯》一書中說：「在這裏『氣』當指心靈活動達到極純精的境地。」這個解釋是比較符合莊子原意的。王先謙《莊子集解》引宣穎《南華經解》云：「氣無端即虛也。」所以，莊子說「氣」的特點即是「虛而待物」。合乎自然的和氣，即是內心虛靜的一種具體表現。莊子在《達生》篇中說：

子列子問關尹曰：「至人潛行不窒，蹈火不熱，行乎萬物之上而不慄，請問何以至於此？」

關尹曰：「是純氣之守也，非知巧果敢之列。」

成玄英疏道：「夫不爲外物侵傷者，乃是保守純和之氣，養於恬淡之心而致之也，非關運役心智，分別巧詐，勇決果敢而得之。」他也指出了莊子强調「守純和之氣」，正是欲使內心處於一種「恬淡」，亦卽虛靜的狀態。《達生》篇關於梓慶削木爲鐻的故事中，梓慶在回答魯侯爲什麼他能做出「見者驚猶鬼神」的鐻時，曾說：「臣工人，何術之有？雖然有一焉：臣將爲鐻，未嘗敢以耗氣也，必齋以靜心。」所謂「不敢耗氣」，也卽是「純氣之守」、「保守純和之氣」，使自己內心處於一種完全合乎自然的虛靜狀態之中。

劉勰之所以把「神思」、「虛靜」、「養氣」聯繫起來，並且把養氣問題作爲專篇來論述，顯然也是受莊子思想、特別是其論技藝創造故事影響的結果。劉勰所說的「氣」是指「神」的一種內在表現。陸侃如、牟世金《文心雕龍譯注》中指出劉勰對「神」和「氣」常常是並稱的，兩者並無實質上區別，這是很對的。《養氣》篇「贊」中說：「玄神宜寶，素氣資養。」如果「精氣內銷」，必然要「神志外傷」。爲了要使「神思」能在「虛靜」狀態中充分展開，就必須要「養氣」。而養氣的關鍵是要使自己能做到「率性自然」，不以人爲力量去勉强。故而，《神思》篇云：「秉心養術，無務苦慮；含章司契，不必勞情。」《養氣》篇說：「率志委和，則理融而情暢；鉆礪過分，則神疲而氣衰：此性情之數也。」所謂「率志委和」，也就是莊子所提倡的保守「純氣」的意思。劉勰堅決反對冥思苦想、强寫硬作，認爲那樣是違背了人性的自然規律，會破壞純和之氣，因此也絕對寫不出好作品來。他又强調說：「志於文也，則中寫郁滯，故宜從容率情，優柔適會。若銷鍊精膽，蹙迫和氣，秉牘以驅齡，灑翰以伐性，豈聖賢之素心，會文之直理哉！」劉勰這種强調率性自然的思想，顯然是和他在《原道》篇中提倡自然之美的思想完全一致的。這也是他受道家思想影響在創作理論方面的重要表現之一。

三、隱秀論

——論文學形象的特徵

在《文心雕龍》中，在創作思想上與《神思》篇關係最密切的，除了《養氣》以外，還有《物色》與《隱秀》兩篇。《隱秀》篇是在《神思》篇論創作的構思與想像基礎上，進一步討論文學的形象特徵的。《隱秀》篇是《文心雕龍》中唯一的一篇殘文。其原文大約從南宋以後已殘缺，敦煌所藏唐寫本《文心雕龍》中可能還是全的，可惜的是它至今尚未找到。今本《文心雕龍》的《隱秀》篇自「始正而末奇」至「此閨房之悲極也」，恐爲明人所加。近年來，在《文心雕龍》的研究中，也有人認爲此段「補文」並非後人所加，乃是原文。但論據不足，難以爲信。《隱秀》篇雖已殘缺，但是，劉勰關於「隱秀」的基本思想，在殘留部分也已經論說得相當清楚了。如果我們關係全書的內容來考察，那麼，仍然可以看出「隱秀」論乃是劉勰論文學創作的一個十分重要的基本思想，它反映了劉勰對文學形象的美學特徵的深刻認識，而且對後代產生了巨大的影響，是應當引起我們極大的重視的。

但是，解放以後研究《文心雕龍》的學者，似乎對「隱秀」的重要性估計不太足。多數先生認爲「隱秀」講的只是修辭技巧問題，提出這種看法的主要原因，是這些同志認爲「隱秀」的「秀」，即是指詩文中的個別警句，亦即《文賦》中所說的「立片言而居要，乃一篇之警策」。比較早地提出這種看法的是清代的黃叔琳，他評道：「陸平原云『一篇之警策』，其『秀』之謂乎？」其後，許文雨《文論講疏》中亦以劉勰之「秀」釋《文賦》之「警策」。范文瀾注亦沿襲此說，解放以後各重要注家大都持此說，有的同志並把「警策」看作就是所謂「警句」。直至近幾年方有所突破，開始從美學和文學創作原則高度來闡發「隱秀」含義，應當說這是對《文心雕龍》的理論研究進一步深入的表現。對劉勰的「隱秀」論不能僅僅從修辭技巧的角度來理解，這一點其實清朝人就已經提出了。劉熙載在《藝概》中說：

> 《文心雕龍》以「隱秀」二字論文，推闡甚精。

劉熙載是一位很有美學眼光的文藝理論批評家。他的這個精闢見解說明，他看到了「隱秀」乃是劉勰在《文心雕龍》中提出的極爲重要的美學原則，（此點他還有具體發揮，我們將在下文論及。）是劉勰論文學創作的一個重要指導思想，而決不僅僅只是一種修辭技巧。黃侃先生在《文心雕龍札記》中也覺察到了這一點，他說：

> 夫隱秀之義，詮明極艱；彥和既立專論，可知於文苑爲最要。

這也是一個相當深刻的見解。既然是「于文範爲最要」，怎麼能說只是一種修辭技巧呢？追根溯源，還要從陸機《文賦》的兩句話說起。《文賦》中「立片言以居要，乃一篇之警策」兩句，也並非是僅僅一種修辭技巧，實質上也是一個文學創作的美學原則，是指創作中應當有一些突出的最精彩的部分來帶動全體，而構成爲一個整體美。因此，「警策」不同於後世通常之「警句」，此點，錢鍾書先生在《管錐編》中論《文賦》時曾作了詳盡分析，他說：

又按《文賦》此節之「警策」不可與後世常稱之「警句」混為一談。采摭以入《摘句圖》或《兩句集》（方中通《陪集》卷二《兩句集序》）之佳言、雋語，可脫離篇章而逞精彩；若夫「一篇警策」，則端賴「文繁理富」之「眾辭」村映輔佐。苟「片言」孑立，却往往平易無奇，語亦猶人而不足驚人。如賈誼《過秦論》結句「仁義不施，而攻守之勢異也」，即全文之綱領眼目，「片言居要」，乃「眾詞」所「待而效績」者，「一篇之警策」是已。故就本句而論，老生之常談，遠不如「叩關而攻秦，秦人開關而延敵」，「斬木為兵，揭竿為旗」等傳誦也。又如《瀛奎律髓》卷九陳與義《醉中》起句：「醉中今古興亡事，詩裏江山搖落時。」紀昀批：「十四字一篇之意，妙於作起，若作對句便不及。」正謂其聯乃「片言居要」之「警策」，而不堪為警句以入《摘句圖》或《兩句集》也。警句得以有句無章，而《文賦》之「警策」，則章句相得始彰之「片言」耳。《苕溪漁隱叢話》前集卷九引《呂氏童蒙訓》以杜詩「語不驚人死不休」說陸機此語，有曰「所謂『驚人語』，即『警策』也。」斷章取義，非《文賦》初意也。

劉勰《文心雕龍》中所說「隱秀」之「秀」，更不能簡單地與「警句」相等同。劉勰說：「秀也者，篇中之獨拔者也。」也即是說，「秀」是指一篇作品中最爲突出的部分，形象最鮮明、最生動的部分。然而，這一部分乃是整體形象中的一部分，是和其他部分不可分割地聯繫着的，把它和整體隔開，它也就失去其光彩和意義了。因此，劉勰所說的「秀」，既可以指篇中之一部分，又可以用來代表全篇。比如他說：「凡文集勝篇，不盈十一；篇章秀句，裁可百二。」這「秀句」自然是指篇章中之一部分。然而他又說：「秀句所以照文苑。」（按：此句詹鍈先生據曹學佺批梅慶生天啓二年第六次校本，謂當作：「隱篇所以照文苑，秀句所以侈翰林。」此可作參考，尚不能斷定原文確系如此。）紀昀評道：「此『秀句』乃泛稱佳篇，非本題之『秀』字。」這裏，紀昀指出此「秀句」系「泛稱佳篇」是正確的，但不能說和「隱秀」之「秀」是兩回事。「秀」是劉勰所推崇的一個文學創作的美學標準，這在全書中可以看得很清楚。比如《原道》篇：

（人）為五行之秀，實天地之心，心生而言立，言立而文明，自然之道也。

這裏的「秀」雖非指文章，但人既爲「五行之秀」，其言乃心之體現，寫成文章自然要以「秀」爲美。其《徵聖》篇贊中又贊揚聖人文章乃「精理爲文，秀氣成采」。故能與日月同輝。所以贊美孔子是「夫子繼聖，獨秀前哲」。（《原道》）《物色》篇云：「珪璋挺其惠心，英華秀其清氣，物色相召，人誰獲安。」宇宙間萬物均有其「秀」，故被描寫到文學作品當中亦以「秀」爲美。《才略》篇贊揚「子大叔美秀而文」，《時序》篇稱頌齊代作家「才英秀發」，《諸子》篇贊中提出：「丈夫處世，懷寶挺秀。辨雕萬物，智周宇宙。」這些都足可表明「秀」不僅是表現在一篇作品中最精彩的部分，同時也是劉勰對整體美的一種要求。

我們還應當看到，把「秀」作爲一種美學標準來要求文學創作，不僅劉勰是這樣，與劉勰同時代的一些其他文藝理論家也是這樣看待的。比如沈約在《宋書・謝靈運傳論》這篇著名的文學理論論文中曾說：「降及元康，潘、陸特秀，律異班、賈，體變曹、王，縟旨星稠，繁文綺合，綴平臺之逸響，採南皮之高韻。」又說：「爰逮宋氏，顏、謝騰聲，靈運之興會標舉，延年之體裁明密，並方軌前秀，垂範後昆。」在鍾嶸《詩品》中更是一個重要的美學標準。他評王粲的作品說：「發愀愴之詞，文秀而質羸。」評謝朓的作品說：「一章之中，自有玉石。然奇章秀句，往往警遒。」又批評顏延之的詩歌：「又喜用古事，彌見拘束，雖乖秀逸，是經綸文雅才。」又評丘遲的詩說：「丘詩點綴映媚，似落花依草。故當淺於江淹，而秀於任昉。可見，「秀」首先是針對創作的整體特點而說的，但「秀」這種美學特徵也自然很突出地體現在一篇作品的最精彩的地方。「秀」的這種特徵很像我國古代文論中講的「興」。「興」在《詩經》中可以是指具體的藝術表現技巧，也可以說是一種修辭方式，但是，從六朝以後，它又是作爲一個文學的審美特徵而被廣泛地運用着的概念，所以後來王夫之就說：「詩言志，歌永言，非志即爲詩，言即爲歌也。或可以興，或不可以興，其樞機在此。」（《唐詩評選》中孟浩然《鸚鵡洲送王九之江左》一詩的評語。）把可不可以「興」作爲區別詩與非詩的一個標準。如果我們僅僅把「興」看作是一種修辭方式，那就太狹隘了。（註一）從後來文論中對「秀」的論述來看也是如此。唐代詩人中，王維就是以「秀」著稱的。殷璠《河岳英靈集》中說王維的詩「詞秀調雅，意新理愜。」當然不是指修辭上的「秀」。杜甫《解悶》十二首中評王維詩道：「不見高人王右丞，藍田丘壑漫寒藤。最傳秀句寰區滿，未絕風流相國能。」這裏的「秀句」自然也不是指其「警句」，而是「泛稱佳篇」之意。許多研究者之所以把「隱秀」當作修辭手段來看，其主要原因即是在對「秀」的理解不全面，只從「秀句」的表面意思來講，而把它當作一般的「警句」，結果就不易看到「隱秀」作爲美學原則的重要意義。

隱秀問題的提出不是偶然的，它是劉勰關於文學創作過程及藝術形象構成的總體認識中的一個重要環節。劉勰在《文心雕龍‧體性》篇中，對文學創作過程有一個概括性的論述，這就是《體性》篇一開始說的：

> 夫情動而言形，理發而文見，蓋沿隱以至顯，因內而符外者也。

文學創作的實質，是要把作家內心的思想感情，通過對現實生活的形象描寫而體現出來，這是一個由「隱」到「顯」的過程。隱於內，顯於外；思想感情隱於內，形象描寫顯於外。這種隱和顯的特點，實際上也就是隱和秀。可見，隱秀問題，乃是對文學創作過程的基本特點的概括。故而，後來托名白居易寫的《金針詩格》中就根據這種特點提出了詩歌創作中的「內意」和「外意」的問題。其云：

> 詩有內外意，內意欲盡其理，理謂義理之理，美刺箴誨之類是也。外意欲盡其象，象謂物象之象，日月山河蟲魚草木之類是也。

內意是指詩歌形象內包含的思想感情，外意則是指詩歌所描寫的客觀物象。內意之隱要借外意來顯，這就是劉勰所說的「因內而符外」之意。顯然，藝術形象的隱秀特徵乃是和文學創作過程中的這個「沿隱以至顯，因內而符外」的狀況分不開的。不過，從創作過程來看，只是作爲一般的規律來講的，沒有具體的對隱秀提出美學要求，而從藝術形象的特徵這個角度來講「隱秀」，則是有更高的美學要求的。文學的創作過程，實質上也就是一個形象構成的過程，因此，隱秀的提出又是和劉勰對藝術形象的構成的認識分不開的。劉勰所提出的「神用象通」的形象構成方法中，「神」是內在的，是隱於象中的；而「象」則是外在的，是神借以顯現的外殼。（註二）劉勰在《神思》篇中曾經提出過「意象」的概念。「意象」相當於今天所說的「形象」的概念。不過，它在我國古代文論中更着重在突出藝術形象是意和象的統一的特徵。「神用象通」才產生了「意象」。劉勰所說的「神用象通」，正是逐步擯棄了我國古代論藝術形象構成理論中之神秘觀念，而着重於說明它是作家主觀的精神內容與現實的客觀物象之統一。在古人看來，人的精神、思想、意願都是藏於心中的，心是神之舍，因此，心和神的概念是差不多的，是可以相通的。劉勰在《文心雕龍·序志》篇中說的，「文果載心，余心有寄。」是就整篇作品而言的，其實即是「神用象通」的問題，不過說的角度不同而已。所以，六朝的作家，如謝靈運、王融等，也都有文以「傳心」、「寄心」的說法。劉勰在《文心雕龍·比興》篇的「贊」中提出的「擬容取心」的說法，與「神用象通」是完全一致的。不過，「神用象通」多少還有一點神佛通過塑象以顯靈的殘餘痕跡，而「擬容取心」則完全是指文學創作的形象構思特點了。這裏，「心」即是「神」，「容」即是「象」。「擬容」就是取象，指對客觀事物的描繪；「取心」即是「寄心」，指「神」藉象以顯，「心」寓於「擬容」之中。在劉勰的思想裏，「心」和「神」都是「隱」的方面，而「容」和「象」則是「顯」的方面，亦即「秀」的方面。文學形象的構成中，主觀的方面需要隱藏於客觀的描繪之中，所以就必然會造成隱秀的特點。

藝術形象是在作家構思的過程中逐漸形成的，因此，隱秀的特點乃是作家神思活動的一個必然結果。黃侃先生在《文心雕龍札記》中說：「然隱秀之原，存乎神思，意有所寄，言所不追，理具文中，神余象表，則隱生焉；意有所重，明以單辭，超越常音，獨標若穎，則秀生焉。」（註三）這個說法是符合劉勰原意的。劉勰在《隱秀》篇一開始就說明作品的隱秀乃是作家神思活動之產物。其云：

夫心術之動遠矣，文情之變深矣。源奥而派生，根盛而穎峻。是以文之英蕤，有秀有隱。

這裏說的「心術之動」，正是神思活動，作家的藝術構思活動。「心術之動」引起了「文情之變」；而「心術之動遠」，則「文情之變深」，這是有內在因果關係的。作家的藝術構思活動，產生了藝術形象；這種構思活動的內容的生動性、豐富性和深刻性，又決定了優秀藝術作品的形象必然具備「有秀有隱」的特點。從這裏我們也可以看到，劉勰論文學創作各篇，都是在一個完整的體系中之一部分，各篇之間都有密切的關係。下篇中的《神思》、《養氣》、《隱秀》、《比興》、《物色》等篇都是從各個不同方面來闡述藝術構思和形象塑造中的基本特點的。

那麼，劉勰對「隱」和「秀」的含義又是怎樣解釋的呢？這他在《隱秀》篇中也有非常明白的論述。劉勰說：

隱也者，文外之重旨者也；秀也者，篇中之獨拔者也。隱以複義為工，秀以卓絕為巧，斯乃舊章之懿績，才情之嘉會也。夫隱之為體，義生文外，秘響旁通，伏采潛發，譬爻象之變互體，川瀆之韞珠玉也。故互體變爻，而化成四象；珠玉潛水，而瀾表方圓。

這一段話的下面，原文就缺佚了。我們無法了解劉勰對「隱」的分析下文是否還有，而對「秀」的進一步闡述是肯定會有的，不過現在已經看不到了。明人所補之文，於內容看也顯然是不類的。不過，還值得我們幸運的是劉勰對「隱」和「秀」的基本意義的分析已經有了。而且根據宋人張戒在《歲寒堂詩話》中所引，而不見於今本的兩句話，還可以使我們對劉勰的「隱」和「秀」的含義有更爲清楚而確切的了解。張戒引《文心雕龍》云：

情在詞外曰隱，狀溢目前曰秀。

當然，這兩句話是否確實是《文心雕龍》中，特別是《隱秀》篇中的話，這是可以研究的。但據張戒在《歲寒堂詩話》中引用古人著作的態度看，一般是比較嚴肅的，所以大體上說，應該是可信的。從張戒所引佚文更可充分說明「隱秀」乃是重要的文學創作的美學原則，而非一般修辭技巧。

從上述劉勰自己對隱秀的解釋來看，秀，係指意象的象而言，它是具體的、外露的，是針對客觀物象的描繪而言，故要「以卓絕爲巧」；隱，係指意象的意而言，它是內在的、隱蔽的，是指通過對客觀物象的描繪而寄寓的作家的心意情志而言的，故要「以複義爲工」。文學作品的思想是寓於形象之中的，藝術形象的意是從象中流露出來的，這是藝術創造的一個基本原則。恩格斯在著名的致哈克奈斯的信中曾說：「作者的見解愈隱蔽，對藝術作品來說就愈好。」他又給敏娜・考茨基的信中說：「傾向應當從場面和情節中自然而然地流露出來，而不應當特別把它指點出來。」然而，這只是指的藝術形象的一般性特點，從劉勰對隱秀的論述看，還是表面這一層次的意義。如果我們從更深一層次的意義上來看，那麼，劉勰的隱秀論還包含着另外的意義在內。他說的隱，是要求文學作品的形象不僅要有從形象本身可以直接看出的意義，而且要有間接的、從形象的暗示，象徵作用所體現的意義。爲此，他說隱的特點是有「文外之旨」，「以複義爲工」。藝術形象既要有它所表現的客觀內容，而且還要有藝術形象的聯想作用所能引起讀者思考的內容、啓發讀者去想像的內容，這方面展示的意義就要比前一方面更爲深廣。所以說隱的特點要求藝術形象有兩重意義，而不是一重意義。後一重意義又是和不同的讀者的不同體會相聯繫的，因此又並不是十分確定的，同時也正爲此具有它的生動性與靈活性。對於秀來說，它也不是一般的描繪客觀事物，而是要使客觀事物的面貌非常逼眞地呈現在讀者的面前，如親眼目睹一般，即是說要做到「狀溢目前」，而且應當比現實生活中的景象更加集中、更加典型。這就是「卓絕」的首要意義。秀的卓絕與否，還有另一方面的因素，這就是它能否充分體現隱的含義。秀的部分和隱的部分是不能分割的，隱是要借秀來體現的，秀必須有隱藏於其中，才能成爲藝術形象。所以借用劉永濟先生《文心雕龍校釋》中講的話，就是「蓋隱處即秀處也。」但是，劉永濟先生把秀理解爲詩句中的警策之語，故認爲隱亦只表現於此警策之語中間，這是不確切的。他說：

文學家言外之旨，往往即在文中警策處，讀者逆志，亦即從此處而入。蓋隱處即秀處也。例如《九歌·湘君》篇中，「心不同兮媒勞，恩不甚兮輕絕」，及「交不忠兮怨長，期不信兮告予以不聞」，言外流露黨人與己異趣，信己不深，故生離間。而此四句即篇中秀處。又如《少司命》篇中，「悲莫悲兮生別離，樂莫樂兮新相知」二句，爲千古情語之祖，亦篇中秀處也。而屈子痛心於子蘭與己異趣，致再合無望之意，亦即於此得之。

由於劉永濟先生對「秀」的理解的狹隘性，因此，他的「隱處即秀處」的結論也是帶有片面性的。其實，「秀」是就整個作品藝術形象來說的，而不能只看到其中幾個警句。「隱」更是說的整篇作品的藝術形象之含義，而決非只是幾句警句的含義。所以，劉永濟先生從把「秀」看作警句的角度所講「隱處即秀處」的結論有合理內核，但又不妥當。當然，篇中的警策之語是形象最鮮明之處，其言外之意也更豐富，然而，僅僅理解爲隱秀只在此數語中，則是不合適的，也降低了隱秀的意義與作用。隱即是秀，秀即是隱，它們是從不同側面對藝術形象進行分析的結果，而隱秀本身是統一於藝術形象中，不能將它們分開的。因此，秀只有在能夠充分體現隱的內容時，才能說是眞正卓絕的。

關於隱秀的問題，除了《隱秀》篇以外，劉勰在《文心雕龍》的許多篇章中都曾經論及，應該說，這是貫穿全書的一個重要指導思想。但是，我們又要看到，由於劉勰所論的「文」的概念是十分廣泛的，其中包括了文學和非文學的不同文體在內，因此他對隱秀的論述也有不同的情況，不能認爲凡講「隱」都是一樣的意義。同時，我們又要看到，隱秀的問題主要是隱的問題，而且更重要的也是隱的問題。劉勰在《文心雕龍》中對一些非文學的學術著作的寫作，並不提出「隱」的要求，而且明確表示了這些文章的寫作不需要講究「隱」。例如，其《史傳》篇云：

（司馬遷）爾其實錄無隱之旨，博雅弘辯之才，愛奇反經之尤，條例踳落之失，叔皮論之詳矣。

又如，《議對》篇云：

（檄）故其植義颺辭，務在剛健。插羽以示迅，不可使辭緩；露板以宣眾，不可使義隱。必事昭而理辨，氣盛而辭斷，此其要也。

又如，《檄移》篇云：

（議）標以顯義，約以正辭，文以辨潔為能，不以繁縟為巧；事以明核為美，不以深隱為奇：此綱領之大要也。

劉勰指出，史傳一類的歷史著作，應以實錄爲主，不能有「隱」；寫檄文則更必須明白顯露，決「不可使義隱」；寫議政之文，重在顯明確切，決不能「以深隱爲奇」。這些學術著作和應用文章，是不需要講「隱」的，而且正好是要反對隱晦曲折，文體本身要求直率、明朗，這是它們的內容所決定的。這裏我們不但看出劉勰對文學和非文學在寫作上的區別有比較深入的認識，而且也很有力地說明了隱秀乃是文學藝術作品的特點，是從文學創作的角度提出的問題，而不是所有各類文章都要遵循的原則。

至於劉勰在《詮賦》篇和《諧隱》篇中講的「隱」，則是和《隱秀》篇中所講，既有相同又有不同的。《詮賦》篇云：「荀結隱語，事數自環。」此處之「隱語」實即爲謎語之意，謎語當然也有「隱」的特點，但是和「隱秀」之含義是不同的。荀子《賦》所寫五部分都是自問自答式的謎語。至於《諧隱》篇講的「隱」是指民間的隱語，及其發展爲謎語的狀況與意義。他在講到隱語寫作時說：「或體目文字，或圖象品物；纖巧以弄思，淺察以衒辭；義欲婉而正，辭欲隱而顯。」這種隱帶有文字游戲之義，故與《隱秀》所言當是不完全相同的。至於他對《周易》、《春秋》、緯書、諸子之作所講到的隱，則與他隱秀論的思想淵源有關，下面我們再詳加分析。

隱秀問題的提出，不僅反映了劉勰對文學形象的特徵的認識，而且也是劉勰對文學創作的一種美學要求。關於這種要求的具體內容，劉勰在《隱秀》篇中亦曾具體論及，其云：

> 或有晦塞為深，雖奧非隱；雕削取巧，雖美非秀矣。故自然會妙，譬卉木之耀英華；潤色取美，譬繒帛之染朱綠。朱綠染繒，深而繁鮮；英華曜樹，淺而煒燁；秀句所以照文苑，蓋以此也。

這一段話是十分重要的。劉勰對於「隱」和「秀」的美學特徵作了非常明白的敍述。所謂隱，不是要使文學作品寫得語言深奧，晦澀難明，它仍然應該是十分明白曉暢的，不過不能流於淺近直露，而要含蓄、委婉，具有言外之意，能給人以豐富的聯想餘地，使讀者感到味之不盡，餘意無窮。所謂秀，並不是要作家堆砌辭藻，雕章琢句，而是要善於把一些不容易描寫的景象，十分逼眞、十分生動，十分自然的再現出來，使人有耳聞目見，親臨其境之感。其中心要能做到「狀溢目前」。正如梅堯臣所說，要能「狀難寫之景，如在目前。」按照鍾嶸在《詩品序》中所說，就是以「直尋」手法描寫的景象，其云：「『思君如流水』，既是即目；『高臺多悲風』，亦惟所見；『清晨登隴首』，羌無故實；『明月照積雪』，詎出經史？觀古今勝語，多非補假，皆由直尋。」鍾嶸雖是從反對堆砌典故的角度來說的，但是他們在正面的美學理想上來看，則是完全一致的。在當時以顏延之爲代表的「鏤金錯彩」

之美和以謝靈運爲代表的「自然清新」之美，這兩種對立的美學觀中，劉勰所說的「秀」顯然是和「自然清新」這一種美學觀相聯繫的。這種秀是重在自然之美，而決非雕削之所能達到。故清代劉熙載在其《藝概》中說：

其云晦塞非隱，雕削非秀，更為善防流弊。

這是很有見地的話，他把劉勰的意圖講得更清楚了。劉勰所說的「秀」的美學內容，顯然是和他反對當時「儷彩百字之偶，爭價一句之奇」，「飾羽尚畫，文綉鞶帨」的傾向有關係的，劉勰正是要以自然之美來矯正這種時俗之流弊的。這種美學觀點和他在《原道》篇中所表現的美學思想也是一致的。他在《原道》篇中曾說：「雲霞雕色，有逾畫工之妙；草木賁華，無待錦匠之奇。夫豈外飾，蓋自然耳。」劉勰對「秀」的這種美學要求，對中國古代美學思想有十分重大的影響，這是從藝術創作的角度對老莊的自然之美加以具體化和進一步發揮的產物。這種美學觀點在我國古代文藝創作理論中一直占有主導地位，後來王國維在《人間詞話》中又加以發揮，而提出了「不隔」的問題。他說：

問「隔」與「不隔」之別，曰：陶謝之詩不隔，延年則稍隔矣；東坡之詩不隔，山谷則稍隔矣。「池塘生春草」，「空梁落燕泥」等二句，妙處唯在不隔。詞亦如是。即以一人一詞論。如歐陽公《少年游》咏春草上半闋云：「闌杆十二獨憑春，晴碧遠連云。千里萬里，二月三月，行色苦愁人。」語語都在目前，便是不隔。至云：「謝家池上，江淹浦畔。」則隔矣。白石《翠樓吟》：「此地。宜有詞仙，擁素雲黃鶴，與君遊戲。玉梯凝望久，嘆芳草，萋萋千里。」

便是不隔。至「酒祓清愁，花消英氣。」則隔矣。

王國維在這段論述中，便清楚地表明了顏延之的「鏤金錯彩」便是「隔」，謝靈運的「芙容出水」，清新自然，便是「不隔」。蘇東坡詩如行雲流水，自然生輝，故而「不隔」；黃山谷詩堆砌典故，掉書袋，便「隔」了。歐陽修之詞前一半自然流暢，自是「不隔」，而到「謝家池上」，用起典故，較爲費解，就「隔」了。所以「語語都在目前」方爲「不隔」。這種「不隔」之境界，與劉勰所要求的「秀」，是完全一致的。與鍾嶸之「直尋」，其出發點也是相同的。杜甫在《解悶》十二首中說王維的詩是「最傳秀句寰區滿」的「秀句」當亦是指王維詩歌中的自然清新之美而言的。不過，我們還要看到，劉勰雖然主張要以「自然會妙」爲上，但也並不完全否定人爲的加工潤色。在不妨害自然之美的前提下，他認爲也不必完全歸眞反樸，而應當加以適當的修飾。但是這種人爲修飾不能妨害自然之美，而是應當通過潤色之功，使之更好地符合自然之美的標準。由「潤色取美」而達到「自然會妙」，這才是最高的水平。老莊是講「自然」的，儒家是講「潤色」的，劉勰則主張要由「潤色」而達到「自然」，這也是他文藝思想上揉合儒道之一種具體表現。從方法論上說，也是他運用「折衷」方法、兼取各家之長的結果。

劉勰的隱秀論也和其他的文學思想一樣，具有它的深刻的歷史淵源。我們考察劉勰隱秀論的來源，至少有以下三個方面的影響。隱秀的關鍵是在「隱」字上，因此考察這種隱秀論的歷史淵源，我們也側重在「隱」的方面。

第一，是《周易》象徵方法的啓發。劉勰在《隱秀》篇中論及隱的特點時，曾經舉了《易經》中爻象之變互體的例子來加以說明。什麼是「爻象之變互體」呢？我們知道，《易經》中的每一個卦都有六爻。如乾卦䷀，坤卦䷁，其中每一個符號即爲一爻。卦有卦辭，爻有爻辭，占卜的時候，如覺這些卦爻辭難以說明問題，又可以取其變化形式。根據孔穎達《周易正義》的解釋，六爻之中「二至四，三至五，兩體交互各成一卦，先儒謂之互體。」例如觀卦是䷓，六爻中之二至四爻爲艮卦☶，三至五爻爲坤卦☷，觀卦中含有艮卦、坤卦即稱互體。「爻象之變互體」，說明一個卦象之中實際又隱含着別的卦象的意義。易象本身是帶有象徵性的符號形象。而它中間又隱藏着更深的別的卦象的象徵意義。所以，易象的象徵意義就有好幾個層次，卦爻象本身是第一層次；而卦爻辭也是象徵性的歌謠、故事等，這是第二層次；卦爻象本身的隱含互體是第三層次，互體卦爻辭的象徵意義是第四層次。一層比一層更爲深隱。因此，劉勰認爲《周易》的主要特點便是精深曲隱。這一點他在《文心雕龍》的《原道》、《徵聖》、《宗經》篇中作過許多分析和論述。比如，《原道》篇云：

文王患憂，繇辭炳曜，符采復隱，精義堅深。

又如，《徵聖》篇云：

四象精義以曲隱，五例微辭以婉晦，此隱義以藏用也。……雖精義曲隱，無傷其正言，微辭婉晦，不害其體要。

又如，《宗經》篇云：

夫《易》惟談天，入神致用。故《繫》稱旨遠辭文，言中事隱。

這裏，《原道》篇中劉勰指出周文王演《易》，由八卦發展爲六十四卦，三百八十四爻，以及卦辭爻辭的總特點是「符采復隱，精義堅深。」《徵聖》是講《易經》之四象的「精義以曲隱」的特點。這個問題他在《隱秀》篇講隱的特點時也提到，「故互體變爻，而化成四象；珠玉潛水，而瀾表方圓。」互體、變爻，都是指易象中的各種隱蔽的變化。互體已如上述。變爻是指占卜中兩個卦象之間的爻象的變化。例如《左傳·莊公二十年》云：「周史有以周易見陳侯者。陳侯使筮之。遇觀䷓之否䷋。」據孔穎達《周易正義》說，占卜吉凶時，「聖人皆取前後兩卦以占吉凶。」這裏觀卦第四爻⚋在否卦中變爲⚊，這叫變爻，也稱變象。杜預注說「《易》之爲書，六爻皆有變象，又有互體，聖人隨其義而論之。」「觀䷓之否䷋」，其中有互體也有變爻，人們就可以根據這些變化來論述其所表示的意義。周史在解釋占卜結果時說：「是謂觀國之光，利用賓於王。此其代陳有國乎？不在此，其在異國；非此其身，在其子孫。光遠而自他有耀者也。坤，土也。巽，風也。乾，天也。風爲天於土上，山也。有山之材，而照之以天光，於是乎居土上。故曰：觀國之光，利用賓於王。庭實旅百，奉之以玉帛，天地之美具焉，故曰利用賓於王。猶有觀焉，故曰其在後乎。風行而著於土，故曰其在異國乎。若在異國必姜姓也。姜，大岳之後也，山岳則配天地。物莫能兩大，陳衰，此其昌乎。」從卦的互體、變爻而引出其要占卜之意義。根據觀卦和否卦的互體爲艮卦、坤卦。坤爲土，艮爲山，則意爲土上之山。又據變爻，觀卦之上體巽☴變爲否卦之上體乾☰。巽爲風，乾爲天，而兩卦之下體均爲坤爲土。風變爲天，而在土之上，而山又在土上。「有山之材，而照之以天光，於是乎居土上。故曰：觀國之光，利用賓於王。」這裏，風☴、土☷、天☰是「實象」。「風爲天於土上，山也。」是將變爻、互體合在一起，這是假設之象，故曰「假象」。「有山之材，而照之以天光。」爲「義象」，指象的意義。由此而推出「觀國之光，利用賓於王」，則是「用象」，即用占卜之卦義來說明所要測定的吉凶。周史是爲陳厲公年幼的兒子敬仲預測未來的。按照卦象的互體變爻之意義，指出敬仲以後將有大貴。代陳有國，但不在此而在別國，不是敬仲本人，而是他子孫。由此可見，《周易》的卦象是用一種十分曲折而隱蔽的方式來表達其意義的，而這種方法的特點是象徵，這種象徵也帶有比喻的性質。它和文學創作中的藝術思維特點是相當接近的。故而，章學誠在《文史通義·易教》篇中一再強調易象通於詩之比興，其意義正是在這裏。劉勰之強調文學創作中的「隱」，其主要思想來源就在《周易》。而《周易》這種象徵方法的特點，在《繫辭》中得到了具體的闡述。劉勰在《宗經》篇中所引《繫辭》的話，其原文爲：「其旨遠，其辭文，其言曲而中，其事肆而隱。」這正是《繫辭》從美學和文藝的角度對《易經》特徵的重要概括。

第二，是總結《詩經》中比興方法經驗之結果。《易經》畢竟不是文學作品，易象是用符號來象徵客觀事物而不是用形象來達到象徵比喻的作用。《易經》的卦爻辭大部分是具有形象性的，尤其是其中的歌謠和故事，但這種象徵和文學創作上用比喻、象徵方法塑造藝術形象也是有區別的，大都帶有宗教、神秘色彩，引申發揮也很遠，往往離開了它的本義。到了《詩經》中，比興手法的運用，就是完全屬於文學創作上的問題了。《詩經》的比興和易象之摹擬客觀事物方法有相通之處，但是，比興並非來自《易經》，因爲《詩經》中有些作品的創作也是很早的，另外，從文藝創作本身來看，是有其自己的繼承發展傳統的。比如原始繪畫中由寫實的圖象到帶有象徵性的幾何紋圖案在陶器、青銅器上的出現，就已經有了比喻、象徵方法的運用。而文字創造過程中，如指事、會意等寫意文字的創造也是運用了比喻、象徵方法的。但是，《易經》的這種比喻、象徵方法也不能說對《詩經》沒有影響，因爲《詩經》中有不少作品的產生時代也是晚於《易經》的，而且《易經》在當時社會上的影響是非常之大的。章學誠說：「易象雖包六藝，與《詩》之比興，尤爲表裏。」又說：「雎鳩之於好逑，樛木之於貞椒，甚而熊蛇之於男女，象之通於詩也。」（《文史通義．易教》）至少我們可以說《詩經》和《易經》在運用象徵、比喻方法方面是有共同之處的。所以劉勰在論述「興」的特徵時說：

觀夫興之托喻，婉而成章，稱名也小，取類也大。關雎有別，故后妃方德；尸鳩貞一，故夫人象義。

這裏所說的「稱名也小，取類也大」，即是轉引《繫辭》中對易象作用的解釋，說明「興」的特點是與易象有類似之處。在「比」和「興」這兩種文學表現手法中，「興」是更能反映文學的藝術特徵的。因爲「比」在一般的文章中也是常用的，而「興」一般說只有在文學作品中才有。「興」是一種象徵性的暗喻，它借助於聯想的作用，以物象之意來象徵所寓之意，使人回味無窮，有言盡意不盡的特點，所以更富於藝術的魅力。劉勰認爲這是和文學創作的「隱」有關係的。他在《比興》篇中比較深入地總結了這方面的經驗，他說：

> 詩文弘奧，包韞六義，毛公述傳，獨標興體，豈不以風通而賦同，比顯而興隱哉？

劉勰指出，「比」和「興」這兩種藝術表現方法中，其主要區別就在一顯一隱。比喻是明顯的，一眼就可以看出來，興的寓意就比較隱蔽，它需要讀者去想像、去體會，而且不像比喻的意義那麼容易說盡。「孔雀東南飛，五里一徘徊。」它激起的是一種戀戀不捨的複雜感情，難以用幾句話說清楚，而香草美人比喻賢臣，惡禽莠草比喻小人，則可以一句話說得清楚明白。可是，從回味無窮這方面說，「興」的作用就大了。劉勰說，「興」的作用在「起情」，其特徵是「依微以擬議」，借所描寫事物的微妙之處來比擬寄托，使人感到有「情在詞外」之妙。劉勰解釋「興」的關鍵就在於一個「隱」字。因此，我們可以說他正是從總結比興的過程中，認識到文學形象的隱秀特徵的。特別是《詩經》中比興的這種隱又是通過十分生動感人的具體形象描繪而表達出來的，這就和易象之「隱」有很大的不同。易象主體是符號，談不上有「秀」的問題，而《詩經》中的比興。其「隱」正是藏於「秀」中的。所以，劉勰對《隱秀》篇內容的論述，自然也就和《詩經》之比興更爲接近了。從易象到比興，劉勰綜合了美學和文學創作上的經驗，從藝術創作基本規律的角度提出了隱秀的原則，這自然是難能可貴的。

第三，「微言大義」的春秋筆法對劉勰提出隱秀原則的影響。劉勰在《宗經》篇中說：

> 《春秋》辨理，一字見義，五石六鷁，以詳略成文；雉門兩觀，以先後顯旨；其婉章志晦，諒已邃矣。《尚書》則覽文如詭，而尋理即暢；《春秋》則觀辭立曉，而訪義方隱：此聖文之

殊致，表裏之異體者也。

上面我們引用的《徵聖》篇中講《易經》之「隱義以藏用」的特點，也是包括了《春秋》「『五例』微辭以婉晦」的內容在內的。這兩處所講到《春秋》之「隱」，都是指其微言大義的寫作特點而說的。杜預在《春秋左氏傳序》中曾經指出其寫作之特點有五，其云：

故發傳之體有三，而為例之情有五：一曰微而顯。文見於此，而起義在彼。稱族尊君命，舍族尊夫人，「梁亡」、「城緣陵」之類是也。二曰志而晦。約言示志，推以知例。參會不地，與謀曰及之類是也。三曰婉而成章，曲從義訓，以示大順。諸所諱辟，「璧假許田」之類是也。四曰盡而不汙。直書其事，具文見意。丹楹刻桷，天王求車，齊侯獻捷之類是也。五曰懲惡而勸善。求名而亡，欲蓋而章。書齊豹盜，三叛人名之類是也。

杜預在這裏對《春秋》中「一字褒貶」、「微言大義」的筆法通過分析實例作了全面的總結。這裏前三例是明顯的具有「隱義以藏用」的特點的，而後兩例（即「盡而不汙」、「懲惡勸善」）也是在客觀的如實的敍述中，來體現作者鮮明傾向性的。也就是後人評《儒林外史》時所說的：「直書其事，不加斷語，其是非立見也。」（臥閑草堂本《儒林外史》評）。這實際上也就是「情在詞外」之「隱」。劉勰對春秋筆法是深有體會的，他在《文心雕龍·史傳》篇中說：「夫子閔王道之缺，……因魯史以修《春秋》，舉得失以表黜陟，徵存亡以標勸戒；褒見一字，貴逾軒冕；貶在片言，誅深斧鉞。」這就是後人所說的「皮裏陽秋」。它和《詩經》中的「興」是有類似之處的，是它的隱義之特點。這種

「微言大義」的表現方法，是和詩歌創作中的寄托很接近的，或者說它對詩歌創作中的寄托傳統的發展是起了重要作用的。後來宋人葛立方名其詩話爲《韻語陽秋》，並在其序中說：「昔晉人諸裒爲皮裏陽秋，言口絕臧否，而心存涇渭，余之爲是也，其深愧於斯人哉！」我國古代文獻中這種含義深隱的特點還不止是《春秋》之類經典。因此，劉勰在《正緯》篇中講到緯書也有「隱」的特點，有的也運用過象徵方法。比如緯書把神明意旨隱藏起來，而借某些怪異事件的敍述來象徵。劉勰在《正緯》篇中說：「經顯，聖訓也；緯隱，神教也。」又說：「神寶藏用，理隱文貴。」此外，他在《諸子》篇中還講過諸子的哲學著作具有「立德何隱」的特徵，所以有些地方也表現了「隱」的一面。這正是爲了借用比喻、象徵方法來啓發人們去體會比較玄妙的「道」。我國古代由於文史哲不分，常常在寫作哲學、歷史和其他著作時，運用一些文學方法或和文學方法相同的表達方法，所以，往往也有「隱」的特點。這些對劉勰隱秀的提出，自然都是有影響的。

第四，隱秀的提出也是受玄佛「言不盡意」論影響之結果。劉勰《文心雕龍》中所反映的「言不盡意」論的影響，在《神思》、《序志》等篇中固然有明顯的表現，而從文學理論上來說，提倡「隱秀」正是「言不盡意」論的爲最爲突出的表現。隱秀所強調的要「情在詞外」、要有「文外之旨」，要做到「義生文外」，這都是提倡要有「言外之意」，而這正是以「言不盡意」論爲其哲學思想基礎的。因爲「言不盡意」論在某些方面是與文學藝術的特徵有某種相通之處的。文學創作要借助藝術形象來體現作家的思想感情，而不是用語言直白說出，而藝術形象本身往往比作家的主觀思想要更爲豐富，而且可以隨着讀者的不同，而在認識和體會上有很多差別。文學藝術要求的是「言有盡而意無窮」，它不要求說盡，一說盡也就沒有味道了。玄佛主張「言不盡意」，由此而倡導「寄言出意」，這就和文學上的「意在言外」有了相通之處。中國古代文學創作之所以如此突出地強調「意在言外」，是和「言不盡意」論的盛行分不開的。魏晉玄學家的代表人物王弼在《周易略例·明象》篇中，正是從解釋《易經》的言、象、意關係而強調「得意忘言」、「寄言出意」的。劉勰是非常精通佛學的，也是非常懂得「言不盡意」論的要旨的。因此，他的「隱秀」之論既受《易經》的表現方法的影響，自然也要受到「言不盡意」論的影響，也可以說正是「言不盡意」論在文學創作理論方面的具體發揮，是後來文學理論批評史上提倡「意在言外」的最早表現。

劉勰的隱秀論對唐宋以後的文學創作理論影響是非常之大的，特別是在中國古代藝術意境理論的形成和發展上起了十分重大的作用。唐代詩人劉禹錫提出好的詩歌應當做到「境生於象外」，以及司空圖的「象外之象，景外之景」論和味在鹹酸之外的主張，是對詩歌意境特點的重要論述，（註四）而這種理論的提出是和劉勰的隱秀論有着十分密切的內在聯繫的。宋人詩話中突出地強調詩歌的「言外之意」，也正是對劉勰「隱秀」之論的進一步發揮。歐陽修《六一詩話》中所記梅堯臣的一段話，對宋人詩話影響極大，而它實際上正是對劉勰「隱秀」的具體闡述。他說：「詩家雖率意而造語亦難。若意新語工，得前人所未道者，斯爲善矣。必能狀難寫之景，如在目前；含不盡之意，見於言外，然後爲至矣。」這裏所說的「狀難寫之景，如在目前」，即張戒所引「狀溢目前曰秀」；而「含不盡之意，見於言外」，即張戒所引「情在詞外曰隱」。所以，實際上梅堯臣講的就是詩歌的「隱秀」問題。這一點，後來在明清詩論中一直有着相當廣泛的影響。「隱秀」這兩個字雖然後來說得不多，但是，它作爲一種創作上的美學原則，却在唐宋文論家的發揮之後，始終成爲我國古代文學創作理論中不可忽視重要指導思想。

【附註】

註一　關於「興」的含義及歷史演變，可參閱拙作《我國古代文論中的形象思維問題》一文，載《北京大學學報》1979年第一期。

註二　參閱拙作　中國古代文學創作論　第二章中「神用象通和擬容取心」一節。

註三　黃侃先生此處所說「若穎」，亦不是脫離「常音」的，而「隱」則更是體現於既有「若穎」，亦有「常音」的整體篇章之中的。亦即前引錢鍾書先生所說之意。

註四　參閱拙作《論意境的美學特徵》，載《北京大學學報》1983年第四期。

四、物色論

——論文學創作的主觀與客觀

《文心雕龍》中的《物色》篇是專門討論文學創作中的人和自然關係的。文學創作中人和自然的關係，是創作過程中主觀和客觀關係的一個突出表現。《文心雕龍》中對創作過程的主客觀關係有過許多重要論述，如《物色》篇中講的心和物關係，《明詩》、《詮賦》篇中講的情和物關係，《神思》篇中講的神和物關係，角度不盡相同，有的指整個創作過程，有的單指想像特點，物的概念也有寬窄之不同，但在本質上都是一致的，是爲了說明主客觀有機統一的特點。

關於「物」的概念，王元化先生在《文心雕龍創作論》中指出應該理解爲「外境」和「萬物」，這是正確的。不過，我們需要補充說明的是《文心雕龍》所講「物」的含義是並不完全一致的。《物色》篇中的「物」主要是指自然事物，而《明詩》篇中的「物」則是包括了社會生活內容在內的。其云：「人禀七情，應物斯感，感物吟志，莫非自然。」這種「感物」的內容，我們可以從他對歷代詩歌發展的評述中清楚地看出來。比如他說建安時代三曹七子的創作，其內容是「憐風月，狎池苑，述恩榮，敍酣宴」，這裏既有自然風物，又有社會生活內容。在《時序》篇中他說文學發展和時代的關係十分密切，因爲「文變染乎世情，而興廢繫於時序」。這也說明「物」的內容更主要是社會現實。

《詮賦》篇中論賦的創作時所說的「物」，亦偏向自然事物，即所謂「體物寫志」、「寫物圖貌」，然而也並不盡然，「述行序志」、「致辨於情理」，也包括了一定的社會生活內容。劉勰所說的「物」的概念和陸機在《文賦》中所說的「物」的概念範圍，大體是一致的。《文賦》中：「遵四時以嘆逝，瞻萬物而思紛」的「物」和《物色》篇中的「物」是相同的。而《文賦》中「意不稱物，文不逮意」的「物」，則是和《明詩》、《詮賦》中的「物」含意差不多的。不過，總的看來，劉勰所講的「物」要比陸機更為明顯，更為突出地強調了其社會內容，這是劉勰要比陸機更進一步的地方。在劉勰所處的時代對「感物」之「物」的內容的理解上，普遍地強調了社會內容方面，這從鍾嶸的《詩品序》中也可以看得很清楚。鍾嶸所說的「氣之動物，物之感人」的「物」，既代表了「春風春鳥，秋月秋蟬，夏雲暑雨，冬月祁寒」等自然事物，也更代表了「楚臣去境，漢妾辭宮。或骨橫朔野，魂逐飛蓬。或負戈外戍，殺氣雄邊」等社會現實生活內容。

劉勰沒有停留在一般的心物交感現象的論述上，而是對心物交感過程的特點作了深入研究。他在這方面的主要貢獻是指出了心物交感是一個辯證統一的過程：一方面是「情以物興」，而另一方面則是「物以情觀」，正是心與物的交互作用下產生了藝術形象，體現了審美的特徵。劉勰在《詮賦》篇中論賦的創作云：

原夫登高之旨，蓋覩物興情。情以物興，故義必明雅；物以情觀，故詞必巧麗。麗詞雅義，符采相勝，如組織之品朱紫，畫繪之著玄黃，文雖雜而有質，色雖糅而有本，此立賦之大體也。

劉勰在這段有關賦的創作要領的論述中，清楚地告訴我們，「覩物興情」的審美過程中，是包含了兩個相反相成的進程的。作者的思想感情是因物的感觸而興起的，即是說在觀察和接觸外境、萬物的時候，常常會引起作者主觀上的某種激動和感觸，誘發了他的創作慾望。在這裏「物」是起主導作用的，情是因物而引起的，作者要通過描寫客觀的物，來寄托自己主觀的情。但是，從「物」的角度來說，它又不是僅僅爲了表現自身，而是作爲「情」的體現者而出現的。所以，藝術形象在讀者心靈裏所產生的作用，決不僅僅只是「物」本身，而且更重要的是其中所蘊藏着的「情」。劉勰此處所謂之「麗詞雅義」，既是他對賦這種文學形式的內容和形式的具體要求，然而其要害則在指明辭賦之寫物，非爲寫物而寫物，應當有作家主觀思想感情的鮮明流露，故云：「文雖雜而有質，色雖糅而有本」也。如果說，《詮賦》篇還是從辭賦的內容和形式並重角度來說到心物關係的話，那麼，《物色》篇則主要是從理論上來具體闡明創作過程中主體與客體之辯證統一的特點。下面讓我們來對《物色》篇作一點具體分析。

《物色》篇的第一段，劉勰主要在說明客觀自然界對人的主觀心靈感情會產生重要的影響，比如自然界的變化就必然會激起人們某種與之相適應的思想與感情的變化。這不僅對人是這樣，而且對其他的動物也會有一種誘發作用。他說：

> 春秋代序，陰陽慘舒，物色之助，心亦搖焉。蓋陽氣萌而玄駒步，陰律凝而丹鳥羞，微蟲猶或入感，四時之動物深矣。若夫珪璋挺其惠心，英華秀其清氣，物色相召，人誰獲安！

對於「物色」的這種引誘作用，劉勰的解釋無疑是帶有一種神秘色彩的。「物色」之含義即指自然界四時風物，蕭統《文選》有「物色」賦一類，李善于「物色」下注云：「四時所觀之物色，而為之賦，」又云：「有物有文曰色。風雖無正色，然亦有聲。詩注云：風行水上曰漪。《易》曰：『風行水上，渙。』渙然即有文章也。」因此，劉勰這裏所說的「物色」對人的感情的誘發作用，就是講的自然與人的關係問題。自然界的各種變化，主要是四季氣候的變化，為什麼對人的感情具有這樣強烈的誘發作用呢？劉勰在解釋這個問題的時候顯然是運用了傳統的陰陽五行說的觀點。「陽氣萌而玄駒步，陰律凝而丹鳥羞」兩句，來自《大戴禮記・夏小正》：「十有二月，玄駒賁。玄駒也者，蟻也。賁者何也？走於地中也。八月，丹鳥羞白鳥。丹鳥者，謂丹良也。白鳥者，謂蚊蚋也。羞也者，進也，不盡食也。」而《大戴禮記》中這種節氣變化和動物狀況的關係的論述，正是陰陽五行思想之一種具體表現。按照陰陽五行學說對萬物產生的解釋，那麼宇宙萬物包括人在內，都是稟陰陽二氣之所生，而四時季節之變化乃是陰陽二氣流動運轉之結果，故而「春秋代序，陰陽慘舒」，勢必至於引起萬物與人的內在感應，而表現出某種變化，萬物皆是如此，何況乎人！人與萬物一樣，也是稟陰陽以立性，體五行而著形，不過，人與萬物之不同，在於他是「天地之心」、「五行之秀」，但是從構成人的基本要素來說是與萬物可以相通的。故而，「珪璋挺其惠心，英華秀其清氣」，對人也具有一種誘發感情的作用。劉勰正是從這樣一個角度來說明自然界的變化必然會引起人的某種相應感情的道理，同時也指出人的感情必然也要隨着四季物色的變化而變化。所以他又說：

是以獻歲發春，悅豫之情暢；滔滔孟夏，郁陶之心凝；天高氣清，陰沉之志遠；霰雪無垠，矜肅之慮深。

由此，劉勰得出了「歲有其物，物有其容；情以物遷，辭以情發」的結論。從文學創作的角度來說，劉勰肯定「情以物興」、「情以物遷」，提出「感物吟志」，把外物、外境作爲觸動人心的主導方面，認爲情作爲人的主觀因素，是由客觀的物所引起的，但是，我們如果進一步考察他對外物、外境爲什麼能夠觸動、誘發人的主觀感情的時候，可以發現他的這種解釋完全是從陰陽五行說的觀點出發的，故而對春夏秋冬四季會引起人的四種不同感情的論述，顯然也是簡單化的。春景不也可以使人產生哀傷的感情嗎？爲什麼一定是「悅豫之情」呢？

在上述這樣一個「詩人感物」的基礎上，劉勰具體地分析了創作過程中主客觀交互影響的特點。他說：

是以詩人感物，聯類不窮；流連萬象之際，沉吟視聽之區；寫氣圖貌，既隨物以宛轉；屬采附聲，亦與心而徘徊。

「隨物宛轉」、「與心徘徊」，這是對「情以物興」、「物以情觀」狀況的十分生動形象的描繪，而且也更可以使我們看出其特點之所在。「隨物宛轉」，是說心（或情）之宛轉附物，這是就創作過程中主體所表現的特點而言的。「宛轉」兩字，正如許多研究者所指出的，它源於《莊子．天下》篇，其原文是：「椎拍輐斷，與物宛轉。」莊子這裏着重要說明的是：人的主觀作爲必須符合事物內在的

「勢」，亦即客觀事物內在的規律性。從文學創作來說，「隨物宛轉」是強調作家在創作過程中通過描寫客觀現實來體現自己主觀的思想感情時，必須注意到不能因主觀願望而改變客觀事物的內在規律。只有在藝術表現中充分尊重了客觀的「物」內在之「勢」，才能恰到好處地符合於描寫對象之特點，從而使內心與外境相適應，防止創作中的主觀隨意性。從這一點上說，「隨物宛轉」的提出是與莊子的「物化」思想有一定聯繫的。莊子在有關技藝創造故事中，強調了高度神化的技藝是與事物的內在客觀規律完全一致的，決不對客觀事物作任何主觀的歪曲改造。所以，「工倕旋而蓋規矩，指與物化，而不以心稽」，誠如成玄英所解釋的，「手隨物化，因物施巧，心不稽留也。」郭象註《莊子·大宗師》篇中也曾說，莊子認爲人生處世，應當「死生宛轉，與化爲一」。因此，我們對劉勰所說「隨物宛轉」之意不能僅僅看作是對《莊子》中的詞語借用，而是有其深刻的內在思想聯繫的。「與心徘徊」，是指創作過程中客體的描寫應當符合於表達主觀情意（主體）的需要。客觀事物是十分豐富的，現實生活是極爲複雜的，選擇什麼，不選擇什麼，突出什麼，略去什麼，都是應當以如何更好地反映主觀情意爲轉移的。這就是說，要以心爲主去駕馭客觀事物。「徘徊」在這裏當是與「宛轉」同義的詞語。從這一方面說，客觀的「物」乃是經過了作家主觀的「心」的改造的。但是，這並不是一種主觀隨意的改造，而是在「隨物宛轉」、即不違背客觀事物本身規律性的前提下的改造，所以，客體雖是服從於主體的，却又是並不喪失它本身的自然本性的。藝術的創造進入了物化的階段，主體與客體兩者是完全融合爲一了，旣是「隨物宛轉」，又是「與心徘徊」。這正像黑格爾在其《美學》中所指出的：

「在藝術裏，感性的東西是經過心靈化了的，而心靈的東西也借感性化而顯現出來。」藝術的創造「必須是一種心靈的活動，而這種心靈的活動又必須同時具有感性和直接性的因素。」「在藝術創造裏，心靈的方面和感性的方面必須統一起來。」（註一）人的審美意識也正是在這個過程中顯現出來的，藝術作品也是在這個過程中創造出來的。劉勰當然不可能像黑格爾那樣能從哲學和美學的高度來作出深刻的理論分析，但是，他確實是把藝術創造過程中主體與客體辯證統一的兩個相反相成的進程，生動形象地展現了出來，並且對它的特點作出了具體的明確的概括，這是非常難能可貴的，也是對我國古典美學和文藝理論的一個極為重大的創造性貢獻。

對於這個創作中的重大美學問題，劉勰在《神思》篇中也作過類似的分析。他在《贊》中說：「神用象通，情變所孕。物以貌求，心以理應。」指出了在藝術構思過程中，在孕育文情的時候，心與物之間有一種互相呼應的重要表現。「物以貌求」，是說客體以其多種多樣的姿態擺在藝術家的面前，請求藝術家來選擇他所認為合適的部分，與之相契合，加以再現；「心以理應」，則是指主體按照其內含之理來與之相呼應，和物貌中的最能體現其心之理者融合為一。此處的「理」，一般注本均未加注釋，陸侃如、牟世金《文心雕龍譯註》作為「法則」解，周振甫《文心雕龍選譯》譯為「情理」，兩相比較，當以陸、牟本為比較接近劉勰原意，然而亦不甚確切。從研究劉勰論創作中心物關係的角度來說，此「理」字至關重要。在「物以貌求，心以理應」兩句中，「理」字乃是與「貌」字相對應的。「物」之「貌」，「心」之「理」互相默契。則此「理」字，既是「心」之「理」，亦是隱藏於

「貌」中的「物」之「理」。「理」應「貌」之呼求而入於其中，與之合而為一；「貌」則恰好能容「理」入乎其中而使自己成為主體的「心」之「理」的體現者，可見，這「理」必定是符合於「物」之「理」的。所以，這個「理」是和《原道》等篇中所說的「神理」有相通的一面，但不包含「神理」概念中那些神秘主義、唯心主義的色彩，而與「神理」概念中所包含的指宇宙萬物的本質規律的「道」的方面相一致的。劉勰告訴我們，文學創作過程，就是要使主體內在的「理」與客觀之「理」求得一致，因此，也就能借客體之「貌」來體現主體之「理」。「理」進入「貌」之後，即是「心」理，又是「物」理。後來，蘇軾在《淨因院畫記》中說繪畫要表現事物之「常理」，自然是指「物理」而言，然而它也是要體現畫家的「心」中之「理」的。王夫之在《姜齋詩話》中說詩歌描寫客觀事物，不僅要「得物態」，而且要「窮物理」，也是說的「物」之「理」，然而，它也必須是同時又能體現「心」之「理」的。劉勰與蘇軾、王夫之所說的「理」，一從主體而言，一從客體而言，角度不同，但其實質是一致的，都是要求達到主體之「理」與客體之「理」的一致。劉勰在《物色》篇的「贊」中，還對心物交融這一過程作了極為生動形象的描繪。他說：

山沓水匝，樹雜雲合。目既往還，心亦吐納。春日遲遲，秋風颯颯，情往以贈，興來如答。

清代紀昀評道：「諸贊之中，此為第一。」這是很有見地的。這八句是首極美的四言詩，同時也概括了心物交融這一創作中的重要理論問題，對它給以形象的再現。從這裏還反映出了劉勰論心物交融的另一個重要思想，他指出了心物交融的過程即是作家靈感爆發的過程，創作最衝動，慾望最強烈的「

感興」高潮，也是心物交融最爲充分的時刻。目見心應、情往興答這樣一個「神與物游」的過程，也正是心物互相感觸、並尋找互相之間默契之機的過程。靈感火花乃是在心物相應中迸發出來的。

劉勰這種對心物交融、主客觀相統一的特徵的分析和論述，並非偶然，乃是接受了我國古代論心物關係的傳統思想影響，並經過對實際創作經驗的總結，而加以創造性發展的結果。我國古代對創作過程中心物關係的認識，是有源遠流長的歷史和十分豐富的理論傳統的，尤其是在六朝時期更有多方面的充分論述。從現有材料看，我國古代最早從理論上對心物關係作了明確論述的，大約要算《禮記·樂記》。其云：

凡音之起，由人心生也。人心之動，物使之然也。感於物而後動，故形於聲。

這是從心物交感的角度來論述音樂的本源的，其側重點是最強調物對人的感發作用。《樂記》的產生時代及作者，學術界頗有爭議，我是不同意郭沫若先生認爲是公孫尼子作的看法的，《樂記》乃是西漢時的著作，它是對先秦樂論的總結和發揮。《樂記》以前的有關音樂理論雖然也講到音樂和客觀事物之間的關係，但並沒有從心和物的關係角度來研究音樂的起源問題。《樂記》強調心有感於物而引起感情的激動，然後才產生了音樂，它涉及到了藝術創作過程中的主客觀關係問題。後來，西晉的陸機在《文賦》中說：

遵四時以嘆逝，瞻萬物而思紛。悲落葉於勁秋，喜柔條於芳春。

這是把《樂記》中的「人心感物」思想具體地運用於文學創作的表現。劉勰《明詩》篇中之「感物吟志」說即從此來。然而，從《樂記》到《文賦》，主要還只是論述了劉勰所說的「情以物興」的一方面，而並沒有進一步涉及到「物以情觀」的另一方面。對於這個創作過程中主客觀關係的全面認識，是由劉勰從理論上加以發展而完成的。而劉勰之所以能有這種理論上的發揮，則又是與當時玄學清談風氣以及其所影響下的山水詩之勃興，有十分密切的關係。在論述這一點以前，當然我們也要看到《樂記》中在論述「人心感物」時也接觸到了「心」也有主動的方面，而並不是完全被動的。例如，《樂記》中說：

是故其哀心感者，其聲噍以殺；其樂心感者，其聲嘽以緩；其喜心感者，其聲發以散；其怒心感者，其聲粗以厲；其敬心感者，其聲直以廉；其愛心感者，其聲和以柔。

這裏，「心」之狀況不同，感於物而後動之表現亦各異。顯然，也涉及到了「心」對「物」的作用問題了。然而，它不是從「物」受「心」的影響角度來談的，所以，「物以情觀」這一方面就不明顯了。劉勰之能對主客觀辯證統一的兩方面特點，特別是對心有支配物的一面有明確的認識，應該看到是有別的方面的影響的。這就不能不涉及到玄佛對心物關係的認識了。

關於創作過程中「心」對「物」的支配作用，亦即主體要駕馭和征服客體，使「物」成為「心」的「外化」而出現這一點，在傳統的儒家文藝和美學理論中是強調不夠的，而玄學和佛學的文藝和美學思想中則反映得較為突出。如果要追溯其淵源的話，早在《莊子》那裏就已有所表露。莊子所講的那些技藝故事中，一方面是「我」隨「物」而化，另一方面「物」又是隨「我」而運轉的。莊子認為：

人如果能在主觀精神上達到與「道」合一的境界，「獨與天地精神往來」（《天下》），那麼，「天地與我並生，而萬物與我爲一」（《齊物》），人的一切作爲也就無不與自然同趣，「物」也可任憑「我」來自由駕馭了。到魏晉玄學家那裏，進一步發展了莊子的這種思想，他們追求的是虛無的「道」，提倡「本無末有」，「萬有」之「物」不過是「一本」之「無」的體現。因此，從「心」與「物」的關係來看，「物」乃是「悟道」之「心」的一種體現。從美學思想發展上看，最突出地體現這種哲學思想的是言不盡意、得意忘言說。王弼等認爲，言象並不代表意，而只對意起一種象徵作用，只是得意的工具，如同筌之於魚、蹄之於兎一樣。其《周易略例・明象》篇說：「言者，象之蹄也；象者，意之筌也。是故存言者，非得象者也；存象者，非得意者也。」「故言者，所以明象，得象而忘言；象者，所以存意，得意而忘象。」言和象不過是達到得意的一種手段。「物」不過是作爲「心」的象徵而存在的。與此相似的是，嵇康在著名的《聲無哀樂論》中提出了「心之與聲，明爲二物」的觀點，認爲音樂本身是客觀的，它只有「自然之和」，並無哀樂之情；哀樂之情是人主觀的，它與音樂本身無關，兩者並無因果關係，「聲之與心，殊途異軌，不相經緯」，所以，人們聽音樂而有哀樂之感，乃是作者將主觀之情借客觀之聲而寄托出來的結果。「夫殊方異俗，歌哭不同，使錯而用之，或聞哭而歡，或聽歌而戚；然其哀樂之懷均也。」也就是說，同樣的聲音，有人可以用它體現歡樂之情，也有人可以用它體現悲哀之情，「物」是隨「心」之需要而出現的。這種強調「心」對「物」的支配作用的思想也非常突出地表現在當時的山水詩中。當時文學由玄言而至山水的發展，正是玄學家「悟道」

方式的一種轉變。他們在自然山水中放浪形骸，從山水之美中領略到了悟道的愉快。所以，在他們筆下的山水，無論是詩還是畫，都是他們借以體現悟道之心的「外物」而已。他們所描繪的山水風景不僅僅爲了寫自然美，而更主要的是要借此來象徵他們所體會到的「道」的崇高境界，借「言」、「象」來象徵不盡之「意」。如嵇康的詩《贈秀才入軍》云：

息徒蘭圃，秣馬華山。流磻平皋，垂綸長川。目送歸鴻，手揮五弦。俯仰自得，游心太玄。嘉彼釣叟，得魚忘筌。郢人逝矣，誰與盡言。

這裏，詩人之「流磻平皋，垂綸長川。目送歸鴻，手揮五弦」，都只是他「俯仰自得，游心太玄」之內心境界的象徵。《莊子・知北游》中曾經說過：「山林與？皋壤與？使我欣欣然而樂與！」爲什麼呢？就是因爲可以從山林皋壤這樣的大自然中悟道。《世說新語・言語》篇中說：「王右軍與謝太傅共登冶城，謝悠然遠想，有高世之志。」又說：「簡文入華林園，顧謂左右曰：會心處不必在遠，翳然林水，便自有濠濮間想也。覺鳥獸禽魚，自來親人。」自然山水、鳥獸禽魚，都成了詩人主觀的「心」的「外化」。東晉的蘭亭禊事，是一件極爲風流的名士盛舉，當時王羲之的蘭亭詩五首之二中曾明確提出了「群籟雖參差，適我無非新」的看法，說明《蘭亭集序》中所描寫的「崇山峻嶺，茂竹修林，又有清流激湍，映帶左右」的美好自然景色，都是可以由「我」這個主體來自由駕馭的，都是能夠「與心徘徊」的。當時著名的玄言詩作家孫綽在其《蘭亭詩後序》中說：

情因所習而遷移，物融所遇而興感。故振轡於朝市，則充屈之心生；閑步於林野，則遼落

> 之志興。仰瞻羲唐，邈已遠矣；近咏台閣，顧深增懷，為複於曖昧之中，思縈拂之道，屢借山水以化其郁結，永一日之足，當百年之溢。

首二句「情因所習而遷移，物觸所遇而興感」，正是講的心物交感的問題。所謂「屢借山水以化其郁結」者，說明山水在這裏不過是作家「化郁結」的手段而已！主體對客體起着一種完全的支配作用。

在藝術創作的心物關係上強調心主宰物的思想方面，劉勰還很明顯地受到宗炳的影響。《宋書·宗炳傳》說：「（宗炳好山水，愛遠遊，西陟荊巫，南登衡岳，因而結宇衡山，欲懷尚平之志。有疾還江陵，嘆曰：『老病俱至，名山恐難遍睹，唯當澄懷觀道，臥以遊之。』凡所游履，皆圖之於室。」這種「澄懷觀道」的思想也就是他在《畫山水序》中所說的「聖人含道映物」，「聖人以神法道而賢者通，山水以形媚道而仁者樂。」聖人心目中之山水，實際上乃是「道」的一種體現。宗炳在他的《明佛論》中也從神不滅論的角度出發，強調了物不過是心借以寄托的表象。心處於物中，但恰如顏回之身居陋巷而不改其樂，「處有若無，撫實若虛」，「物」不過是其「暢神」之工具而已！故而他說：「夫五岳四瀆，謂無靈也，則未可斷矣。若許其神，則岳唯積土之多，瀆唯積水而已矣。得一之靈，何生水土之粗哉？而感托岩流，肅成一體，設使山崩川竭，必不與水土俱亡矣。」宗炳認爲老莊之浪迹山水，儒家之仁智之樂，無非是因爲山水亦有靈性，是道的體現。他在《畫山水序》中說：「至於山水質有而趣靈，是以軒轅、堯、孔、廣成、大隗、許由、孤竹之流，必有崆峒、具茨、藐姑、箕首、大蒙之游焉。又稱仁智之樂焉。」從玄學清談風氣流行，到山水詩畫的創作實踐，到宗炳玄佛結合的山水畫論，都突出了心物關係中心對物的主宰作用，這些必然會影響到劉勰對心物關係的認識，從而不僅指出了「情以物興」的方面，而且指出了「物以情觀」的方面。這裏我們還應當看到的是，六朝時期的佛教徒，大都也是精通玄學的。佛教徒也寄情山水風物，以寄托其空寂佛理境界。在這一方面玄佛是完全一致的，這一點從宗炳的理論中也可以看出來。佛教藝術重在使神佛藉「象」以顯，也是很強調創作中主觀方面的支配作用的。因此，我們可以說，劉勰的心物交融說，乃是對儒家的人心感物說與玄佛的寄情寄心說的綜合，在此基礎上從理論上加以發揮的結果。

劉勰關於心物交融說的論述，還有一個重要的內容是關於如何描寫「物」的問題。也就是說，從文學創作的角度來看，怎樣才能把心物交融後所凝聚成的藝術形象，用精練的語言把它表達出來的問題。這裏涉及到了文學創作中的典型化原則等一系列重要理論的問題。劉勰在《物色》篇中說：

> 故灼灼狀桃花之鮮，依依盡楊柳之貌，杲杲為出日之容，瀌瀌擬雨雪之狀，喈喈逐黃鳥之聲，喓喓學草蟲之韻，皎日嘒星，一言窮理；參差沃若，兩字連形。並以少總多，情貌無遺矣。

劉勰列舉了《詩經》中十個描寫自然景象的生動例子，並從中總結出一個十分重要的原理：「以少總多，情貌無遺。」這裏的「情貌」當指創作過程中心與物兩方面的特點而言。陸機《文賦》云：「信情貌之不差，故每變而在顏。」劉勰的「情貌無遺」說正是由此而來。文學創作中要做到「情貌無遺」，達到這樣高的水平是不容易的。客觀事物是複雜的，也是豐富的，它可以從不同的角度、不同的層次去表現。文學創作往往不需要毫髮無遺地把它全部描寫出來，而是要按照「情」的要求，選擇與之最相契合，最能突出「情」的方面來加以摹寫。這裏的「以少總多」可以從不同的角度來理解，一是指文辭簡潔，而它所體現的物的姿態和內容相當豐富，二是指描寫的物態很精要，而它所流露出來的感情是相當充實的，能做到「言有盡而意無窮」。劉勰在《物色》篇中的後一段中說：

是以四序紛回，而入興貴閒；物色雖繁，而析辭尚簡；使味飄飄而輕舉，情曄曄而更新。古來辭人，異代接武，莫不參伍以相變，因革以為功；物色盡而情有餘者，曉會通也。

此所謂「物色雖繁，而析辭尚簡」，即我們上述的第一層意思，而「物色盡而情有餘」則是我們上述的第二層意思，它說明劉勰對「以少總多」的含義也是有多方面理解的。同時，「以少總多」是和《比興》篇中所說文學創作中的「稱名也小，取類也大」的特點一致的。小和大的關係，亦即是少和多的關係。「稱名也小，取類也大」，源於《易經．繫辭》，本是指易象象徵客觀事物的特點。《周易》的每一個卦象都是一類事物的象徵，這裏面是包含有典型概括意義的。當然，卦象只是一種形象符號，和文學形象有本質不同，但文學創作上的「稱名也小，取類也大」和「以少總多」，也正是受易象之啓發而來的。

那麼，怎樣才能有效地做到「以少總多，情貌無遺」呢？劉勰在《物色》篇的後一段中也有過重要的論述。劉勰指出當時在文學創作上，描繪「物色」的能力是很強的，比以前有很大的發展。他說：「自近代以來，文貴形似。窺情風景之上，鑽貌草木之中；吟詠所發，志唯深遠；體物爲妙，功在密附。故巧言切狀，如印之印泥，不加雕削，而曲寫毫芥。故能瞻言而見貌，即字而知時也。」然而，僅僅有這樣精細的刻劃能力是不夠的。文學創作的關鍵還是在於如何做到情與貌、心與物之間的有機統一。因此他認爲精細的刻劃能力僅僅只是一個基本的條件，要眞正做到「以少總多，情貌無遺」，關鍵是在「善於適要」與「曉會通」。他說：

然物有恒姿，而思無定檢；或率爾造極，或精思愈疏。且《詩》、《騷》所標，並據要害；故後進銳筆，怯於爭鋒。莫不因方以借巧，即勢以會奇；善於適要，則雖舊彌新矣。

創作中的主觀和客觀之間關係是複雜的，「物有恒姿，而思無定檢」。客觀事物雖然也是多種多樣的，但對某一事物來說還是有其相對固定的狀態的；而作家主觀的思想感情則又是複雜多變，沒有固定規律的。比如《詩經．小雅．采薇》：「昔我往矣，楊柳依依；今我來思，雨雪霏霏。」「楊柳依依」本是歡樂景象，然而此處征人遠出，恰好是借此表現哀思。「雨雪霏霏」本是悲哀景象，然此處征人遠歸，欣喜之情恰好借此而出。劉勰在《明詩》篇中說：「詩有恒裁，思無定位。」講的也是這個意思。情和貌、心和物的契合是沒有一定的死規距的，也不是按照某個法式去套一下就可以成功的。它們的契合應當是有多種多樣的不同方法和途徑的。「或率爾造極，或精思愈疏。」關鍵是要善於在各種不同情況之下抓住要害。「適要」既包括心的方面，也包括了物的方面。既要懂得事物的關鍵之處是什麼，善於抓住其有本質特徵的部分；也要懂得作家所要表達之情的要害部分，要使兩者恰到好處地結合，符合各自的內在規律，方能稱之爲「善於適要」。劉勰的這種主張的提出顯然是受到陸機《文賦》影響的結果，陸機在《文賦》中說：

若夫豐約之裁，俯仰之形，因宜適變，曲有微情。或言拙而喻巧，或理樸而辭輕。或襲故而彌新，或沿濁而更清。或覽之而必察，或研之而後精。譬猶舞者赴節以投袂，歌者應弦而遣聲。是蓋輪扁所不得言，故亦非華說之所能精。

雖然陸機是從情與辭的關係上來說的，與劉勰所論角度略有不同，但其基本原則「因宜適變」，則是和劉勰之「善於適要」論完全一致的。劉勰所謂「雖舊彌新」之說，亦即陸機「襲故而彌新」之意。「善於適要」，要依仗於作家的才能，如果能夠「因方以借巧」，即勢以會奇」，那麼，雖然《詩》《騷》之作已描盡風物，後來詩人却仍然可以通過描繪自然而創造出新穎獨特的藝術珍品，並使之「味飄飄而輕舉，情曄曄而更新」。當然，這裏有一個繼承和創新的問題。所謂「因方以借巧，即勢以會奇」者，是說要在繼承前人藝術經驗的基礎上，發揮自己智慧才能，有更進一步的獨特創造。這就叫做「曉會通」。能夠這樣，那麼，清風明月雖然歷史上已有無數人謳歌過，後代的詩人却仍然可以描寫它，並創作出不朽的驚人之作。因爲自然風物即可從多種角度去描寫，詩人之情更是無一人相同，藝術的創造自然也一定是無窮無盡的。「山林臯壤，實文思之奧府」，「屈平所以能洞監風騷之情者，抑亦江山之助乎！」何況自然界之幽美勝景，亦尚待詩人之進一步探索，江山可助屈平成名，豈能薄待後代有才華的詩人呢！劉勰在《物色》篇最後這幾句論說，正是強調了心物之默契，有待於作家深入到現實中去，那裏是有深厚的藝術寶藏在等待詩人去開發的。「江山之助」說，被後代無數詩人奉爲圭臬，不能不歸功於劉勰之《文心雕龍》！

【附註】

註一 《美學》第一卷第46～47頁。

五、體性論

——論文學的風格

體性，是講的文學作品的體裁風格與作家才性之間的關係問題，即是指文學作品的體貌。它在我國古代文學理論中有兩層意思：一是指文學作品不同的體裁形式，如詩、賦、駢文等等；二是指文學作品的風格特點。體裁和風格都是具體地表現文學作品的外在形態的。每一篇文學作品都有自己特定的體裁和風格，因此也就有一定的「體」。性，是講的作家的才能與個性特點。不同的作家才能有高低優劣，個性特徵也是各不相同的。文學的創作過程，誠如劉勰《文心雕龍・體性》篇所說：「夫情動而言形，理發而文見，蓋沿隱以至顯，因內而符外者也。」所以，文學作品的「體」與作家的「性」之間，就有必然的內在聯繫。劉勰在《文心雕龍》中對這個問題曾比較集中地進行了深入探討。他在《體性》、《定勢》、《才略》等篇中提出了對這個重要問題的一系列基本理論觀點。

關於文學的風格問題，我國古代首先是強調它和時代的關係，特別是社會政治狀況對文學風格的影響。比如《左傳・襄公二十九年》記載季札觀樂，實際上就涉及到了政治狀況與文藝風格的關係問題，季札是從音樂的風格特點來評論政治狀況的良窳的。當時詩、樂還沒有分家，季札觀樂實際上也是觀詩。而接觸到作家個性和作品風格關係的，最早大概是戰國時的孟子。他在《萬章》下篇中所說：

「誦其詩，讀其書，不知其人，可乎？」實際上即是說不了解作家，是不可能眞正懂得他的作品的。但是，孟子說的「知人」，顯然是偏重在作家的政治思想態度方面的，並沒有強調他的個性特徵；而他說的對作品的了解，也是側重在它的思想內容方面的，並沒有強調它的風格特點。然而，孟子強調了要把了解作家和了解作品相聯繫，這對後來論文學的「體性」是有深刻影響的。漢代的司馬遷在《太史公自序》中剖析「發憤著書」的種種表現時，雖然也涉及到了作家與作品的關係，主要也是在政治態度方面。但是，在《屈原傳》中評述屈原的人品與其作品關係時，比較明顯地接觸到了作家個性與作品風格的關係問題。他說：

> 其文約，其辭微，其志潔，其行廉，其稱文小而其指極大，舉類邇而見義遠。其志潔，故其稱物芳。其行廉，故死而不容自疏。濯淖汚泥之中，蟬蛻於濁穢，以浮游塵埃之外，不獲世之滋垢，皭然泥而不滓者也。

司馬遷強調了屈原的人品和作品風格的一致性，認爲他的作品乃是他人品的眞實表現。其後，東漢的王逸又在對《楚辭》的評論中進一步發揮了這個思想。他在《離騷經序》中說：

> 《離騷》之文，依詩取興，引類譬諭，故善鳥香草，以配忠貞；惡禽臭物，以比讒佞；靈修美人，以媲於君；宓妃佚女，以譬賢臣；虬龍鸞鳳，以托君子；飄風雲霓，以為小人。其詞溫而雅，其義皎而朗，凡百君子，莫不慕其清高，嘉其文采，哀其不遇，而愍其志焉。

王逸具體分析了屈原《離騷》的思想內容與表現特點，指出《離騷》文義「皎朗」、文辭「溫雅」的風格特色，是和屈原爲人的「清高」氣節、悲涼遭遇，緊密地聯繫在一起的。然而，在漢代由於儒學「定於一尊」的地位之影響，王逸的論述不能不受到儒家政教諷諫說的束縛，而不可能更全面地、更廣泛地去說明作家個性和作品風格的關係。

到了魏晉之際，由於儒教的衰落，名法思想的盛行，評論人物風氣的普遍，關於作家個性與作品風格的關係，也就突破了儒家的框框，有了更加深入的分析和論述。當時是人的個性得到比較充分重視的時代，因此，曹丕的《典論論文》和陸機的《文賦》中，都十分突出地說明了作家個性愛好和文學風格之間的內在聯繫。曹丕在《典論論文》中說：

王粲長於辭賦，徐幹時有齊氣，然粲之匹也。如粲之《初征》、《登樓》、《槐賦》、《征思》，幹之《玄猿》、《漏卮》、《圓扇》、《橘賦》，雖張、蔡不過也，然於他文，未能稱是。琳瑀之章表書記，今之雋也。應瑒和而不壯，劉楨壯而不密。孔融體氣高妙，有過人者，然不能持論，理不勝辭，以至乎雜以嘲戲。及其所善，揚、班儔也。

曹丕對「建安七子」的才性及其與創作風格特點的分析，就極其鮮明地指出了文學風格與作家個性愛好的必然的內在聯繫。作家才能、個性間的差別，使他們在文學創作上也必然是各有所長，風格也各異。陸機在《文賦》中說，文學作品風格的多樣化，其重要原因之一，即是：「夸目者尚奢，愜心者貴當，言窮者無隘，論達者唯曠。」作家的個性風格直接體現在作品中，所以說文如其人也。曹丕和陸機這些思想直接啓發了劉勰對於文學風格理論的論述。劉勰在《文心雕龍·才略》篇中縱論歷代作家的才能和學力，指出他們各有自己的特點，形成了萬紫千紅的不同風格。他在「贊」中作了這樣的總結：

才難然乎，性各異稟。一朝綜文，千年凝錦。餘采徘徊，遺風籍甚。無曰紛雜，皎然可品。

顯然，劉勰的風格理論其主要方面乃是他研究和總結了歷史上的文藝創作實踐經驗的結果。不僅如此，劉勰的文學風格理論之所以能遠遠超出曹丕和陸機，並使之創造性地發展到一個新的高度，又是他接受歷史上許多重要的思想理論遺產，並運用於總結文藝發展經驗的結果。這些我們可以從下列問題上看出來。

首先，劉勰在認眞考察文學作品風格和作家才性關係時，提出了作家才性形成有四個方面的因素，這就是：才、氣、學、習。而這四個因素又可以歸納爲先天的和後天的兩大類。「才」和「氣」主要是先天的，因各人禀賦不同而異；而「學」和「習」則是後天的，是和作家自己的努力和他所生活的社會環境的影響，不可分割地聯繫着的。才，是指作家的才能。劉勰認爲作家的才能之不同，首先是由於先天禀賦的不同，這自然有強調過分的地方，但他並沒有把先天性這一點絕對化，而是同時肯定了才能是可以因後天條件之影響而有所變化的，而且它的最終成形，還是由後天因素決定的。氣，是指作家的氣質個性特徵，對於氣的看法，劉勰也和對才的看法一樣。劉勰認爲，作家的才和氣，雖有先天條件好壞的差別，但是，它們又可以受後天的學和習的狀況影響而有所發展，而逐漸定型的。先天禀賦聰慧的，可能由於學和習的不合適，而不能充分發揮其作用；先天禀賦笨拙的，可能由於學和習的補充，而得到改變，並且在創作中作出好成績來。先天的因素，人們是無法去改變的，但後天的因素，却可以通過自己的努力或客觀條件的影響，而使之產生重要的積極作用。他在《文心雕龍·體性》篇中說：

夫才有天資，學愼始習。斫梓染絲，功在初化，器成采定，難可翻移。

劉勰這一段話非常重要。他一方面說「才力居中，肇自血氣」，另一方面又強調「功以學成」。天資不是形成人才性的唯一因素，學和習這些後天因素從某一方面來說，實際上是更爲重要的。比如木材和生絲，雖然質地有高下之別，但是，能工巧婦仍可以把質量較差的木材做成漂亮而實用的器具，把質量較差的生絲織成美麗而精緻的綢緞。反之，木材和生絲的質量雖然很好，如果放到笨工拙婦手裏，就可能做出劣等的器具和綢緞，甚至成爲廢品。可見，劉勰在實際上是把後天的學和習放在比先天的才和氣更爲重要的地位上。他在《體性》篇的「贊」中說：「習亦凝眞，功沿漸靡。」范文瀾先生說：「上文云：『陶染所凝』，此云『習亦凝眞』，眞者才氣之謂，言陶染學習之功，亦可凝積而補成才氣也。」這個解釋是正確的。它說明先天的才氣必然要受到後天學習的陶染而有所發展變化，時間愈長會愈見功效。故從根本上來說，作家的才性雖有「情性所鑠」的一面，亦是「陶染所凝」的結果。

劉勰對作家才性分析之重視後天作用的思想，是和他重視社會生活實踐對作家及作品影響這種觀點一致的，在這一點上，劉勰比曹丕要大大前進了一步。曹丕只強調了「氣之清濁有體，不可力強而致」，即天資禀賦對作家才性的決定作用，而沒有看到後天學習的重要作用。

劉勰在對作家才性問題分析上所作的重要發展，並不是偶然的，而是有其思想淵源的。這是他接受了歷史上先進思想影響，而運用之於認識文學體性問題的結果。具體地說，這是他吸取了先秦著名的思想家荀子關於人性問題論述的結果。荀子認爲人性本惡，這種觀點當然是錯誤的，是一種抽象的人性論。但是，荀子認爲人的這種先天性惡的本質，是可以通過後天以「禮義」爲內容的學習來加以改變的。荀子指出人性的形成過程中有兩個方面的因素，一是「性」即先天本性，一是「僞」，即後天人爲的加工。他在《禮論》中說：

> 性者，本始材樸也；僞者，文理隆盛也。無性則僞之無所加；無僞則性不能自美。

人性基本素質是先天稟賦的，沒有這一基礎，則後天的學習就沒有對象了。但是，先天之性必須要經過後天人爲的加工，方能達到「美」的程度，才是最完善的。爲此，荀子很重視區別「性」和「僞」的不同特點，又很強調兩者相輔相成的關係。他在《性惡》篇中說：

> 凡性者，天之就也，不可學，不可事。禮義者，聖人之所效生也，人之所學而能，所事而成者也。不可學、不可事而在人者，謂之性。可學而能、可事而成之在人者，謂之僞：是性僞之分也。

所以，在荀子看來，人性之能由惡變善，其關鍵在學習禮義。《荀子》一書開宗明義第一篇即是《勸學》。荀子強調一個人性格之最終完成是要依靠學習的；如果不學習禮義；那就只能任天性中之惡的因素去自由發展，那就不能成爲君子。學習，對人來說，顯然具有決定性的作用。這正是荀子在人性問題上的樸素唯物主義思想的表現，而劉勰在分析作家個性的形成上，正是對荀子這種重視後天學習思想的具體運用和發揮。

劉勰在論述作家才性與作品風格關係的過程中，對作家的才性特點的歸納，大都是包括着才、氣、學、習四個方面的，對先天和後天的因素都很重視，是具體地體現了他的理論思想的。《體性》篇中他曾舉出了十二位作家的例子，來說明其才性與風格之關係。比如他說：「賈生俊發，故文潔而體清。」俊發，是指他才思敏捷而言的。《才略》篇說：「賈誼才穎，陵軼飛兔，議愜而賦清，豈虛至哉！」才穎，即是俊發；議愜賦清，即是文潔而體清。黃侃《文心雕龍札記》云：「《史記・屈賈列傳》：『廷尉乃言賈生年少，頗通諸子百家之書。文帝召以爲博士。是時賈生年二十餘，最爲少，每詔令議下，諸老先生不能言，賈生盡爲之對。』此俊發之徵。」可見，賈誼之俊發，旣是他聰慧的天資稟賦之表現，又是他勤奮學習之結果。《體性》篇又說：「長卿傲誕，故理侈而辭溢。」關於司馬相如的才性與其作品風格的關係，《才略》篇分析得更爲具體，其云：「相如好書，師範屈、宋，洞入夸艷，致名辭宗。然覆取精意，理不勝辭，故揚子以爲：『文麗用寡者，長卿』，誠哉是言也！」黃侃釋云：「《文選》謝惠連《秋懷詩》注引嵇康《高士傳贊》曰：『長卿慢世，越禮自放；犢鼻居市，不耻其狀；托疾避患，蔑此卿相；乃賦《大人》，超然莫尙。』此傲誕之徵。」據此，則司馬相如的傲誕特點，也是有他先天氣質與後天學習兩方面所凝聚而成的。當然，每個作家的個性特點往往不是才、氣、學、習的平均數，而是常常更突出地體現其中的某一方面。例如阮籍天賦才華出衆，《魏志・王粲傳》

云：「籍才藻艷逸，而倜儻放蕩，行己寡欲，以莊周為模。」所以，劉勰說：「嗣宗俶儻，故響逸而調遠。」《才略》篇中也指出他是「使氣以命詩」。又如劉楨以俊逸之氣質為其特徵，謝靈運《擬鄴中集序》云：「楨卓犖偏人。」故而劉勰說：「公幹氣褊，故言壯而情駭。」其《才略》篇又說他是「情高以會采」。又如陸機出身儒家書香門第，自小學習儒業。《晉書・陸機傳》云：「機服膺儒術，非禮不動。」因此，劉勰說：「士衡矜重，故情繁而辭隱。」其《才略》篇又說：「陸機才欲窺深，辭務索廣，故思能入巧，而不制繁。」說明學識對他的才性和文學風格有着更為突出的影響。又如潘岳受世俗追逐名利風氣影響較深，品格庸俗。《晉書・潘岳傳》云：「岳性輕躁趨世利，與石崇等諂事賈謐，每候其出，輒沾望而拜。構愍懷之文，岳之辭也。」所以劉勰說：「安仁輕敏，故鋒發而韵流。」正是由於作家的才、氣、學、習之不同，所以文學作品的風格也就青紅皀白，各有千秋，風格多樣化的原因其主要方面即在此。人的才性無一相同，文之體貌也形態各異。劉勰在《體性》篇中說：

故辭理庸俊，莫能翻其才；風趣剛柔，寧或改其氣；事義淺深，未聞乖其學；體式雅鄭，鮮有反其習：各師成心，其異如面。

這是一段總論，而他的《才略》一篇可以說是通過對歷代作家的體性的特徵之評論，而對這一總論所做的詳盡注脚，也是用無可辯駁的歷史事實證明了這一論述的正確性。我們且以他對魏晉時期作家的評論為例來欣賞一下他對每個作家體性的精湛分析：

魏文之才，洋洋清綺，舊談抑之，謂去植千里。然子建思捷而才俊，詩麗而表逸；子桓慮詳而力緩，故不競於先鳴；而樂府清越，《典論》辯要，選用短長，亦無懵焉。但俗情抑揚，雷同一響，遂令文帝以位尊減才，思王以勢窘益價，未為篤論也。仲宣溢才，捷而能密，文多兼善，辭少瑕累，摘其詩賦，則七子之冠冕乎！琳、瑀以符檄擅聲，徐幹以賦論標美，劉楨情高以會采，應瑒學優以得文。路粹、楊修，頗懷筆記之工；丁儀、邯鄲，亦含論述之美，有足算焉。劉劭《趙都》，能攀於前修；何晏《景福》，克光於後進。休璉風情，則《百壹》標其志；吉甫文理，則《臨丹》成其采。嵇康師心以遣論；阮籍使氣以命詩：殊聲而合響，異翮而同飛。

這一大段中，劉勰概括而深刻地論述了魏晉時期十八位主要作家不同才性與文學風格的特點。他反對了那種時俗「以位尊減才」、「以勢窘益價」的批評態度，認為要按實際狀況去恰如其分地評價曹丕與曹植，他們是各有特點的。他指出了有的作家才能是比較全面的，文學風格也不單一；有的作家則是往往擅長一種文體，才能有偏，而各人偏長於那一方面也是各不相同的。他們是「竹柏異心而同貞，金玉殊質而皆寶也。」有些作家的才性風格是比較接近的，例如嵇康和阮籍，但是他們又是「殊聲而合響，異翮而同飛」。至於其他時代的狀況也是和魏晉相類似的。以東漢來說，「劉向之奏議，旨切而調緩；趙壹之辭賦，意繁而體疏；孔融氣盛於為筆，禰衡思銳於為文：有偏美也。」又如西晉一些文學家：「傅玄篇章，義多規鏡；長虞筆奏，世執剛中；並楨幹之實才，非群華之韡萼也。成公子安，選賦而時美，夏侯孝若，具體而皆微。曹攄清靡於長篇，季鷹辨切於短韻，各其善也。」劉勰所反覆提出的「有偏美」、「各其善」等，都是為了強調才性與風格之多樣化，即所謂「各師成心，其異如面」也。

其次，劉勰在《文心雕龍．體性》篇中把紛繁複雜的文學風格歸納為八種基本類型，並對每一種類型的基本特點作了總結。他說：

典雅者，熔式經誥，方軌儒門者也。遠奥者，馥采典文，經理玄宗者也。精約者，核字省句，剖析毫釐者也。顯附者，辭直義暢，切理厭心者也。繁縟者，博喻釀采，煒燁枝派者也。壯麗者，高論宏裁，卓爍異采者也。新奇者，擯古競今，危側趣詭者也。輕靡者，浮文弱植，縹緲附俗者也。

劉勰這一論述也是具有開創意義的。劉勰以前，無論是曹丕、是陸機，主要都只講到不同體裁的文學作品在風格上的差異。而陸機在《文賦》中雖然在涉及到了文學風格上的多樣化時，提出了「體有萬殊，物無一量，紛紛揮霍，形難為狀」的問題，說明外界客觀事物是多種多樣的，因此，「其為物也多姿，其為體也屢遷」，文學風格也是多樣的。但他並沒有更進一步深入分析研究這種多樣化風格的具體狀況。而劉勰則正是在陸機文學風格論的基礎上，又大大前進了一步，對文學風格多樣化的具體狀況作了更深入的研究。劉勰所總結的八種基本文學風格，並不是簡單的任意舉例，而是在閱讀和研究了大量作品的基礎上提出來的，是經得起推敲的。劉勰認為文學的風格雖然千差萬別，但是它又不是沒有規律可循的。如果認眞地進行研究分析，可以看到其中有幾種最基本的風格類型，恰如劉勰說的：「若總其歸途，數窮八體。」劉勰提出八種基本的風格類型，與他所主張的風格的多樣化是並不矛盾的。因爲這種歸納，並不意味着對具體的作家作品風格，就可以簡單地納入某一類，而只是指出幾種構成風格的基本因素。這就好像無數不同的繪畫色彩中有幾種最基本的色彩一樣，把這幾種基本色彩調配起來，就會有無窮無盡的種種不同色彩。文學風格也是如此。這八種風格的交互滲透，可以形成無數種不同的風格，即所謂「八體屢遷，功以學成」。這樣的歸納和總結，可以使文學的風格的研究更加科學，以便能夠考察一個作家的風格是有哪些基本因素構成的，他和別的作家風格有哪些相同，哪些不同，並進而考察形成這種風格的才、氣、學、習方面的原因。從劉勰對這八種基本風格的特徵所作的理論概括中，可以看出它們和才、氣、學、習之間的關係。一般說，這八種基本風格的每一種與才、氣、學、習都是不能分開的，然而也往往有其更爲突出的一方面。比如「壯麗」之「高論宏裁，卓爍異彩」，與作家的才智有密切關係；「遠奧」之「馥采典文，經理玄宗」，則是與作家氣質有明顯關係；「典雅」之「熔式經誥，方軌儒門」，顯然是作家勤學之結果；「輕靡」之「浮文弱植，縹緲附俗」，則是和作家受時俗習氣之影響分不開的。

更爲值得我們注意的是，在對每一個具體作家作品風格的分析上，劉勰並沒有把它們簡單地歸入八體中之某一類。無論是《體性》篇中所擧的十二個代表作家的風格，還是《才略》篇中所說的歷史上各個重要作家的風格特色。都很難說是八體中的那一體，而往往是兼有幾種基本風格的特色的。比如賈誼，旣有精約的特色，又有顯附的特色，而且也不是這兩者的機械的湊合，甚至也很難說就只有這兩種因素。又如司馬相如，旣有繁縟的特色，又有壯麗的特色。阮籍的風格是接近遠奧的，但又和作爲基本風格的遠奧不同。潘岳是偏向新奇的，然而也和作爲基本風格的新奇有所區別。劉勰說：「八體雖殊，會通合數，得其環中，則輻輳相成。」正是由於這八種基本風格的交互結合，錯綜變化，才產生了無窮無盡的種種不同風格特色。劉勰還指出這八種基本風格中又是兩兩相對的，可以分爲四組：「雅與奇反，奧與顯殊，繁與約舛，壯與輕乖。」把文學的風格之基本類型分爲八種四對，這究竟是否很全面、很科學，是不是反映了文學風格的內在必然規律，這是可以研究的。從文學創作的實際狀況及其歷史發展來看，這種分法有合理的方面，也有不確切的方面。「八體」是從創作實踐中歸納出來的，它們是客觀地存在於創作實踐中的，而且也確有兩兩相對的特點，從這個角度上說，它有科學的、合理的方面。但是，基本風格是不是就只有這八類？是不是也可以槪括爲十類、十二類或更多？是不是文學的風格都一定是兩兩相對的呢？顯然，這就不一定了。比如，後來皎然講詩有十九類風格，司空圖在《二十四詩品》中分爲二十四類。他們都比劉勰的分類要多，而且並不是兩兩相對的。這就說明劉勰這種論述是有它的不科學、不全面的地方的。那麼，劉勰爲什麼會對文學風格的基本類型恰好是歸納爲八類，而又成爲兩兩相對的四對呢？這就要從他所受的歷史上思想資料的影響來加以說明。

我們認爲劉勰之所以把風格分爲八體與兩兩相對的四組，這是與他受《易經》思想的影響有直接關係的。風格組成上的八體與四對，即是來自《易經》八卦的啓發。《易經》的作者認爲宇宙萬物盡管有千千萬萬，但最基本的有八種，即天、地、山、澤、水、火、風、雷。而其它一切事物，均是由這八種事物交錯作用調合而成的。《易經》的八卦是象徵這八種基本事物的形象符號。八卦的相互組合，又可以形成六十四卦，三百八十四爻。而每一卦每一爻都是象徵着一類事物的。宇宙間的事物是無窮無盡的，而八卦之變化及其所象徵的事物也是無窮無盡的。同時八卦所反映的八種基本事物也是兩兩相對的。八卦所呈現的八種形象符號也是兩兩相對的。例如：

天☰——地☷　水☵——火☲

風☴——雷☳　山☶——澤☱

《易經》強調指出宇宙萬物的形成是由幾種基本物質因素構成的，這些基本物質因素又都是矛盾對立的。劉勰認爲文學風格也是如此，也具有一種內在的規律性。劉勰之所以運用《易經》中的這種思想來論述文學風格，和他在文學和現實關係上的樸素唯物主義觀點有密切聯繫。他看到了文學作品是反映客觀現實的，它要模擬客觀物象，而客觀物象、現實事物又是千姿百態而各不相同的。正是客觀事物的多樣性和作家才性之差異，決定了文學風格絢麗多彩的多樣化特點。文學作品要「寫物圖貌」，「體物寫志」，而且「情以物遷，辭以情發」，所以，「物」是具有決定作用的。對物的描繪，不僅要「擬諸形容」，而且要「象其物宜」。這些是劉勰對陸機的「其爲物也多姿，其爲體也屢遷」的進一步發展。基於對「體」與「物」的這樣一種認識，劉勰運用《易經》中解釋「物」和「易象」之間關係的思想來說明風格多樣化的內在規律，就毫不奇怪了。劉勰說的「八體雖殊，會通合數，得其環中，則輻輳相成」，也正是從《易經・繫辭》中的「參伍以變，錯綜其數」，「見天下之動，而觀其會通」的思想發展而來的。劉勰寫作《文心雕龍》受《易經》和《易傳》的影響很深，這在全書中幾乎是隨處可見的。

第三，劉勰關於文學風格理論的另一個重要貢獻是他對文學風格形成過程中的主觀性與客觀性關係的探討。如果說，劉勰在《體性》篇中着重分析了文學風格的主觀因素的話，那麼他的《定勢》一篇是比較集中地探討了文學風格的客觀因素的，研究了不同的文體形式由於其內容和形式的特點而決定了它有不同的風格特色問題。這一點曹丕和陸機曾作過較多的分析，但是劉勰在他們的理論基礎上又有了很大的發展。這不僅表現在劉勰對文體的類型分得更細，概括每一種文體特點更具體、更確切，自然，這一方面也是很重要的。可是更有價値的還在於劉勰能把它提到規律性上來認識，提出了「勢」的問題。每一種文學體裁都有自己特定的內容和與此相應的表現形式，這就決定不同體裁必然會有自己特殊的風格特色。劉勰總結了文學創作的過程，提出了「物——→情——→體——→勢」這樣一個重要原則：情是由外界事物的感發而產生的，情以物興；而體則是循情而立的「因情立體」；而勢則又是隨體而成的，「即體成勢」。每種文學體裁在歷史發展過程中，都形成自己特有的「勢」。代代相沿而成習。劉勰在《定勢》篇中說：

是以括囊雜體，功在銓別，宮商朱紫，隨勢各配。章表奏議，則準的乎典雅；賦頌歌詩，則羽儀乎清麗；符檄書移，則楷式於明斷；史論序注，則師範於覈要；箴銘碑誄，則體制於弘深；連珠七辭，則從事於巧豔：此循體而成勢，隨變而立功者也。

由於文學作品有自己特定的「體勢」，它是作品本身的內容和形式所決定的客觀的要求，而所謂「勢」者正是指作品本身的這種客觀的規律性，它是不以人的主觀意志爲轉移的，劉勰說：

夫情致異區，文變殊術，莫不因情立體，即體成勢也。勢者，乘利而為制也。如機發矢直，澗曲湍回，自然之趣也。圓者規體，其勢也自轉；方者矩形，其勢也自安：文章體勢，如斯而已。是以模經為式者，自入典雅之懿；效《騷》命篇者，必歸艷逸之華；綜意淺切者，類乏醞藉；斷辭辨約者，率乖繁縟：譬激水不漪，槁木無陰，自然之勢也。

一定的體式就有一定的「自然之勢」，在文學創作上就有一個客觀的「自然之勢」與作家主觀的才性特徵如何相統一的問題。也就是說，文學風格中的主觀因素與客觀因素應當統一成爲一個完整的整體，而不應當使兩者發生矛盾衝突，否則就不能創作出好作品來。劉勰認爲一個作家在創作過程中，很難做到每一類文體都寫得很好，一般說都只擅長於某一類或特點相近的幾類文體，其原因即在於此。所以，作家就要善於選擇與自己的思想性格、習慣愛好、才能智慧相適應的文體形式來寫作，這樣就能充分發揮自己的長處，這就叫做「因性以練才」。能夠使這兩方面達到和諧一致，就可以使文學創作起到事半功倍的效果，曹丕在《典論論文》中曾經通過分析建安七子的創作提出過「文非一體，鮮能備善」的問題，要求作家要「善於自見」，既懂得己之所長，又懂得己之所短，而不要「各以所長，相輕所短」。劉勰則在此基礎上，着重從正面強調了作家應當按照自己所擅長的方面去努力發展自己的才能。這個問題對於我們今天的作家來說，也是有參考價値的。一個作家自然應當全面地鍛煉寫作多種體裁文學作品的能力，但是也應當根據自己的才能、興趣、愛好、生活經驗等，來確定自己創作的重點方面，或是詩歌，或是小說，或是戲劇，或是散文。能成爲通才，當然很好，但這畢竟還只能是少數。

劉勰這個「因性以練才」的使文學風格的主觀因素與客觀因素相統一的重要思想，顯然是與他所受的魏晉玄學思想影響分不開的。作爲魏晉玄學先驅的劉劭在其《人物志》一書中分析人品高下及其才能優劣的過程中，就非常強調要按照人的才能特點而授以官職，做到才用一致。他說：「能出於材，材不同量。材能旣殊，任政亦異。」認爲統治者必須要考察人的才能所長，而任以適宜的官職，以發揮其所長。這種思想反映到文學理論上，最早就是曹丕《典論論文》中所提出的奏議、書論、銘誄、詩賦「四科不同，故能之者偏也；唯通才能備其體」。而劉勰則更進一步明確提出了要「因性以練才」的問題，按自己才能的特點去創作自己所適宜的文體。劉勰在《文心雕龍》中對玄言詩是給以了尖銳批評的，但不能因此就否定他所受的玄學思想影響。他反對玄言詩，是因爲玄言詩淡而無味，不是以具體形象來描寫，而是以抽象玄理來創作，違背了藝術本身的特徵。這和對玄學思想的態度不能混爲一談。

劉勰關於文學風格形成過程中的主觀性和客觀性關係的論述，還有一個重要方面是他對文學風格的時代特徵與作家個性特徵之間關係的論述。他在《才略》篇中指出了作家的才能風格是和時代有密切關係的，是不能不受時代的影響的。他在此篇末尾很有感慨地說：

觀夫後漢才林，可參西京；晉世文苑，足儷鄴都。然而魏時話言，必以元封為稱首；宋來美談，亦以建安為口實。何也？豈非崇文之盛世，招才之嘉會哉。嗟夫，此古人所以貴乎時也！

一個崇尚文學的時代，會招來有才能之文士，使他們得以充分展示自己的才華，形成自己獨特的風格。而且時代的風氣和特點還必然會給文學風格印上時代色彩。他在《才略》篇中論到西漢和東漢文學風貌之不同時，曾經說：「然自卿、淵以前，多俊才而不課學，雄、向以後，頗引書以助文：此取與之大際，其分不可亂者也。」為什麼會有這樣大的差別呢？這是因為司馬相如和王褒以前，屬於西漢前期，當時黃老思想流行，文學創作重在自然之才情，而自漢武帝「罷黜百家，獨尊儒術」以後，到西漢末年劉向、楊雄以後，由於經學盛行，影響到文學創作就重在書本學問，這樣就導致了文學風貌的重大變化。除了《才略》篇之外，劉勰在《時序》篇和論文體各篇中都也論述到了文學風格的時代特色問題。然而，文學的風格所表現的時代色彩總是要通過具體作家而反映出來的。它是和作家的個性、文學體裁的特點相結合而出現的，所以在不同的作品中又並不完全一樣。比如劉勰在《文心雕龍·時序》篇中論述戰國的文學創作之時代特徵時說道：

春秋以後，角戰英雄；六經泥蟠，百家飆駭。方是時也，韓、魏力政，燕、趙任權；五蠹、六虱，嚴於秦令。唯齊、楚兩國，頗有文學：齊開莊衢之第，楚廣蘭台之宮。孟軻賓館，荀卿宰邑；故稷下扇其清風，蘭陵郁其茂俗。鄒子以談天飛譽，騶奭以雕龍馳響；屈平聯藻於日月，宋玉交彩於風雲。觀其艷說，則籠罩《雅》、《頌》；故知煒燁之奇意，出乎縱橫之詭俗也。

劉勰分析了戰國的政治形勢和政治鬥爭特點，指出當時風靡一時的縱橫家的游說，對文學創作發生了重大的影響，不論是散文還是詩賦，都具有能言善辯、辭采華艷的特色。但是，它在孟子、荀子的散文，鄒子、騶奭的說辭，屈原、宋玉的辭賦中的具體表現又不完全相同。因爲這些作家的個人風格和他們所擅長的文體形式的風格又是不完全相同的。時代的風格特色只是滲透於其中，而不是使他們的作品風格完全一樣。

由此可見，文學作品中風格的主觀性（即作家的「才氣學習」）和風格的客觀性（文體形式和時代特徵的影響）是應當和諧地協調地統一成爲一個整體的。文學作品的風格乃是這衆多因素的綜合之結果。一個作家要創造自己的文學風格，不僅要按照正確的方向和途徑去豐富「學」和「習」的內容，而且還要善於「因性以練才」，發揮自己的特長，並且注意到如何去把形成風格的主觀因素和客觀因素有機地結合起來。這樣，才能通過實踐而逐漸形成有獨創性的藝術風格。

這裏，我們還應當指出的是，劉勰所說的風格主要是講的廣義的文章風格，而不是指純文學的藝術風格。這是和他在《文心雕龍》中所論述的「文」的概念範圍有關係的。劉勰所說的「文」的含義是十分廣泛的，它包括了一切用語言文字書寫的著作。當然，它是包括了詩賦等純文學在內的，但也包括了學術著作和許多非藝術的應用文章。因此，他所說的風格，主要還是側重在文章的語言風格，不是完全針對純文學作品的藝術風貌而言的。他探討的是一般性的風格理論，但是有時也包括了文學藝術所持有的形象塑造上的風格特徵。從廣義文學的風格理論來說，自然也是適用於狹義文學的風格問題的，但畢竟還是有些區別的。後來，皎然、司空圖、嚴羽等所論述的風格，主要是講詩的風格，側重於詩歌意境的風格美，所以就有很不同的特色。比如劉勰的「八體」中有「典雅」一體，司空圖《詩品》中亦有「典雅」一體，然而，這兩種「典雅」的內容顯然是極不相同的。劉勰指的是接近於儒家經典的語言風格，而司空圖的「典雅」則是指一種幽雅冲淡的的詩歌意境。自然這裏也有思想影響的差別，劉勰是屬於儒家的「典雅」，司空圖是老莊的「典雅」，但其中一指廣義的文而言，一指狹義的詩而言，也是造成其區別的重要原因。

六、風骨論

——論文學的精神風貌與物質形式美

風骨，是劉勰對文學作品的重要的美學要求之一。《文心雕龍》專論風骨一篇，置於《神思》、《體性》之後，當亦非偶然。劉勰認爲文學創作在構思成熟，並有了特定的風格之後，最重要的就是要有風骨之美。風骨的含義歷來沒有一致的意見，學術界衆說紛紜，似乎都有一些道理，但又難以服衆。不過，我們認爲如果能對風骨這一美學範疇作一個歷史的縱向的考察，同時再聯繫各個藝術領域作一個橫向的考察，並且把《文心雕龍》全書中的論述，作一個比較全面的分析，風骨的基本含義還是可以得到一個大體符合實際的了解的。風骨作爲一個美學範疇，在各個藝術領域中，以及各個文藝家的論述中，是有其共同的美學意義的，但是又有其不完全相同的意義。因此，我們在進行比較分析中必須善於看到其聯繫與區別兩方面，而不能認爲凡講風骨，其內涵就是一樣的。

要研究劉勰所提倡的風骨的含義，首先自然要從分析《風骨》篇入手，劉勰在《風骨》篇有時是風骨連用，有時則風和骨分論，這就提出了一個問題，風骨究竟是一個概念呢還是兩個概念的並列？我們必須看到由於《文心雕龍》是用駢文寫的，常常有互文見義的特點，因此，有時單獨講風或單獨講骨，實際上則是指的統一的風骨之意。比如《風骨》篇說：「若骨采未圓，風辭未練，而跨略舊規，馳騖新作，雖獲巧意，危敗亦多。」這裏的「骨采」與「風辭」實際指的是一回事，都是說的有風骨的文章。然而，風骨雖然是密不可分的，風和骨所指仍是有區別的，不承認這一點，劉勰的《風骨》篇中許多論述就難以理解。《風骨》篇的第一大段，劉勰風和骨分論的地方最多。比如：

是以怊悵述情，必始乎風；沉吟鋪辭，莫先於骨。故辭之待骨，如體之樹骸；情之含風，猶形之包氣。結言端直，則文骨成焉；意氣駿爽，則文風清焉。……故練於骨者，析辭必精；深乎風者，述情必顯。……若瘠義肥辭，繁雜失統，則無骨之徵也；思不環周，索莫乏氣，則無風之驗也。

這裏一共有五次分論風與骨，而且論風均與情或氣相連，論骨均與辭相連，因此，許多研究者都認爲風指文情或文意方面特點，骨指文辭方面特點。此說是最流行、最有影響的。最早持此說者爲黃侃，其《文心雕龍札記》云：「必知風即文意，骨即文辭，然後不蹈空虛之弊。」「綜覽劉氏之論，風骨與意辭，初非有二。然則察前文者，欲求其風骨，不能合意與辭也；自爲文者，欲健其風骨，不能無注意於命意與修辭也。風骨之名，比也；意辭之實，所比也。」黃氏之根據除上述五條外，尚有「贊」中所云：「情與氣偕，辭共體並。」以及「豐藻克贍，風骨不飛」，「綴慮裁篇，務盈守氣」等論述。范文瀾《文心雕龍注》更進一步申述此說，其云：「風即文意，骨即文辭，黃先生論之詳矣。竊復推明其義曰，此篇所云風情氣意，其實一也，而四名之間，又有虛實之分。風虛而氣實，風氣虛而情意實，可於篇中體會得之。辭之與骨，則辭實而骨虛。辭之端直者謂之辭，而肥辭繁雜亦謂之辭，惟前者始得文骨之稱，肥辭不與焉。」這個思想在解放以後，雖有一些研究者有不同看法，但是一些有影響的研究者仍持此說，只是有一些補充說明而已。周振甫先生《文心雕龍注釋》中說：「先看風，是對作品內容方面的美學要求」，「要求它寫得鮮明而有生氣，要求它寫得駿快爽朗。」「骨是對作品文辭方面的美學要求。」「是對有情志的作品要求它的文辭精練，辭義相稱，有條理，挺拔有力，端正勁直。」牟世金先生在《文心雕龍譯注・引論》中說：「從《文心雕龍》本身的理論體系來看，如前所述，它以『割情析采』、質文並茂爲綱，而《風骨》篇正是要求質文並茂的一篇基本論著。」他並引用儒家「言以足志，文以足言」之說，認爲「風、骨、采的關係，正是志、言、文的關係」。王運熙先生在《文史》第九期《從〈文心雕龍・風骨〉談到建安風骨》一文中也談到：「風指思想感情表現得鮮明爽朗，骨指語言端直剛健。」對這種看法也有不少人提出不同看法，有的認爲骨指內容，風指形式；有的認爲風指情思，骨指事義；有的認爲風骨是一個概念既指內容亦指形式；有的認爲風骨即風格；等等。但論述均嫌不足，難與「風即文意，骨即文辭」之說相並立，其原因即在無法解釋我們上引《風骨》篇中風、骨分論的五條，誠如牟世金先生所說：「這些句子不是按某種主觀意圖挑選出來的，而是《風骨》篇中『風』、『骨』並論的全部文句。要解釋『風骨』二字，既不能離開這些文句，也必須符合這些文句。」（同上）我們很同意牟世金先生這個說法，對風骨的解釋是不能離開這些文句的，不過，我們認爲牟世金先生僅據這些文句就肯定風指文意（文情）方面特點，骨指文辭方面特點，還是有可商榷之處的。因爲劉勰在《文心雕龍》中不只是在《風骨》篇中強調了「風清骨峻」的重要，而且在全書的其他篇中也都講到不少有關「風清骨峻」的問題，所以，正確解釋風骨不僅要符合這些《風骨》篇中的文句，也應當符合全書中關於風和骨的基本含義，至少是不應當有對立的矛盾。這應該說也是起碼的要求吧！而從全書來考察，那麼，風是文情（文意）骨是文辭之說，就顯得不盡妥當了。這種解釋是和《文心雕龍》全書中許多論述產生了明顯的矛盾和不協調的，尤其是對骨的解釋更成問題，實際上對骨的解釋也是有關骨爭論中的主要問題。

《風骨》篇中這些文句，確是講到了風與情、氣的關係，骨與辭、言的關係，但並沒有說風就是文情（文意），骨就是文辭。而且《風骨》的中心思想是要闡述文學創作中風骨與辭采的關係，應當以風骨為主，辭采為輔。我們統觀《文心雕龍》全書論及文骨之處除《風骨》篇外約有十四處，所說均非指文辭。現摘引如下，並略作分析以說明之：

《宗經》：　經也者，恒久之至道，不刊之鴻教也。故象天地、效鬼神、參物序、制人紀，洞性靈之奧區，極文章之骨髓者也。

按：　此處之「骨髓」指「五經」所表現的「恒久之至道」而言的。

《辨騷》：　觀其骨鯁所樹，肌膚所附，雖取熔經意，亦自鑄偉辭。

按：　此處之「骨鯁」顯然是指「取熔經意」所表現的思想力量而言，而「肌膚所附」即指「自鑄偉辭」而言的。所謂「骨鯁所樹，肌膚所附」，正是《風骨》篇所說「辭之待骨，如體之樹骸」的意思。

《詮賦》：然逐末之儔，蔑棄其本，雖讀千賦，愈惑體要，遂使繁華損枝，膏腴害骨。

按：此處之「害骨」，即指「愈惑體要」之意。體「要」乃指作品內容而言。亦即是「繁華損枝」之意，這裏「辭」是「華」，「骨」是「枝」。

《誄碑》：觀楊賜之碑，骨鯁訓典。

按：此處「骨鯁」指蔡邕所寫碑文內容符合於經意，與《辨騷》之骨鯁同意。

《雜文》：甘意搖骨體，艷辭動魂識。

按：「骨體」，唐寫本作「骨髓」。此處顯然指「甘意」的作用而言，並與下句「艷辭」相對應。

《檄移》：陳琳之《檄豫州》，壯有骨鯁，雖奸閹攜養，章密太甚，發邱摸金，誣過其虐；然抗辭書釁，皦然露骨矣。

按：此處之「骨鯁」及「露骨」。均指陳琳檄文中揭發曹操罪惡的內容之有力及義正詞嚴的氣勢。

《封禪》：然骨掣靡密，辭貫圓通，自稱極思，無遺力矣。

按：此處之「骨」，與下句之「辭」相對，乃是指揚雄《劇秦論》中內容及形式的特點。「骨掣靡密」，指其義理之細密；「辭貫圓通」，指其文辭之條理通暢。

又：構位之始，宜明大體。樹骨於訓典之區，選言於宏富之路，使意古而不晦於深，文今而不墜於淺。義吐光芒，辭成廉鍔，則爲偉矣。

按：此處之「樹骨」與下句「選言」相對，指文章之思想內容與文辭形式。能「樹骨於訓典之區」，則就能做到「意古而不晦於深」，即可使「義吐光芒」；能「選言於宏富之路」，則就能做到「文今而不墜於淺」，即可使「辭成廉鍔」。可見，「骨」即「意」、「義」，而「言」即「文」、「辭」，這與牟世金先生說的「風」即「志」，「骨」即「言」，「采」即「文」之說。顯然是尖銳地矛盾的。

《章表》：章以造闕，風矩應明；表以致禁，骨采宣耀。

按：此處之「風矩」與「骨采」，系駢文之互文見義，都是指有風骨的文章。「風矩」，即「風規」，與下「骨采」均指作品內容和形式兩方面特點而言。

《奏啓》：楊秉耿介於災異，陳蕃憤懣於尺一，骨鯁得焉。

按：此處之「骨鯁」亦顯然是指楊秉、陳蕃上奏的內容特點，贊揚他們直言上諫的忠心。

《議對》：及陸機斷議，亦有鋒穎，而腴辭弗剪，頗累文骨。

按：此處之「文骨」，正是指陸機斷議有「鋒穎」之處，惜其文辭過繁，反而有損內容之表達，頗累文骨。由此可見，「骨」實指內容之特點，但文辭不精練，就會損害內容之表達，是有害於骨的。故而《風骨》篇云：「練於骨者，析辭必精。」

《體性》：辭為膚根，志實骨髓。

按：這兩句之前，劉勰曾講到「氣以實志，志以定言，吐納英華，莫非情性」。所謂「氣」是「風」的內容，「志實骨髓」，「言」即辭采。所以《風骨》篇說：「《詩》總六義，風冠其首：斯乃化感之本源，志氣之符契也。」

《附會》：必以情志為神明，事義為骨髓，辭采為肌膚，宮商為聲氣。

按：此處之「神明」實指「風」也，「情」與「志」不可分，「事」與「義」不可分。而「情志」之重點在「情」。「事義」之重點在「義」」，「神明」、「骨髓」都是指作品的內容，而「辭采」、「宮商」則指形式。

《序志》：雖復輕采毛髮，深極骨髓，或有曲意密源，似近而遠，辭所不載，亦不勝數矣。

按：此處之「毛髮」指形式，而「骨髓」則指內容，是很明顯的。

從以上十四例來看，可以充分說明「骨即文辭」，或「骨是對作品文辭方面的美學要求」等說法，都是無法解釋《文心雕龍》全書中有關「骨」的論述的。說明骨的含義是指作品的思想內容所顯示出來的義理充足、正氣凜然的力量。

現在我們再來研究《文心雕龍》中除《風骨》篇以外的各名篇中有關「風」的論述。《文心雕龍》全書中論及「風」的很多，但並非所有的「風」的概念都與「風骨」之「風」有關。有的是指自然風物，例如「風月」（《明詩》：「並憐風月，狎池苑。」）「風雲」（《神思》：「卷舒風雲之色」，

「將與風雲而並驅矣。」）、「風雷」（《序志》：「方聲氣乎風雷。」）等。有的是指一種社會風氣，例如「風衰」（《時序》：「風衰俗怨。」）、「玄風」（《明詩》：「溺乎玄風。」）、「儒風」（《時序》：「故漸靡儒風者也。」）等。有的是指人名姓氏，例如「風姓」（《原道》：「爰自風性，暨於孔氏。」）「風人」（《明詩》：「風人輟采。」）、「風后」（《諸子》：「昔風后力牧伊尹。」）等。另外還有一些是專門名詞。與《風骨》篇所論之「風」接近的主要有以下幾處：

《宗經》：文能宗經，體有六義：一則情深而不詭，二則風清而不雜。

按：此處之「風清」當與《風骨》篇之「風清骨峻」的「風清」同義，「風清」與「情深」各列一條，可見「風」並不簡單地等於「情」。

《誄碑》：（碑）標序盛德，必見清風之華；昭紀鴻懿，必見峻偉之烈。

按：此處「清風」是和「盛德」有密切關係的，是體現了「盛德」的精神的，指一種純正的思想感情所體現的風度氣貌。

《銘箴》：及崔胡補綴，總稱百官，指事配位，鞶鑑可徵，信所謂追清風於前古。攀辛甲於後代者也。

按：此處的「清風」是指崔駰、胡廣等的《百官箴》有周代辛甲之遺風，善於針貶天子過失，體現了純正的思想感情所顯示的一種風清。

《時序》：齊開莊衢之第，楚廣蘭臺之宮，孟軻賓館，荀卿宰邑；故稷下扇其清風，蘭陵郁其茂俗。

按：此處的「清風」係指孟子學派所提倡的那種「浩然之氣」的一種表現。從上述四處所說的「風清」或「清風」中，可以看出劉勰《風骨》篇所說的「風清骨峻」之「風清」與「文風清焉」之「風清」是與以上所說一致的，都是指符合於儒家道德的思想感情所體現的一種精神氣貌特徵。

《時序》：於是史遷壽王之徒，嚴終枚皋之屬，應對固無方，篇章亦不匱，遺風餘采，莫與比盛。

按：這裏的「風」是指風氣而言。指文學作品中所表現的特定風貌。和本篇下文「餘風遺文」，「正始餘風」等，含義是一樣的。講到齊代文學發展時說的「鴻風懿采」也是這個意思。其他如《才略》篇中說的「餘采徘徊，遺風籍甚」；《詔策》篇中說的「輝音峻舉，鴻風遠蹈」；等等，也都是指作品中所體現的作家的風貌氣質。

《體性》：風趣剛柔，寧或改其氣。

按：這裏的「風趣」即是指作家的風貌氣質特點。

《徵聖》：夫子風采，溢於格言。

按：這裏的「風采」指孔子的風貌氣質。

《書記》：詳總書體，本在盡言，言以散郁陶，托風采，故宜條暢以任氣，優柔以釋懷。

按：這裏的「風采」，其意亦與上例同。

從上面分析的有關「風」的概念運用中，可以看出，文學作品中的風，是指作家的思想感情、精神氣質在作品中所體現出來的氣度風貌特徵。而劉勰所提倡的「風」要「清」，則是指具有儒家純正的思想感情、精神氣質的作家在其作品中所體現的氣度風貌特徵。

那麼，對於風骨的上述分析，是否與劉勰在《風骨》篇中的論述相一致呢？能不能順利地解釋通《風骨》篇中的有關論述呢？我們認爲，把風骨理解爲文學作品中的精神風貌美，風側重於指作家主觀的感情、氣質特徵在作品中的體現；骨側重於指作品客觀內容所表現的一種思想力量，而不同的思想家、文學家所說的風骨又隨着他本人的思想而有所差別，這是比較符合劉勰全書中論風骨的原意的，也和當時各個藝術領域中所論的風骨可以協調一致，同時也能夠比較妥善地解釋《風骨》篇的原文。由於風是作家主觀的感情、氣質在作品中的體現，所以「怊悵述情，必始乎風」，「情之含風，猶形之包氣」，而「意氣駿爽，則文風清焉」。文學作品特別是詩歌乃是作家感情的表現，作家的氣質個性在感情中表露得最爲充分，「情與氣偕」，兩者是結合得最緊密的，而風正是它們在作品中的體現，故有駿爽之意氣，文風必情。感情愈強烈、氣質愈鮮明，作品中的風也就更突出。故云：「深乎風者，述情必顯。」而「思不環周，索莫乏氣，則無風之驗也。」司馬相如作《大人賦》，如《史記》所說：「飄飄有凌雲之氣，似游天地之間意。」感情氣質極爲鮮明，故劉勰說它「風力遒也」。由於骨是指作品客觀內容所表現的一種思想力量，所以它乃是語言文辭所依附的枝幹，語言文辭之運用就是為了表現內容，並體現出這種思想力量，因此，「沉吟鋪辭，莫先於骨」；而「辭之待骨，如體之樹骸」。「故練於骨者，析辭必精」；「若瘠義肥辭，繁雜失統，則無骨之徵也。」有了骨，則文辭運用就有了目標，作品內容缺乏強大的思想力量，則決不可能有精練有力的文辭形式。反之，作品內容所呈現的思想力量，也必須要有精練的文辭來表現。由於骨是指內容的特徵，所以和辭的關係是相當密切的，文學作品的內容要由語言文辭來表現。風是指作家的感情、氣質在作品中的體現，它自然也是要由語言文辭來體現的，因此，劉勰又說：「捶字堅而難移，結響凝而不滯，此風骨之力也。」總的說來，風骨是指作品的精神風貌特徵，它和作為物質手段的辭采恰好形成為一組對立的關係，實質上也就是內容和形式關係的一種表現。由於劉勰《文心雕龍》中的基本思想是強調以內容為主，形式服務於內容，在內容為主的前提下重視形式的美，所以在《風骨》篇中貫穿的一個中心思想是：文學作品必須以風骨為主，以辭采為輔，決不能顛倒這一主次關係。全篇中對此作了反覆的論述。如：

若豐藻克贍，風骨不飛，則振采失鮮，負聲無力。是以綴慮裁篇，務盈守氣，剛健既實，輝光乃新，其為文用，譬征鳥之使翼也。

能鑒斯要（按：即指以風骨為主），可以定文；茲術或違，無務繁采。

若風骨之采，則鷙集翰林；采乏風骨，則雉竄文囿：唯藻耀而高翔，固文筆之鳴鳳也。

若骨采未圓，風辭未練，而跨略舊規，馳騖新作，雖獲巧意，危敗亦多。豈空結奇字，紕繆而成經矣。《周書》云：「辭尚體要，弗惟好異。」蓋防文濫也。

在這四段論述中，劉勰堅決反對只講究辭采而不重視風骨的錯誤創作傾向，認爲它是違背了《尚書》所提出的「辭尚體要，弗惟好異」的原則的。他認爲只有確定了以風骨爲主的原則，才可以定文，否則就不要去搞追求「繁采」之作。劉勰鮮明地提出了風骨爲主、辭采爲輔的原則，在以風骨爲主的前提下，也重視辭采的重要性，認爲兩者是不可或缺的，但又有主有從。這種思想不僅和當時其他的文學理論批評家如鍾嶸等完全一致，而且也和其他藝術領域中提倡風骨的精神完全一致。

鍾嶸《詩品》的寫作在梁天監年間，比《文心雕龍》要晚一些。鍾嶸在《詩品序》中提出詩歌創作要「干之以風力，潤之以丹彩」，認爲這樣才能「使味之者無極，聞之者動心，是詩之至也」。鍾嶸以曹植爲五言詩之創作典範，正是因爲他不僅「骨氣奇高」，而且「詞采華茂」。他所說的「風力」、骨氣」即是指「風骨」；而「丹彩」、「詞采」則正是指文辭。他也是主張以風骨爲主，而以辭采爲輔，而兩者又各不偏廢的。這和劉勰主張在「風清骨峻」的前提下做到「辭采華茂」是一致的。只不過在對風骨的具體內容理解上，由於兩人文藝思想的差別而有所不同。劉勰所講的風骨重在體現儒家經典內容的思想力量與感情氣質，而鍾嶸則主要是強調要有建安詩歌那種慷慨激昂的怨悱之情，和對現實憤懣不平之意。值得我們注意的是，在當時的其他藝術領域中，也提出了與風骨和辭采關係相類似的理論問題。比如繪畫理論中所說的風骨與精彩的關係，其性質也是如此。因爲繪畫不像文學那樣，以語言爲工具，而是以色彩、線條爲手段來塑造藝術形象的。所以繪畫中的精彩就相當於文學中的辭采。當時著名的繪畫理論家謝赫在《古畫品錄》中就在提倡風骨的同時，特別提出了風骨與精彩的關係問題。謝赫曾贊揚曹不興畫的龍說：「觀其風骨，名豈虛成。」他的評畫標準就是以風骨為主，所說的「壯氣」、「神韵氣力」、「風力頓挫」、「力遒韵雅」、「風趣巧拔」等實際也都是講的風骨。但同時他又提出了要以風骨為主，以精彩為輔的問題。他評夏瞻的畫說：「雖氣力不足，而精彩有餘。」又評張則畫說：「意思橫逸，動筆新奇，師心獨見，鄙於綜彩。」這裏正好說明張則的畫是有風骨而精彩不足，而夏瞻的畫則是風骨不夠而精彩有餘。他又評顧駿之的畫說：「神韵氣力，不逮前賢，精微謹細，有過往哲。始變古體，創為今範。」說明顧駿之的畫也與夏瞻的畫有類似的特點。當時的書法理論中也同樣表現了重視「風骨」的特點，比如王僧虔所提倡的「骨勢」、「骨力」，「風搖挺氣」、「氣陵厲其如芒」等都是指要有「風骨」的意思。袁昂評蔡邕書法時贊揚其「骨氣」，評陶弘景書法時贊揚其「骨體駿快」，以及庾肩吾《書品》中提倡的「天骨」、「風彩」，庾元威提倡的「骨力」，梁武帝反對「純肉無力」，要求「骨力相稱」、「常有生氣」等等，也都是重視「風骨」的表現。而書法理論中所提出的骨和肉的關係，骨力和媚趣的關係，也和畫論中的風骨與精彩關係、文論中的風骨與辭采關係一樣，是互相對應的。如王僧虔評王獻之書法時說：「骨勢不若父，而媚趣過之。」又說郗超的草書是：「緊媚過其父，骨力不及也。」又評謝綜書法說：「書法有力，恨少媚好。」都是指書法要以骨勢或骨力為主，以媚趣為輔。故梁武帝以「純肉無力」和「純骨無媚」作為對立的兩種不夠全美的傾向。

當時文藝上重視「風骨」的思潮之產生不是偶然的，它說明劉勰之提倡風骨是受到時代的文藝思潮影響的結果，而同時應當看到劉勰和當時整個文藝思想領域重視風骨是有它的深刻的社會根源的。簡括地說，這是從品評人物講究風神骨氣的社會思潮發展而來的。品評人物的風氣在漢末極爲流行，這是統治階級據以選拔官吏的依據。如何識鑒人物？湯用彤先生在《魏晉玄學論稿・言意之辨》中曾說：「漢代相人以筋骨，魏晉識鑒在神明。」這是非常精辟的見解。漢代識鑒人物注重外形骨相，王充《論衡》有《骨相》篇，其云：「人曰命難知。命甚易知。知之何用？用之骨體。人命稟於天，則有表候於體。察表候以知命，猶察斗斛以知容矣。表候者，骨法之謂也。」不僅「富貴貧賤」可由骨法而知，「操行清濁」亦可由骨法而知。「骨體」是屬於人的外形方面的特徵，因而漢代識鑒人物是以形鑒爲主的。魏晉以後，玄學興起，強調人物的才性主要由其精神氣質上來識別，提倡神鑒，重在考察人的情味風韵特徵。劉劭的《人物志》中就清楚地反映了這種變化。他說：「物生有形，形有神精，能知精神，則窮理盡性。」神鑒是比較難的，但是，它可以通過形貌上的象徵來領會其神情，故劉劭又說：「夫色見於貌，所謂徵神。徵神見貌，則情發於目。」劉昺注說：「貌色徐疾，爲神之徵驗。目爲心候，故應心而發。」葛洪在《抱朴子・清鑒》篇中說：「區別臧否，瞻形得神，存乎其人，不可力爲。」以形來象徵神，和當時以言來象徵意，是同一理論的不同表現。以形來象徵神，不只是通過目來驗神，也可以通過骨來驗神。骨雖是人形體的一部分，但它是隱藏在皮肉裏面的，而不是顯露於表面的，從骨格姿態上可以察見人的精神氣質特徵。所以，魏晉以後識鑒人物時所講的骨和漢代不同，它是作爲神之驗證來論的。此種變化於《人物志》中已露端倪。劉劭在強調「徵神見貌」的同時，在《九徵》篇中提出了「強弱之植在於骨」的問題，由骨植強弱來考察人的精神狀態。在《八觀》篇中講到「觀其至質以知其名」時說：「是故骨植氣清，則休名生焉。」劉昺注云：「骨氣相應，名是以美。」東晉以後，這一點更明顯了。例如：《世說新語·賞譽》篇中說：「王右軍目陳玄伯，壘壘有正骨。」又說：「祖少士風領毛骨，恐沒世不覆見此人。」其《品藻》篇中說：「時人道阮思曠，骨氣不及右軍。」這些都是品評人物的，但所說之「正骨」、「風領毛骨」、「骨氣」都是指這些人物的精神風貌特徵，而不是指其形體特徵，則是顯而易見的。沈約的《宋書·孔覬傳》中說：「少骨梗有風力，以是非爲己任。」又《梁書·丘遲傳》說：「遲八歲便屬文，靈鞠（其父）常謂：『氣骨似我。』」這些講人物的「骨梗」、「氣骨」，也顯然是指精神氣質特徵。至於用「風」的概念來說明人物精神氣質特徵的就更多了。僅據《世說新語》及劉孝標注中，就有「風神」、「風韵」、「風氣」、「風姿」、「風情」、「風標」、「風期」、「風格」、「風儀」、「風量」、「風姿神貌」等等。
而且，在當時的人物品評中就有用「風骨」這個概念的。例如《世說新語·賞譽》篇注引《晉安帝紀》云：「義之風骨清舉也。」《世說新語·輕詆》篇云：「舊目韓康伯，捋肘無風骨。」《宋書·武帝紀》云：「高祖（劉裕）……身長七尺六寸，風骨奇特。」這些風骨都是指人物的精神風貌，而非指其形體特徵。由人物品評而發展到對藝術和文學的品評，這是很自然的。因爲任何文學作品、藝術作品都要表現作家的精神面貌和氣質個性特徵的。重視風骨，重視人的精神風貌，這是從評論人物開始，擴大到人物畫，然後發展爲畫論、書論、文論中的一個普遍的美學標準，這個脈絡和線索是很清楚的。而且在人物評論中我們也可以看到神鑒和形鑒的關係，而這種以神爲主、以形爲輔的思想則正是後來以風骨爲主、以辭采爲輔和畫論中以風骨爲主、以精彩爲輔等文藝思想產生的根據。

劉勰在《風骨》篇中以非常突出的地位論述了「氣」的問題，但是他又沒有對風骨與氣的關係作非常明白的解釋。只有一點是明確的，即他認爲他之注重風骨與曹丕等人之重氣是基本一致的。他在詳細論述了必須重視風骨的意思之後，接着說：

故魏文稱「文以氣爲主，氣之清濁有休，不可力強而致。」故其論孔融，則云「體氣高妙」；論徐幹，則云「時有齊氣」；論劉楨，則云「有逸氣」。公幹亦云：「孔氏卓卓，信含異氣，筆墨之性，殆不可勝。」並重氣之旨也。

黃叔琳評說：「氣是風骨之本」。紀昀則更進一步認爲：「氣即風骨，更無本末。」他們看到了曹丕重氣與劉勰重風骨的一致性，但是沒有進一步去分析氣和風骨有不完全相同的地方。因爲在劉勰所引的曹丕重氣言論中，並非是凡氣都贊揚，曹丕所創導的清氣，是逸氣、是高妙之氣，而不是濁氣、齊氣，對後者是持否定態度的。所謂重氣是指重清氣而言，非泛指一切氣。而風骨是和清氣、逸氣一致的，濁氣、齊氣則不能算有風骨。鍾嶸在《詩品》中說劉楨的詩作是：「貞骨凌霜，高風跨俗。但氣過其文，雕潤恨少。」這個氣即是指曹丕所說之逸氣，亦即風骨之所在。這也就是他評劉琨時所說的「清剛之氣」、「清撥之氣」。劉勰在《風骨》篇中說：「相如賦仙，氣號凌雲，蔚爲辭宗，乃其風力遒也。」這個氣也是指一種俊逸之氣，亦卽淸氣，它也就是風力的內容。所謂氣，實際上就是神的具體化，神和氣是分不開的。劉勰在《養氣》篇中說：「玄神宜保，素氣宜養。」養氣卽爲了保神。又說：「鑽勵過分，則神疲而氣衰：此性情之數也。」神和氣都是指人的性情所固有的一種狀態，卽是指人的精神氣貌而說的，由氣可見神也。所以，曹丕之重文氣，卽是强調文學作品應當以能表現作家的精神風貌爲主，而在當時又以提倡慷慨悲壯、淸新俊逸的精神風貌爲主，故而又特別提出要區分氣之淸濁，是齊氣一類還是逸氣一類。這是和當時品評人物重神鑒、不重形鑒的特徵相聯繫的，正是這種玄學思想在文學理論上的一個表現。劉勰所說之風骨也是指文學作品中的精神風貌之美，在這一方面是和曹丕論氣一致的，不過，曹丕所說的淸氣、逸氣和劉勰所說的「風淸骨峻」在具體內容上又有差別，劉勰的「風淸骨峻」更着重在是有儒家的純正風貌和符合經意的思想力量方面。所以他在《風骨》篇中强調指出：「若夫熔鑄經典之範，翔集子史之術，洞曉情變，曲昭文體，然後能浮甲新意，雕畫奇辭。」「若能確乎正式，使文明以健，則風淸骨峻，篇體光華。」這正是劉勰所提倡的風骨之特殊內容。所以，我們應當看到風骨在當時的文學藝術領域內，旣是一個具有普遍意義的美學概念，同時又是隨着不同的文藝部門、不同的文藝思想家、文藝理論批評家而有不同的具體內容的，因爲對於作品的精神風貌美具有不同美學觀、文藝觀的人，是可以也必須有不同的理想的。比如在當時的書法領域內，所提倡的風骨顯然和玄學淸談風氣影響下的那種名士的風度有密切關係，像東晉時的顧愷之、衞夫人以及南朝的王僧虔、謝赫、梁武帝、庾肩吾、陶弘景等人所提倡的風骨，基本上還是指的清談名士的精神風貌在作品中的表現，和劉勰的風骨在含義上是有差別的。如果說劉勰之倡導風骨與反對當時綺靡柔弱文風有關係的話，那麼，畫論、書論中之提倡風骨，主要在強調自然之美，以「芙蓉出水」去反對「鋪錦列繡」，重在傳神而不在形似。這和劉勰之提倡儒家內容與形式並重、反對形式主義文風，是不完全一樣的。劉勰的風骨論從它的本身含義及其與辭采關係的論述上看，劉勰的觀點是既反映了當時玄學思想的影響，又反映了儒家思想影響的。從強調文學作品的精神風貌美，認爲它比語言文辭方面的物質形式美更重要的角度來看，是與當時重神不重形，重在自然不在雕飾的文藝思潮一致的，但同時它也符合於儒家重內容的主張。從對風骨本身的理解來看，劉勰既吸收了玄學清談家的風清骨峻之說，又把儒家的精神風貌和經典內容的思想力量融入其中，所以從這裏也可以看出他儒、道結合的文藝思想特徵。

七、通變論

——論文學的繼承與創新

通變論也是貫穿《文心雕龍》全書的一個基本思想。我國古代文學理論批評中關於通和變的論述，其中主要是講文學創作中的繼承和創新的關係問題。在這方面，劉勰的論述是有相當的理論深度的。《文心雕龍》中專有《通變》一篇，但是劉勰有關通和變的論述並不僅僅限於這一篇，他在前五篇有關「文之樞紐」的總論中實際上也是從通和變的角度來寫的。而自第六篇至二十五篇的分類文體論中，也是具體地貫穿了通和變的精神的。而《文心雕龍》下篇論創作、批評、作家等一系列專論中，除《通變》篇外，有很多篇也都論述到了通和變的關係問題，像《時序》、《風骨》、《定勢》、《物品》等篇中都有一些重要論述。因此，我們探討劉勰的通變論必須把所有這些有關論述，綜合起來進行研究。

劉勰認爲：文學創作，包括所有文章的寫作，都有通的方面，也有變的方面。所謂通，是指文學創作中有一些基本的原則與方法，是代代相因，必須繼承的，違背了這些基本原則和方法，文學創作就會離開正路而走上邪道。所謂變，是指文學創作過程中對這些基本的原則和方法，如何根據不同歷史時代的具體情況來靈活運用和發揮，這是可以而且也應該因時而異、因人而別的。沒有變，就沒有新的特色、新的創造，會使文學發展停滯而僵死。因此，通和變的關係從某個角度講，也就是古和今的關係，其中也包括了正和奇的關係、體和勢的關係。劉勰的基本思想是既要通，又要變，在不違背某些基本原則的前提下，注重文學創作的獨創性。

《文心雕龍》的前五篇是論文學的總綱，而其中一個重要思想，或者說從通和變的角度來說，是要闡明通的基本內容和變的基本原則。《原道》、《徵聖》、《宗經》三篇講的正是通的基本內容，而《辨騷》、《正緯》則是從正反兩方面來說明變的基本原則。我們研究劉勰的通變論應當首先從前五篇入手。劉勰認爲文學創作應當「本乎道，師乎聖，體乎經」，這是文學的本質所決定的，是「道沿聖以垂文，聖因文而明道」的基本思想所得出的必然結果。這也正是劉勰提出文學創作必然要有「通」的一面的根據。提倡原道、徵聖、宗經，並不是簡單的模仿經典，而只是如何在自己的創作中不違背道、聖、經的精神，而具體的作品面貌則是應當千變萬化而有新的特點的。這就需要有變。但是，變有一個怎麼變法的問題。這就是說，變有兩種：一種是不要通只講變，完全違背文學創作的傳統經驗的變，如《通變》篇所說的那種「競今疏古，風末氣衰」的變，《定勢》篇說的「逐奇而失正」的變，這正是劉勰所反對的當時的文風之弊病。他在《定勢》篇中說：「自近代辭人，率好詭巧，原其爲體，訛勢所變，厭黷舊式，改穿鑿取新；察其訛意，似難而實無他術也，反正而已。」對這種變，劉勰是堅決反對的。另一種變，是在通的基礎上的變，就是在繼承文學創作的傳統經驗的前提下，用新的方式來發揚傳統精神，靈活地運用歷代承傳下來的方法，充分體現文學創作的獨創性，這種變就像他在《風骨》篇中所提出的，「熔鑄經典之範，翔集子史之術，洞曉情變，曲昭文體，然後能孚甲新意，雕畫奇辭。昭體故意新而不亂，曉變故辭奇而不黷。」也即是《定勢》篇中所提出的「執正以馭奇」的那種變，這是劉勰所提倡的變。而最能典範地體現這種變的精神的優秀作品是屈原的作品，所以劉勰論「文之樞紐」，要在原道、徵聖、宗經的前提下「變乎騷」，以騷爲變的榜樣。劉勰之所以要「辨騷」，正是要從漢人論騷的兩種不同意見中，糾正其各自的片面性，正確地闡明屈原及其《離騷》並沒有違背道、聖、經的基本原則，而是在新的形勢下正確地運用通變原則所創作出來的優秀作品，它可以作爲後代通變的典範。雖然，劉勰對《楚辭》中某些不完全合乎經意的方面也不無微詞，但是他認爲楚辭的主要方面是符合於道、聖、經原則的，是以一種新穎獨特的藝術形式表現了道、聖、經的內容。爲此，劉勰給了它以很高的評價。他在分析了《楚辭》的同乎經典的四事和異乎經典四事以後說：

故論其典誥則如彼，語其夸誕則如此。固知《楚辭》者，體憲於三代，而風雜於戰國；乃雅、頌之博徒，而詞賦之英傑也。觀其骨鯁所樹，肌膚所附，雖取熔經意，亦自鑄偉辭。……故能氣往轢古，辭來切今，驚采絕豔，難與並能矣。

劉勰對《楚辭》的評價中有一個很重要的問題，即是他對《楚辭》中「異乎經典」的四事究竟是肯定還是否定的問題，這直接涉及到對劉勰所主張的變的內容的理解，即變是只指藝術形式呢還是也包括思想內容？從劉勰以「誇誕」來概括「異乎經典」之四事及其稱《楚辭》爲「雅頌之博徒」來看，確是有些貶意的，即是說它從體現道、聖、經的內容來看，是不如《詩經》的，因此從這個角度看，其地位是在《詩經》以下的。不過，劉勰並不認爲這一定不對，而只是說這種情況乃是當時時代風氣的影響結果，雜有戰國之風。他在《時序》篇中說：

春秋之後，角戰英雄，六經泥蟠，百家飆駭。方是時也，韓魏力政，燕趙任權。五蠹、六虱，嚴於秦令；唯齊楚兩國，頗有文學：齊開莊衢之第，楚廣蘭台之宮，孟軻賓館，荀卿宰邑；故稷下扇其清風，蘭陵郁其茂俗；鄒子以談天飛譽，騶奭以雕龍馳響；屈平聯藻於日月，宋玉交彩於風雲。觀其豔說，則籠罩雅頌，故知煒燁之奇意，出乎縱橫之詭俗也。

這裏講的就是所謂「風雜於戰國」的具體情況，說明戰國時期縱橫之說辭對《楚辭》所產生的深刻影響。而這些說辭顯然是有不少「誇誕」的內容，並以此爲其特色的。然而也正是這些「誇誕」內容，才構成了《楚辭》中的「煒燁之奇意」。而《楚辭》又正是通過「誇誕」的、「異乎經典」的「詭異之辭」、「譎怪之談」、「狷狹之志」、「荒淫之意」，來體觀其符合經典、「同於風雅」的「典誥之體」、「規諷之旨」、「比興之義」、「忠怨之辭」的。《楚辭》就是用這樣的「誇誕」「奇意」「自鑄偉辭」，從而「取熔經意」於其中，成爲「詞賦之英傑」的。從劉勰所舉「異乎經典」之四事來看，主要見於《離騷》、《天問》、《九章》、《招魂》，而對於這些作品，劉勰的評價都是很高的。他說：「故《騷經》《九章》，朗麗以哀志；《九歌》《九辯》，綺靡以傷情；《遠游》《天問》，瑰詭而惠巧；《招魂》《大招》，耀艷而深華。」《楚辭》這種合乎原道、徵聖、宗經原則的新變，劉勰認爲是文學發展中的通變的典範。它從文學的獨創性方面來說，是足以爲後人效法的。

它既不違背《詩經》的傳統，又能做到「觀其艷說，則籠罩雅頌」，所以劉勰贊美它是「氣往轢古，辭來切今，驚采絕艷，難與並能矣」。由此可見，劉勰所說的變，決非僅僅指文辭形式，而是首先包括了文學內容方面的變革的。

從文辭形式方面來說，劉勰認爲也是既有通文又有變的。劉勰在《徵聖》篇中指出，聖人的文章在表達方式上也已爲後人創作立下了典範。聖人之作「或簡言以達旨，或博文以該情，或明理以立體，或隱義以藏用」，然而都是藉以明道的。「故知繁略殊形，隱顯異術，抑引隨時，變通適會，徵之周孔，則文有師矣。」這些說明文學創作在文辭形式方面，也是有一些傳統的基本方法的。特別是聖人文章都是形式爲內容服務的，即所謂「銜華而佩實」，這個原則更不能違背。劉勰認爲文辭形式也應該是在通的前提下之變，不過文辭形式的變應當比內容方面的變具有更大的靈活性。只要堅持以內容爲主的原則，文辭形式的變是可以也必須講究新奇的。劉勰肯定《楚辭》之變是符合於「銜華而佩實」的原則的，只是從漢人辭賦開始才片面發展了《楚辭》中艷麗的文辭，違背了聖人「銜華佩實」的正確方向，開了後代追求辭藻華美而輕視內容的歪風。劉勰認爲應當做到「酌奇而不失奇貞，玩華而不墜其實」。劉勰在文辭形式方面不是反對華艷，而是肯定華艷的。這在《辨騷》中已經講得很清楚了，在《時序》篇中也有同樣的看法，《風骨》篇中更提出了要「雕畫奇辭」的問題。然而，這都有一個前提，就是要充分體現爲內容服務。劉勰在文辭形式方面是反對因襲模擬的，是主張要有創造性的，這一點劉勰和陸機在《文賦》中所表現出的思想是完全一致的。

如果說《楚辭》是在不違背道、聖、經的基本原則下的變的典範，那麼，緯書在劉勰看來則是背離了道、聖、經基本的原則而變到邪路上去的一個反面典型。爲此，劉勰提出了要「正緯」的問題。他認爲緯書和《楚辭》雖然都是「經」之變，然而，緯書變的結果是以虛假代替眞實，「乖道謬典，亦已甚矣。」因此是不能提倡的。劉勰在《正緯》篇中指出緯書本來是應當「配經」的，然而，實際上它們却大都是僞造之作。他說：

按經驗緯，其僞有四：蓋緯之成經，其猶織綜，絲麻不雜，布帛乃成；今經正緯奇，倍擿千里，其僞一矣。經顯，聖訓也；緯隱，神敎也。聖訓宜廣，神敎宜約；而今緯多於經，神理更繁，其僞二矣。有命自天，乃稱符讖，而八十一篇皆托於孔子；則是堯造《綠圖》，昌制《丹書》，其僞三矣。商周以前，圖籙頻見，春秋之末，群經方備，先緯後經，體乖織綜，其僞四矣。

爲此，劉勰認爲緯書之內容是荒誕虛妄而不可信的，他引用前人對緯書的批評，指出其「虛僞」、「浮假」、「僻謬」、「詭誕」，拋棄了聖人經典的傳統，因此這種變是不值得肯定的。不過，劉勰認爲緯書中的某些次要方面也是存在可取之處的。他指出緯書在「事豐奇偉，辭富膏腴」方面，雖「無益經典而有助文章」，而且可供「後來辭人，採摭英華」，也還起過一定積極作用。這也說明劉勰主張的變，是包括了內容（「事豐奇偉」）和形式（「辭富膏腴」）兩方面的。也就是說，如果不違背道、聖、經的原則，那麼，文學作品的具體內容和文辭形式都需要變；通則主要是在基本思想傾向和寫作重大原則方面，和聖人保持一致。

從上面對《文心雕龍》前五篇總論中所表現的通變思想的分析中，我們可以看到劉勰對文學創作中通與變之間的辯證關係及兩者不可偏廢的觀點是非常鮮明的，也是很有價值的。但同時我們也可以看出他在論通變過程中所反映出來的局限性，他把儒家的道、聖、經作爲通的基本內容，這就顯然不完全正確了。自然，儒家文藝思想中也包含着一些積極的因素，例如強調形式爲內容服務，內容與形式並重等，但是在許多方面來看，儒家文藝思想主要是反映了封建統治階級對文藝的要求的。然而，我們必須看到的是劉勰在實際論述文學發展和文學創作的過程中，並沒有完全用儒家的道、聖、經原則去衡量，而是能夠按照文學發展的實際，比較客觀比較科學地加以評論的。對於不完全符合儒家思想的優秀創作，例如建安文學等，他也是給予了極高的評價的。對於主要是在佛老和玄學思想影響下的作品，例如六朝的山水詩，他也是給予了較高評價的。這是因爲他所說的道、聖、經雖以儒家爲主，但也是包括了佛老，並可以與之相通的。而他在運用這種道、聖、經的原則時也是比較靈活的，和揚雄那種極端的、狹隘的儒家道、聖、經觀點是有很大區別的。因此他的通變說雖然也有局限性，却又並不是十分突出的。特別是他之抬出道、聖、經，主要是在反對當時那種片面追求形式之美的傾向，因此這種局限性也就更不明顯了。

劉勰在論述通變的過程中，其主要着眼點是在論變。這一點是容易被人忽略的，其實，變才是劉勰所論的主旨所在。因爲要強調變，所以就有一個怎麼變的問題。要怎麼變，才是正確的，這是劉勰提出通的前提。他是要說明正確的變應當是在通的基礎上的變，而不是隨心所慾的任意的變。《風骨》篇中所說的「孚甲新意，雕畫奇辭」是創作所要達到的目的，但這種「新意」、「奇辭」不是「跨略舊規，馳騖新作」而來，而應當是從「熔鑄經典之範，翔集子史之術」中逐步形成起來的。變是居於主導地位的，劉勰論通變是基於他對文學現象所持的發展觀而來的。劉勰認爲文學的發展變化乃是時代的發展變化的必然結果，這一點他在《時序》篇和論文體發展的各篇中都表達得十分清楚。

劉勰認爲從文學發展本身的規律來看，文學創作之必需要講究通變是因爲：第一，每個時代文學必然是各有特色的，但同時各個時代又有其共同的方面。他在《通變》篇中說：

> 是以九代咏歌，志合文則，黃歌《斷竹》，質之至也；唐歌《在昔》，則廣於黃世；虞歌《卿雲》，則文於唐時；夏歌《雕墻》，縟於虞代；商周篇什，麗於夏年。至於序志述時，其揆一也。

不同時代的文學都是和這個時代的特點相聯繫的，同時也總是在吸收前代經驗的基礎上有新的發展的，因此，變是不可避免的，是必然的。歷史是不斷向前發展進步的，因此文學自然是隨着時代的演變而愈來愈豐富、愈來愈華美的。這從上述劉勰對商周以前文學發展況狀的分析中也可以看得很清楚。在《原道》篇中劉勰也有類似的論述，他說：

> 自鳥迹代繩，文字始炳。炎皞遺事，紀在《三墳》，而年世渺邈，聲采靡追。唐虞文章，則煥乎始盛。元首載歌，既發吟咏之志；益稷陳謨，亦垂敷奏之風。夏后氏興，業峻鴻績，九序惟歌，勛德彌縟。逮及商周，文勝其質，雅頌所被，英華日新。

後代的文學總是要比前代更爲繁榮、更有發展的。誠如《通變》篇的贊語中說：「文律運周，日新其業。」劉勰這樣一種文學的發展觀，與蕭統在《文選序》中提出的文學發展之踵事增華說在基本點上是宗全一致的。《文選序》一開始就說：

> 式觀原始，眇覿玄風；冬穴夏巢之時，茹毛飲血之世，世質民淳，斯文未作。逮乎伏羲氏之王天下也，始畫八卦，造書契，以代結繩之政，由是文籍生焉。《易》曰：「觀乎天文，以察時變；觀乎人文，以化成天下。」文之時義，遠矣哉！若夫椎輪為大輅之始，大輅寧有椎輪之質？增冰為積水所成，積水曾微增冰之凜，何哉？蓋踵其事而增華，變其本而加厲；物既有之，文亦宜然，隨時變改，難可詳悉。

蕭統在這裏正是從歷史發展過程中事物總是不斷進化的觀點來說明文學發展的變的必然性的，同時也強調指出了變的結果是一種進步，是應當充分加以肯定的。劉勰是昭明太子蕭統的東宮通事舍人，又深受蕭統賞識，雖然我們不能肯定他是否參與了《文選》的編輯工作，但從《文心雕龍》所擧「選文以定篇」的篇目與《文選》所收篇目之接近來看，說明他們在文學觀點上是十分接近的。因此，蕭統的「踵事增華」說與劉勰的「通變」論在強調文學的「變」這一點上毫無疑問是一致的。這種觀點與漢代在儒家思想定於一尊情況下所強調的那種復古模擬文藝思潮是顯然有着根本不同的。劉勰和蕭統這種強調時代是不斷發展變化、愈來愈進步的觀點，是直接從王充、葛洪的思想發展而來的。王充在《論衡》中批評當時那種「好高古而下今，貴所聞而賤所見」，「好褒古而毀今，少所見而多所聞」的傾向時，曾明確指出：「上世之民，飲血茹毛，無五穀之食；後世穿地爲井，耕土種穀，飲井食粟，有水火之調。又見上古岩居穴處，衣禽獸之皮；後世易以宮室，有布帛之飾。」（以上均見《齊世》篇）這不是一種很大的進步嗎？王充這種觀點，後來葛洪在《抱朴子·鈞世》篇中更加明確地進行了闡述和發揮。他說：

且夫古者事事醇素，今則莫不雕飾，時移世改，理自然也。至於罽錦麗而且堅，未可謂之減於蓑衣；輜軿妍而又牢，未可謂之不及椎車也。

從這種肯定事物發展變化的觀點出發，葛洪還尖銳地指出：

且夫《尚書》者，政事之集也，然未若近代之優文詔策軍書奏議之清富贍麗也。《毛詩》者，華彩之辭也，然不及《上林》《羽獵》《二京》《三都》之汪穢博富也。

自然，劉勰的觀點是沒有葛洪那樣解放的，也不會同意漢賦超過《毛詩》的觀點的，儒家的經典在劉勰那裏的地位仍是相當高的。不過，他仍然吸取了他們有關變的觀點。他是在肯定變的必然性和進步性的前提下，又認爲這種變不能過分，不能把傳統中的一些基本原則丟掉，同時還要有「通」。而他所認爲的這種基本原則，今天看來也有很複雜的情況。這裏既有正確的部分，也有偏見的部分。這是需要我們認眞加以辨析的。

比劉勰稍晚的蕭子顯在《南齊書·文學傳論》中曾經提出：「習玩爲理，事久則瀆，在乎文章，彌患凡舊，若無新變，不能代雄。」這是反映了當時的流行文藝思潮的。劉勰的「通變」論，與蕭子顯這種「新變」論是有所不同的。劉勰反對變得過了頭，而且認爲這正是當時文風的弊端之所在。他認爲不能只講變，不講通，否則文學發展就會走上邪路。從這方面說，他和葛洪以及蕭子顯觀點則又不是一路的。劉勰在《通變》篇中說：

> 暨楚之騷文，矩式周人；漢之賦頌，影寫楚世；魏之策制，顧慕漢風；晉之辭章，瞻望魏采。搉而論之，則黃、唐淳而質，虞、夏質而辨，商、周麗而雅，楚、漢侈而豔，魏、晉淺而綺，宋初訛而新。從質及訛，彌近彌澹。何則？競今疏古，風末氣衰也。今才穎之士，刻意學文，多略漢篇，師範宋集，雖古今備閱，然近附而遠疏矣。夫青生於藍，絳生於蒨，雖逾本色，不能復化。桓君山云：「予見新進麗文，美而無采；及見劉、揚言辭，常輒有得。」此其驗也。故練青濯絳，必歸藍蒨；矯訛翻淺，還宗經誥；斯斟酌乎質文之間，而檃括乎雅俗之際，可與言通變矣。

劉勰在這裏批評了當時文風追求文辭華美而內容淺薄的形式主義傾向，指出這正是丢掉了先秦時代以《詩經》等爲代表的重視內容、重視文學社會教育作用的傳統，這無疑是正確的。也就是說當時文風把傳統的「序志述時，其揆一也」的基本原則拋棄了。他提出要糾正這種形式主義文風，還必須學習聖人經典，恢復聖人經典的傳統，即所謂「矯訛翻淺，還宗經誥」，則帶有他的儒家思想偏見了。因爲從文學發展來看，突破儒家經學的束縛，正是當時文學得以發展、創新的重要原因，至於發展中出現了新的不良傾向，是另外一個問題，它決不是「還宗經誥」所能改變的，這又是劉勰思想保守方面的一種反映。

第二，劉勰除了從文學發展與時代的關係這一總的方面來論述了通變的必要性以外，還從每一類文學作品的創作角度來分析了通變的具體表現。劉勰認爲每一類文學作品在創作上都有其歷代相承傳的共同方面，同時又隨着作家的不同思想、藝術特徵，有很不相同的特點。他說：

夫設文之體有常，變文之數無方。何以明其然耶？凡詩賦書記，名理相因，此有常之體也；文辭氣力，通變則久，此無方之數也。名理有常，體必資於故實；通變無方，數必酌於新聲；故能騁無窮之路，飲不竭之源。

劉勰所說的「設文之體有常」，是指每一種文學作品的體裁，都是有它自己的一定的特點的，有一定的寫作要求，如果沒有這種特點就不成其爲這種文學形式了。但是，每一種文學體裁的作品則又可以有千千萬萬，它們的具體面貌是完全不相同的，所以說「變文之數無方」。「有常」，是指歷代相通的方面，亦即通變的「通」的方面；「無方」，是指每篇具體作品都有其不同的特點，是不斷變化、日新其業的，是指的通變的「變」的方面。比如，「詩賦書記，名理相因」，詩、賦、書、記各有自己不同的特點，也是以此來互相區別的。這些基本特徵，劉勰認爲是必須繼承的。然而，「文辭氣力，通變則久」，同是一類作品，不同時代不同作家所寫的篇章各有其風貌氣質、各有其特殊藝術表現特點，這是因人因時而異的。從這個思想出發，劉勰在論述每一類文體的歷史發展時，都是從其通和變兩方面來分析的。他在《序志》篇中對每一類文體的源流發展的敍述都包括四個方面：「原始以表末，釋名以章義，選文以定篇，敷理以舉統。」這裏，「釋名以章義」和「敷理以舉統」是講的「通」的問題；而「原始以表末」和「選文以定篇」則是講的「變」的問題。例如他在《明詩》篇中說：

大舜云：「詩言志，歌咏言。」聖謨所析，義已明矣。是以「在心為志，發言為詩」，舒文載實，其在茲乎？詩者，持也，持人情性；三百之蔽，義歸「無邪」持之為訓，有符焉爾。

劉勰在這裏指出了詩歌的本質特點是言志抒情，從表達情志這一方面說，凡是詩就不能違背這一基本點，這也是詩之區別於其他文體之所在，也是詩歌創作中的通的方面，即所謂「名理相因」的方面。賦雖也可以說是詩之一體，但在文學發展過程中，它已經有了自已特殊的創作特點。由於歷代對賦的特徵解釋比較複雜，因此，劉勰在《詮賦》篇中用了較大的篇幅來加以分析。他說：

《詩》有六義，其二曰賦。賦者，鋪也；鋪采摛文，體物寫志也。昔邵公稱：「公卿獻詩，師箴瞍賦。」《傳》云：「登高能賦，可為大夫。」《詩序》則同義，《傳》說則異體；總其歸塗，實相枝幹。劉向云：「明不歌而頌」，班固稱「古詩之流也」。至如鄭莊之賦「大隧」，士蔿之賦「狐裘」；結言扭韻，詞自己作，雖合賦體，明而未融。及靈均唱《騷》，始廣聲貌。然賦也者，受命於詩人，拓宇於《楚辭》也。於是荀況《禮》、《智》，宋玉《風》、《釣》；爰錫名號，與《詩》畫境；六義附庸，蔚成大國。述客主以首引，極聲貌以窮文。斯蓋別《詩》之原始，命《賦》之厥初也。

劉勰在這段分析中，指出了賦這個名字本是《詩經》六義中之一，所以賦這種文體是從詩歌中的「賦」

這種表現手法演化發展而來的。他引邵公之語和毛傳之語說明春秋以來，賦旣有誦詩之意，也有作詩之意，總之，賦與詩是很難截然分開的。賦從本質上說也是一種詩，但由於它發揮了六義中賦的特點，形成了一種獨立的文體形式。他引證劉向、班固的論述，正是爲了說明賦是一種不能配樂而唱的詩，是一種特殊的詩。《左傳》中鄭莊公及晉大夫賈士蔿寫的短詩，就是這樣一種「不歌而頌」的「賦」。但只是一種萌芽，尚未確立賦體。到屈原《離騷》才奠定了賦的基礎，故而說是「受命於詩人，拓宇於《楚辭》」。以後，荀子、宋玉之作始以賦名，遂「與詩畫境，蔚成大國」。由此指出從賦的產生過程來看，它的根本性質還是詩，但藝術表現上有自己特殊之處，故把它的「名理相因」之處，定爲「鋪采摛文，體物寫志」。這也是對陸機《文賦》中說的「賦體物而瀏亮」的進一步發揮。

然而，詩賦雖有其歷代相通之「名理」，但是不同時代的詩賦各有很不同的具體面貌。每種文體在名理相因之下都有一個變的過程，劉勰在論每種文體的變的過程時，都有對時代特點和作家個人特點的具體剖析。比如說詩歌的發展，在抒情寫志的原則下，隨着時代不同，像建安詩歌、正始詩歌等都各有特殊特點。而在四言詩發展中，雖然總的都有「以雅潤爲本」的特點，但是，「平子得其雅，叔夜含其潤」；五言詩雖然都以「清麗居宗」，然而，「茂先凝其清，景陽振其麗」。其中，「兼善則子建仲宣，偏美則太衝公幹。」左思的詩，誠如鍾嶸《詩品》所說：「文典以怨，頗爲精切，得諷諭之致。」所以雅潤一面更爲突出。而劉楨則如鍾嶸所說：「仗氣愛奇，動多振絕，眞骨凌霜，高風跨俗。」顯然是清麗一面更爲突出。在《詮賦》篇中，劉勰論賦的發展過程時，指出有十家各有自己獨特的貢獻。他說：

觀夫荀結隱語，事數自環；宋發夸談，實始淫麗；枚乘《兎園》，擧要以會新；相如《上林》，繁類以成豔；賈誼《鵩鳥》，致辨於情理；子淵《洞簫》，窮變於聲貌；孟堅《兩都》，明絢以雅贍；張衡《二京》，迅發以宏富；子雲《甘泉》，構深瑋之風；延壽《靈光》，含飛動之勢：凡此十家，並辭賦之英傑也。

這十家在賦的創作歷史上，都在體現賦的基本特徵的前提下，又分別從不同的方面有所發展，逐漸豐富了賦的表現特點，擴展了賦的內容範圍，旣有通又有變。從「名理相因」來說，都是能代代相承的；從「文辭氣力」來說，又是代代有所不同，各有新的特點和獨到之處的。

劉勰在《通變》篇中，曾對文學創作的通變問題，作了一個非常生動而形象的比喩。他說：

故論文之方，譬諸草木：根幹麗土而同性，臭味晞陽而異品矣。

通的方面即是草木之根幹麗土而同性的方面，而變的方面即是其臭味晞陽而異品的方面。劉勰指出，通變的情況不僅存在於文學的歷史發展、各類文體的演變之中，而且在具體的藝術描寫方面也是存在着的。他在《通變》篇中曾擧了一個具體的例子，即是對宇宙的廣闊無垠的描寫，各家也都是有因有革的。他說：

夫誇張聲貌，則漢初已極。自兹厥後，循環相因；雖軒翥出轍，而終入籠內。枚乘《七發》云：「通望兮東海，虹洞兮蒼天。」相如《上林》云：「視之無端，察之無涯；日出東沼，月生西陂。」馬融《廣成》云：「天地虹洞，固無端涯；大明出東，月生西陂。」揚雄《校獵》云：「出入日月，天與地沓。」張衡《西京》云：「日月於是乎出入，象扶桑與濛汜。」此並廣寓極狀，而五家如一。諸如此類，莫不相循，參伍因革，通變之數也。

這五家的描寫情況也不完全相同，例如馬融、揚雄的描寫，就有較多模擬的痕迹，這大約也是和這兩位是著名的經學家，受儒家「述而不作」思想影響有關的。而從枚乘、司馬相如、張衡的描寫來看，雖有藝術上的繼承，却又是頗有新穎的意境創造的。事實上，藝術描寫本身的繼承與創新也是一種客觀存在。像王維的名詩：「人閑桂花落，夜靜春山空。月出驚山鳥，時鳴春澗中。」從運用以動寫靜來說，顯然是繼承了王籍「蟬噪林逾靜，鳥鳴山更幽」的藝術表現方法，這也是一種藝術描寫方面的通變。那麼，究竟應當怎樣把握通變的原則呢？劉勰在《通變》篇中對此亦有具體的論述。他說：

是以規略文統，宜宏大體。先博覽以精閱，總綱紀而攝契；然後拓衢路，置關鍵，長轡遠馭，從容按節。憑情以會通，負氣以適變；采如宛虹之奮鬐，光若長離之振翼，迺穎脫之文矣。若乃齷齪於偏解，矜激乎一致；此庭間之迴驟，豈萬里之逸步哉？

劉勰在這裏提出的原則是：「憑情以會通，負氣以適變。」前一句即是上文所說的，「先博覽以精閱，總綱紀而攝契。」劉勰認爲「會通」的關鍵是在深入研究前人的作品，善於根據自己思想感情所受到的影響和自己從前人作品中得到的認識，去抓住和把握前人創作中的要領，作爲自己進行創作時的借鑒。劉勰所謂「負氣以適變」的內容即上文所說的，「拓衢路，置關鍵，長轡遠馭，從容按節」。這就是要求按照自己的精神、氣質、個性特點，來靈活地、有創造性地運用前人的經驗；把自己所總結的前人創作中的要領，按照自己的情志需要，在創作過程中作出新的發展，使之更加豐富。文學創作不總結前人經驗，不去繼承自己國家民族的優秀傳統，是不可能創造出優秀的作品的；而沒有新的創造，像王充說的那樣「因成前紀，無胸中之造」，也是決不會有出息的，必須旣能會通，又善適變，才能是「萬里之逸步」，而成爲「穎脫之文」矣！《通變》篇贊語中說：「變則其久，通則不乏。」沒有變，文學發展就會停滯僵死，只有堅持變，才能使文學事業日新月異地持久發展下去。變中又必須有通，這樣才能使變循着健康的道路向前發展。劉勰又說：「趨時必果，乘機無怯，望今制奇，參古定法。」一個作家必須能大膽、果斷地抓住時代的特點，來發揚傳統的精神，創造出像屈原創作《離騷》那樣的「奇文」！

劉勰關於通變思想的歷史淵源主要來自《周易》和荀子。《易經》本身是含有樸素的辯證法的，而《易傳》特別是《繫辭》則又對此種辯證法思想有了進一步的發展。《易經》在象徵客觀事物時，由八卦演化爲六十四卦、三百八十四爻，本身就包含了承認事物是發展變化的思想。因此，《繫辭》上說：「爻者，言乎變者也。」又說：「聖人設卦觀象，繫辭焉而明吉凶，剛柔相推而生變化。」《繫辭》的作者特別強調事物是不斷發展變化的觀點。它指出，整個宇宙是處於經常的變動之中的，所謂：「日往則月來，月往則日來，日月相推而明生焉；寒往則暑來，暑往則寒來，寒暑相推而歲成焉。」易象是模擬客觀事物的，是適應客觀事物的變化的，因此他本身也是多變的，所謂「神無方而易無體」，

「知變化之道，其知神之所爲乎」。正是從這樣一個角度，《繫辭》最早提出了事物發展過程中的通和變的問題。其云：

聖人有以見天下之動，而觀其會通。

易之為書也不可遠，為道也屢遷，變動不居，周流六虛，上下無常，剛柔相易，不可為典要，唯變所適。

參伍因革，錯綜其數，通其變，遂成天下之文；極其數，遂定天下之象。非天下之至變，其孰能與於此。

《易》窮則變，變則通，通則久。

日新之謂盛德，生生之謂易。

這些論述正是劉勰通變說之基本思想來源，劉勰的許多重要論斷都是直接來自《周易》的《繫辭》傳的。儒家的傳統思想是強調學習先王之道，提倡「述而不作」與「信而好古」的，不提倡新的創造，不重視事物的發展變化的。《繫辭》中這種通變觀則着重在變化發展，因而乃是對儒家思想傳統的一個突破。這種發展變化的觀點在戰國中後期是比較普遍的、也是比較突出的。當時的儒家大師荀子的思想已經比孔子有了很大的發展，有不少方面是打破了孔子思想的傳統與束縛的。荀子的發展變化觀點是十分突出的，他着重強調的是要法後王，而不是法先王。他認爲先王之道已經不能適應發展了的時代新形勢要求了，而後王之道則是根據當時具體情況對先王之道的靈活運用，是最能符合於新的形勢要求的。他在《勸學》篇中說：「《禮》、《樂》法而不說，《詩》、《書》故而不切。」認爲《詩》、《書》都是適合於當時情況的產物，並不能適應當前變化了的新情況，因此也不能當作萬世不變的效法楷模。他主張文學應當有新的創造，他創作的《賦》篇就正是爲適應當時需要的新文學形式，這一點劉勰在《詮賦》篇中曾給以很高評價。荀子所提出的這種政治思想文化領域內的變化發展觀，與《易經》及《繫辭》中的通變觀也是完全一致的。

劉勰的通變論不僅有它的哲學政治思想方面的歷史淵源，而且從文學理論批評方面說，還直接受到陸機《文賦》中有關論述的影響。由於魏晉時期儒家思想的衰落和玄學思想的興起，直接對文學創作和文藝思想發生了深刻影響，所以陸機在他的《文賦》中既提出了要「頤情志於典墳」，「游文章之林府，嘉麗藻之彬彬」，同時他又堅決反對因襲模擬，提倡要有新的創造，主張「謝朝華於已披，啓夕秀於未振。」他還說：

> 或藻思綺合，清麗芊眠。炳若縟綉，凄若繁弦。必所擬之不殊，乃暗合於曩篇。雖杼軸於予懷，怵他人之我先。苟傷廉而愆義，亦雖愛而必捐。

這實際上也就是強調要變，有獨創性。陸機雖然沒有提出通變的觀點，而實際上講的也就是通變的問題，這對劉勰的通變論自然也是有直接影響的。

八、情采論

——論文學的內容與形式

劉勰在《文心雕龍》的《序志》篇中對全書體例的概括說明中，曾經明確地指出第二十六篇《神思》以下屬於「下篇」，而「下篇」的中心是要「割情析采，籠圈條貫」，系統的論述文學作品的創作。所謂「割情析采」，是從文學作品的內容和形式兩方面來解剖和分析。因此，劉勰的情采論，即是指有關文學作品的內容和形式的關係的論述。對文學作品的內容和形式關係，劉勰的觀點是非常鮮明的，他主張必須以內容爲主，形式爲輔，形式是爲內容服務的，但是形式本身又有相對獨立性，應當提倡形式和內容並重。這是劉勰貫穿於《文心雕龍》全書的基本思想。劉勰在論「文之樞紐」的前五篇中指出，聖人的文章之所以成爲後代的楷模，除了其文是對「道」的經典闡述之外，從創作的角度說，即是在於它能做到文質炳煥，華實並用。他在《徵聖》篇中說：

《易》稱：「辨物正言，斷辭則備。」《書》云：「辭尚體要，弗惟好異。」故知：正言所以立辯，體要所以成辭；辭成無好異之尤，辯立有斷辭之義。雖精義曲隱，無傷其正言；微辭婉晦，不害其體要。體要與微辭偕通，正言共精義並用；聖人之文章，亦可見也。顏闔以為：「仲尼飾羽而畫，徒事華辭。」雖欲訾聖，弗可得已。然則聖文之雅麗，固銜華而佩實者也。

劉勰引用《易經》和《書經》的論述，說明文辭是爲了說明事物，表達一定的思想內容的，不能離開這個目的去追求奇異。區別文辭優劣的首要標準是在它能否淸楚地說明事物、表達內容，這也就是孔子強調「辭達」的意思。文辭不是說不要華麗，聖人文章的華麗是爲更好地表達內容服務的。劉勰提出的「聖文之雅麗」，所謂「雅」即是指其內容的雅正，能充分表達聖人之道；所謂「麗」即是指其文辭之華美，它是爲了更好地表現聖人之道。因此，「銜華而佩實」是劉勰提出的一個對文學作品的內容和形式關係的基本要求。劉勰還在《宗經》篇中對「銜華而佩實」的原則，提出了更爲具體的要求，聖人的經書是聖人文章的典範，劉勰特別指出：

故文能宗經，體有六義：一則情深而不詭，二則風淸而不雜，三則事信而不誕，四則義直而不回，五則體約而不蕪，六則文麗而不淫。

在這「六義」之中，前四條講的是對文學作品內容方面的要求，後二條講的是對文學作品形式方面的要求。這裏値得我們注意的是，劉勰把文學作品的內容具體地分析爲情、風、事、義四個因素。當然，劉勰在這裏所說的「文」是指的廣義的文學。範圍是比較寬廣的，不過，劉勰在論文學的創作問題時，多數是就詩、賦等這樣一些比較嚴格意義上的文學形式來談的。在有關文學作品內容的四個因素中，情與風是指文學作品中思想內容的主觀方面而論的。情是說的作家體現在作品中的感情，風說的是作家體現在作品中的精神風貌特徵。事與義是指文學作品中思想內容的客觀方面而論的，作家的情感與精神要從具體描寫客觀事物中展示出來，而客觀事物本身自然也是有其客觀意義的。因此，事說的是文學作品所描寫的客觀事物、現實內容，而義說的是這種客觀事物、現實內容所包含的意義。當然，對一篇作品來說，這情、風、事、義四方面應當是和諧統一的。對文學作品內容作這樣具體的分析，說明劉勰對文學作品的創作理論的研究是相當深入的。這種思想在《文心雕龍・附會》篇中，劉勰也有類似的說明，他說：

夫才量學文，宜正體制：必以情志為神明，事義為骨髓，辭采為肌膚，宮商為聲氣，然後品藻玄黃，摛振金玉，獻可替否，以裁厥中，斯綴思之恒數也。

劉勰把文學作品比作人，說明作品中的思想感情好比人的精神靈魂，作品中描寫的客觀事物及其意義好比人的骨骼體形，作品中的文辭好比人的肌肉皮膚，作品中的聲律之美好比人的聲音氣息。這裏，情志和事義是指作品中的內容，而辭采和宮商則是指作品的形式。劉勰在這裏所說的情志與《徵聖》篇中講的情與風實際上是一回事，風即是志氣表現之一種形式。《風骨》篇云：「《詩》總六義，風冠其首。斯乃化感之本源，志氣之符契也。」志氣，即是指人的精神氣質風貌，風正是指作品中這種精神氣質風貌的特點。人的思想感情與精神風貌是密切相關的，也是很難分開的，故後代常以「風情」並用，作品中所描寫的事與義也是不可割裂的，事中有義，義必存於事中。因此，情、風與事、義既可各自分而言之，亦可情風與事義兩相結合而言之。這樣一種對文學作品內容的分析是符合於文學作品的特徵的。文學作品的內容中正是包括了作家主觀方面與現實生活的客觀方面兩個部分的，正是這兩方面的結合才有了文學作品。劉勰在《情采》篇中說：「若乃綜述性靈，敷寫器象，鏤心鳥迹之中，織辭魚網之上，其爲彪炳，縟采名矣。」此所謂「綜述性靈」，即是指情志、情風而言的；而「敷寫器象，」即是指對客觀事物、現實內容的描寫，正是說的「事義」。不過，此處係純指詩、賦等純文學作品而言，故言「器象」，不言「事義」也。對廣義的文來說，其客觀內容往往稱爲「事義」。劉勰關於文學作品的形式問題的論述，在《徵聖》篇中主要也是指廣義的文章而言的。所以從文章的組織結構與辭藻運用兩方面來說，提出「體約而不蕪」和「文麗而不淫」的問題，而《附會》篇中所談，則偏重於比較狹義的文學，故而側重講辭采與聲律，而聲律顯然並不是所有的文章中都需要考慮的。

劉勰不僅全面地分析了文學作品的內容與形式構成的諸因素，而且在《情采》篇中還進一步從理論上研究和分析了文學作品的內容和形式相統一的辯證關係。他在指出了文學作品的內容具有主導作用的前提下，提出了文學作品的內容和形式之間相互依附的特點。也就是說，沒有內容就沒有形式，形式必待內容之確立方有意義；反之，沒有形式也就不存在內容，內容必須有待於形式方能體現出來。兩者之間既有主有從，又相互賴以生存，具有辯證關係。他說：

聖賢書辭，總稱「文章」，非采而何？夫水性虛而淪漪結，木體實而花萼振：文附質也。虎豹無文，則鞟同犬羊；犀兕有皮，而色資丹漆：質待文也。

這裏所謂的質與文的關係，也就是講的情與采的關係，內容與形式的關係。所謂「文附質」者，是說事物的文采總是要依附於一定的本質實體方能表現出來，由此來說明文學作品的內容與形式關係也與事物這種普遍的文質關係相類似，形式必要依附於一定的內容。所謂「質待文」者，是說事物的本質實體一定要依靠一定的文采來表現，才能看出它們各自的區別，所以，文學作品的內容必須要依靠一定的形式來表現。由於劉勰對文學作品的內容和形式關係有這樣一種辯證的認識，所以，他認爲文學作品的內容和形式是應當並重的，不應該有所偏廢，這兩者都是缺一不可的。劉勰對文學作品的內容和形式方面的辯證觀點，是與他對文學本質的認識完全一致的。劉勰在《原道》篇中曾說到宇宙間一切有形、有聲的現象都是形而上的「道」的體現，由此可見，「道」是宇宙間萬物的內在本質，是其內容，而「形」、「聲」、「文」則是其表現形式，劉勰是從哲學的高度來看問題，認識到事物的現象與本質之間的辯證關係的。現象總是要反映一定本質的，而本質也總是要有待於具體現象方能體現出來。沒有本質，就沒有現象；沒有現象，也就沒有本質。從廣義的道與文來說，道是內容，文是形式。這個「文」的含義是非常之廣的。《情采》篇云：「故立文之道，其理有三：一曰形文，五色是也；二曰聲文，五音是也；三曰情文，五性是也。」所謂「形文」，即是指繪畫之類，亦可包括自然界的「日月疊壁」、「山川煥綺」、「龍鳳藻繪」、「虎豹炳蔚」、「雲霞雕色」、「草木賁華」等等。所謂「聲文」，即是指音樂之類，亦可包括「林籟結響」、「泉石激韵」等自然界聲文。而所謂「情文」，則是指「心生而言立，言立而文明」的「人文」，也即是用語言文字所寫作的廣義的文學作品。形文、聲文、情文都是「文」，而其本質都是「道」的體現。因此，「人文」亦是「道」的體現，而「文」則是其表現形式。從這一點上來說，文學作品的內容和形式，必然是互相依存而不可分離的兩個組成部分了，因而，我們可以說劉勰對文學作品內容與形式關係的分析，是建立在具有辯證法特徵的哲學思想基礎之上的。

正因爲如此，劉勰在對待文學作品的內容和形式關係上，既充分肯定內容的主導作用、決定作用，同時又不貶低形式的重要性，反而是相當重視文學形式的積極作用。他並不是反對文辭華美的，而是提倡文辭華美的，但是有一條界線不能越過，即不能離開內容的需要來片面的追求文辭華美。他在《情采》篇中說：

《孝經》垂典：「喪言不文」；故知君子常言，未嘗質也。老子疾僞，故稱「美言不信」；而五千精妙，則非棄美矣。莊周云「辯雕萬物」，謂藻飾也。韓非云「豔采辯說」，謂綺麗也。綺麗以豔說，藻飾以辯雕，文辭之變，於斯極矣。研味《孝》、《老》，則知文質附乎性情；詳覽《莊》、《韓》，則見華實過乎淫侈。若擇源於涇渭之流，按轡於邪正之路，亦可以馭文采矣。

劉勰從分析《孝經》所言的意思和《老子》中的論述，說明文辭是否應當華美以及華美的程度，是視內容需要而定的。如果內容不需要華美的文辭，像《孝經》指出的，哀傷悼念之文，不應當過於華飾，那麼就要盡量樸素。如果內容不需要文辭太華美，就應當注意，以免使讀者對內容的眞實性發生懷疑。但是，這並不是說根本不要華美的文辭，只是說不應當爲此使內容受到損害。接着，劉勰又引《莊子》

和《韓非子》中提倡辯雕、豔采之言，明確指出他們是「華實過乎淫侈」，追求形式之美，忽略了它和內容的統一性。爲此他提倡的駕馭文采之原則是：「擇源於涇渭之流，按轡於邪正之路。」要根據內容的需要來講究文辭華美之程度，要懂得「文質附於性情」，「藻飾」和「綺麗」應當和表達的需要一致，使形式和內容互相協調，達到辯證的統一。

劉勰強調以內容爲主，形式要爲內容服務，使兩者能和諧統一。這和他的基本美學觀有關係。劉勰認爲從根本上說，事物之美是在其本質上，外表的修飾可以使之更美，但如果本質不美，那麼，外表的修飾再好也是沒有用的。只有在本質美的前提下，外表的修飾才能起到積極的作用。他在《情采》篇中說：

> 夫鉛黛所以飾容，而盼倩生於淑姿；文采所以飾言，而辯麗本於情性。故情者，文之經；辭者，理之緯。經正而後緯成，理定然後辭暢：此立文之本源也。

文學作品之美，如果拿一個美女來作比方的話，胭脂花粉只是裝飾她的外表的，而眞正的美還在她本身的自然淑姿。辭采和內容相比，內容是經，辭采是緯，總是要先有經，然後有緯，作爲內容的理確立之後，然後文辭的運用才有了依據。這裏內容和形式的主從關係是非常清楚的，也是不容顚倒的。

劉勰這種強調內容和形式之間的主從關係的主張，是有鮮明的現實針對性的。他對齊梁時期文學創作上的形式主義傾向，內容和形式關係顚倒的弊病，是非常不滿意的。《文心雕龍》全書就貫穿了這樣一個反對當時不良文風的基本傾向。他在《宗經》篇中說，他之所以要提倡原道、徵聖、宗經的原則，作為「文之樞紐」，其目的就是要制止淫靡文風的泛濫，以達到「正末歸本」，撥亂反正的結果。他說：

> 夫文以行立，行以文傳；四教所先，符采相濟。勵德樹聲，莫不師聖；而建言修辭，鮮克宗經。是以楚豔漢侈，流弊不還；正末歸本，不其懿歟！

劉勰在這裏提出了「楚豔漢侈，流弊不還」的問題，從表面上看，似乎他認為形式主義文風之最早起源是在《楚辭》，其實，我們如果全面研究劉勰《文心雕龍》全書的思想，可以發現他對《楚辭》是沒有否定、貶斥之意的，「楚豔」是事實，但《楚辭》之豔並非違背內容和形式主從關係原則，而「漢侈」才是眞正形式主義文風之起源。不過，他對戰國時的諸子中的幾家，是指出了其過分追求形式的傾向的。劉勰在《辨騷》中對《離騷》等作的評價很高，「雖取熔經意，亦自鑄偉辭」，認為其內容形式是高度統一的。眞正的「楚豔漢侈」是從屈原、宋玉以後才開始的。他說：

> 自《九懷》以下，遽躡其迹；而屈、宋逸步，莫之能追。故其敍情怨，則鬱伊而易感；述離居，則愴怏而難懷；論山水，則循聲而得貌；言節候，則披文而見時。是以枚、賈追風以入麗，馬、揚沿波而得奇；其衣被詞人，非一代也。故才高者菀其鴻裁，中巧者獵其豔辭，吟諷者銜其山川，童蒙者拾其香草。

可見，《楚辭》本身並沒有脫離內容而片面追求文辭華美傾向，這種浮豔文風之起源，在於後人學習《楚辭》，不得其要領，他們既無屈宋之才略，不能「菀其鴻裁」，而僅能「獵其豔辭」、「銜其山川」、「拾其香草」，於是才使文學創作走上了偏重形式內容貧乏的邪道。這種弊端在漢代辭賦中得到了更加嚴重的發展，以至逐漸達到了六朝時期那種不可收拾的地步。如果更嚴格地說，那種浮豔文風，在屈原之後的宋玉那裏已經有了一點苗頭，所以劉勰在《詮賦》篇中說到賦的發展時說：「宋發夸談，實始淫麗。」但是，宋玉作品中這種弊病並不嚴重。劉勰認爲賦的創作其始也是和古詩同流的，只是到了後來才使其形式主義傾向發展得嚴重了。所以說：「然逐末之儔，蔑棄其本，雖讀千賦，愈惑體要，遂使繁華損枝，膏腴害骨，無貴風軌，莫益勸戒，此揚子所以追悔於雕蟲，貽消於霧縠者也。」劉勰在《文心雕龍》的《序志》篇中曾明確提出他寫作《文心雕龍》之原因，即是要匡正時俗文風的弊端，使之歸於正道。他說：

> 唯文章之用，實經典枝條；五禮資之以成，六典因之致用，君臣所以炳煥，軍國所以昭明；詳其本源，莫非經典。而去聖久遠，文體解散；辭人愛奇，言貴浮詭；飾羽尚畫，文繡鞶帨；離本彌甚，將遂訛濫。蓋《周書》論辭，貴乎體要；尼父陳訓，惡乎異端；辭訓之異，宜體於要。於是搦筆和墨，乃始論文。

這是劉勰論文之宗旨。由此也可以看出他認爲形式主義文風之眞正起源，主要還是在「辭人」，即漢賦的作者。劉勰的這種論述有一個明顯的缺點和偏見，他把自漢賦以下的文學的發展，看作是一個形式主義文風愈來愈嚴重的過程，這是和文學發展的實際並不完全符合的。實際情況是漢代的辭賦雖有形式主義傾向，但主要是大賦，而且漢代除辭賦以外的文學創作，如樂府詩、散文等都並無此種傾向。

尤其是漢末魏初的建安文學以及稍後的正始文學，主要傾向是好的，是我國古代文學發展的一個高峰時期，像三曹、七子、阮籍、嵇康這些著名作家的作品是不存在什麼形式主義傾向的，其實，劉勰自己在《明詩》篇、《時序》篇等論文學發展的篇章裏，對他們評價也是很高的。可是，當他籠統地論述形式主義文風的傾向時，就歸之於「魏晉淺而綺」，簡單地加以否定了。這主要是反映了他的儒家傳統思想偏見的影響。在這一點上，我們必須有區別地加以分析，不能一概地把劉勰的觀點全部肯定下來。就是從西晉以後的文學發展，一直到齊梁，也不能用形式主義浮豔文風一句話給以全部否定，而應當看到文學發展中有主流有支流，形式主義浮豔文風僅是其中一個方面。他所說的「宋初訛而新」，「習華隨侈，流循忘反」等等，顯然也是有過分偏激之處的。

在上述這樣的基本思想指導下，劉勰在《情采》篇中提出了兩種對立的創作思想路線：「爲情而造文」與「爲文而造情」。他說：

> 昔詩人什篇，為情而造文；辭人賦頌，為文而造情。何以明其然？蓋《風》、《雅》之興，志思蓄憤，而吟詠情性，以諷其上：此為情而造文也。諸子之徒，心非鬱陶，苟馳夸飾，鬻聲釣世：此為文而造情也。故為情者要約而寫真，為文者淫麗而煩濫，而後之作者，採濫忽真。遠棄《風》、《雅》，近師辭賦；故體情之製日疏，逐文之篇愈盛。故有志深軒冕，而汎詠皐壤，心纏幾務，而虛述人外。真宰弗存，翩其反矣。夫桃李不言而成蹊，有實存也；男子樹蘭而不芳，無其情也。夫以草木之微，依情待實，況乎文章，述志為本，言與志反，文豈足徵？

劉勰在這裏所說的「情」與「文」，也就是指的「情」與「采」，亦即指內容與形式。劉勰在對這兩種對立的創作思想的分析中，充分地肯定了「爲情而造文」的創作路線，堅決反對「爲文而造情」的創作路線，提出了一個很重要的創作原則，這就是要以「述志爲本」，而不要「言與志反」。他強調文學作品必須要有眞情實感，而不能虛僞地矯揉造作，十分重視文學創作的眞實性問題。劉勰認爲「爲情而造文」與「爲文而造情」之間的重要區別之一是講不講文學的眞實性問題。由於只講形式、不重視內容，所以就導致了「採濫忽眞」；而以內容爲主，使形式爲內容服務，就能夠做到「要約而寫眞」。劉勰所主張的文學的眞實性，很突出的一點是要強調作家本人的思想感情、觀點傾向應當是與作品中所要表達的思想感情、觀點傾向完全一致的，不能夠像諸子之徒一樣，「志深軒冕，而汎詠皐壤；心纏幾務，而虛述人外」。而這種狀況，在六朝還是不少的，比如潘岳的創作就很有代表性。他的《閑居賦》所寫是「有道君不仕，無道吾不愚」的隱居高士之生活，他自己在賦序中也說是「覽止足之分，庶浮雲之志」然而，實際上他又十分狂熱的追逐功名富貴，以卑賤低下的姿態去博取權貴賈謐之歡心。故而元好問在其《論詩絕句》中說：「心畫心聲總失眞，文章寧復見爲人？高情千古《閑居賦》，爭信安仁拜路塵？」誰能相信，《閑居賦》的作者竟會是一個阿諛奉承的卑劣小人呢？劉勰這種重視文學眞實性的思想，是與他循自然爲原則的美學觀相統一的，而且也是貫穿於整部《文心雕龍》的。他在《正緯》篇中說緯書的主要弊病在虛僞失眞。他說受神明啓示的《周易》和《洪範》是眞實的，但到後來漢代的緯書則完全是僞作了。正因爲如此，他才提出要正緯。他說：

夫神道闡幽，天命微顯，馬龍出而大《易》興，神龜見而《洪範》耀。故《繫辭》稱：「河出圖，洛出書，聖人則之。」斯之謂也。但世夐文隱，好生矯誕，真雖存矣，僞亦憑焉。

我們且不說他對《易經》及《洪範》產生問題上所受的神秘的唯心主義觀點影響，他在這裏提出了一個要區別「眞」與「僞」的問題。提倡眞，反對僞，這是劉勰文學批評上的一個十分重要的原則。爲此，他充分肯定了前代進步思想家對緯書的批評。他說：「是以桓譚疾其虛僞，尹敏戲其深瑕，張衡發其僻謬，荀悅明其詭誕。四賢博練，論之精矣。」劉勰之所以對緯書也並不全盤否定，也是從這一點出發的，在他看來，緯書並不是從一開始就完全失眞的。所以他贊同荀悅的態度：「仲豫惜其雜眞，未許煨燔。」他在《夸飾》篇中講到文學的誇張描寫時，也同樣指出了誇張必須以不違背眞實爲其唯一條件。他在《體性》篇指出文學創作的本質乃是人的眞實性情之流露，「情動而言形，理發而文見」，因此文學喪失了眞實性也就違背它的本質特點。《情采》篇的贊語中說：「心術既形，茲華乃贍。」「繁采寡情，味之必厭。」文學是人內心眞情的自然發現，內容失眞，雖有華麗文采，也必然是淡而無味的。他在《事類》篇中說典故的運用必須理覈、事眞，這乃是評價其用事當否的基本出發點。《知音》篇中批評當時文學評論的不良傾向之一即是「信僞迷眞」。這一切都可以看出劉勰是極爲重視文學創作眞實性的。並且以此作爲正確處理文學創作中內容與形式關係的標準。只有內容眞實，文辭的華美才有意義。所以，劉勰在《情采》篇的最後，全面地提出了有關情與采關係的正面主張。他說：

夫能設模以位理，擬地以置心；心定而後結音，理定而後摛藻。使文不滅質，博不溺心；

正采耀乎朱藍，間色屏於紅紫；乃可謂雕琢其章，彬彬君子矣。

這正是劉勰關於內容和形式的基本思想。

劉勰有關文學作品的內容和形式的基本思想，也同樣有它深刻的歷史淵源。在這方面，我們認爲劉勰也是以儒家思想的基礎，又吸收了道家思想的有關內容，並將其綜合加以發揮的結果。劉勰強調文學創作應當以內容爲主導、形式爲內容服務、內容與形式並重的思想主要是來自儒家的。而劉勰認爲文學作品的內容與形式關係必須建立在以自然之美爲基礎的高度眞實性的基礎之上，則是顯然與老莊爲代表的道家思想有密切關係的。劉勰對文學作品的內容與形式之間的辯證關係的認識，既與儒家對文質關係的認識有關，亦與道家玄學思想對本質與現象關係的辯證認識有關，其中亦與佛教哲學思想的某些辯證法因素影響有關係。劉勰在接受前代這些思想資料的時候，有一些很値得我們注意的特點。首先，他不是簡單地搬用歷史上的思想資料，而是善於經過自己的理解，對它作分析，然後根據現實的需要吸收其中他認爲合理的部分，也就是說經過了他的消化和改造的。例如儒家歷來對文學作品的內容和形式關係上是主張以內容爲主導，形式爲內容服務的。對這一正確方面，劉勰是認眞加以繼承並將之發揚光大的。孔子說：「辭，達而已矣。」（《論語·衞靈公》）正是強調語言文辭的目的在表達思想內容。據《左傳》記載，孔子也說過：「言以足志，文以足言。」「言之無文，行而不遠。」這大約也就是劉勰所說文章以「述志爲本」的來源，也是他主張內容與形式並重的來源。但是，我們應該看到孔子對志、言、文的關係上既有比較正確的看法，有時也有一些比較片面的看法。比如他說：「有德者必有言，有言者不必有德。」（《論語·憲問》）這個說法大體來看也是有道理的，但是強調「有德者必有言，」容易使人認爲只要有了好的道德品質，就一定能寫出好的文章。比如後來唐朝的韓愈在《答李翊書》中就發揮了這一思想，「道德之歸也有日矣，況其外之文乎？」這種思想使人容易忽略文學創作中藝術形式的重要性。漢代的揚雄在內容與形式關係上是持孔子觀點的，他尖銳地批評了漢賦偏重形式的傾向，但他的思想裏有片面強調內容決定作用而輕視形式的必要性與重要性傾向。後來唐代的白居易在《與元九書》中雖然主張「根情、苗言、華聲、實義」，但一到具體評論歷代詩歌發展顯然是由內容爲主變爲內容唯一了，而且他所說的內容僅以「六義」爲標準，也是狹隘的。然而，劉勰在吸取儒家關於內容與形式關係上的積極因素之時，就不帶有這種片面性，他肯定內容的主導作用，但又是相當重視形式的重要性的。其實，他的《文心雕龍》大部分篇幅講的還是藝術形式方面的問題，不過是在不脫離內容，肯定內容的決定性作用前提下來講藝術形式問題的。這說明他繼承前代思想資料是善於吸收其積極方面，同時又注意克服其消極方面的。其次，劉勰善於綜合歷史上各家思想資料中的有益部分，並加以發展，提到一個新的高度來認識。因此，他的文學思想中有很多獨創性的見解。比如關於文學的眞實性問題，劉勰的有關論述至少是吸收了以下各方面的重要見解的。首先是《禮記·表記》中所引孔子的「情欲信，辭欲巧」的話。這當然不一定是孔子的原話了，很可能是漢人僞托的。不過它是可以概括儒家對文學的內容和形式方面的要求的。劉勰所提倡的文學的眞實性自然不能與此無關。但劉勰並沒有停留在這一點上，他把重視文學作品內容的眞實性與文學的本質聯繫起來考察，吸收了道家認爲文章是體現「自然之道」的觀點；說明文學的本質既然是「自然之道」的體現，那麼，眞實性必然是文學的基本特性之一。此外，劉勰對文學眞實性的論述，也是明顯地吸收了揚雄的「心聲」、「心畫」論以及王充論文學作品客觀內容眞實性的思想的。他不僅重視文學作品中所描寫的客觀現實生活內容的眞實性，而且十分重視作家主觀思想感情、觀點傾向的眞實性。他綜合各家之說，爲我國古代文學理論和文學創作中重視眞實性的傳統，奠定了深厚的基礎。他不像西方文論那樣，側重於講文學作品客觀內容的眞實性。而更重視作家主觀思想感情的眞實性，這也是我國古代論文學眞實性的很有特色的方面。第三，劉勰善於吸收歷史上具有辯證法因素的哲學思想觀點來論述和分析文學理論問題。比如劉勰關於文學作品內容和形式之間的辯證關係的論述，既是對《論語》中子貢論文質觀點的具體化，同時又能從哲學的高度，運用道家和玄學思想中對事物的本質與現象關係的辯證認識，來加以分析，這就顯示出了他非同一般的理論深度。

九、文體論

——論文學的體裁與種類

文體論是《文心雕龍》全書構成中的很重要一部分，全書分上篇和下篇，各爲二十五篇。上篇的二十五篇中前五篇爲總論，其他二十篇是論文體及其歷史發展的。這裏首先要解決的一個問題是《辨騷》一篇算不算在論文體各篇之內？陸侃如、牟世金先生《文心雕龍譯注》一書的《引論》中說：「《文心雕龍》中從《辨騷》到《書記》的二十一篇是『論文敍筆』。」「通常稱這二十一篇爲文體論。」這種看法當不始於陸、牟二位，自明清以來不少人認爲《辨騷》應列入文體論各篇之內。解放前一些研究古代文論和《文心雕龍》的學者，對此亦有不同看法。黃侃先生在其《文心雕龍札記》中曾說：「彥和析論文體，首以《明詩》可謂得其統序。」認爲《明詩》及以後各篇方是文體論。黃侃先生論《辨騷》時還指出：「彥和論文，別騷於賦，蓋欲以尊屈子，使《離騷》上繼《詩經》，非謂騷賦有二。觀《詮賦》篇云：『靈均唱騷，始廣聲貌。』是仍以《離騷》爲賦矣。」近年來，大部分《文心雕龍》研究者均以《辨騷》爲總論之一，而不入文體論各篇。王元化先生《文心雕龍創作論》中有專文論述《辨騷》應歸入總論部分，指出：劉勰本人在《序志》篇中明確地講到前五篇爲「文之樞紐」，而沒有把它列入「論文敍筆」的範圍之內，而《辨騷》一篇之體例和寫法亦顯然與《明詩》等論文體各篇寫法不同，它不是以「原始以表末」等四部分來論述，而是有其總論部分的鮮明特點的。我們認為黃侃先生、王元化先生等的分析是正確的，是符合劉勰原意的。劉勰並沒有把騷和賦看成是兩種文體，他寫《辨騷》的目的，是為了說明《楚辭》是上承《詩經》而不啓辭賦，是文學發展中善於運用通變原理之楷模，故而說是「變乎騷」。這和蕭統《昭明文選》中別騷賦為兩體是不一樣的。如果把《辨騷》歸入文體論內，勢必會影響對《辨騷》意義的認識，破壞了「文之樞紐」的完整性，妨礙對劉勰基本文學觀的理解。所以文體論應當是二十篇而不是二十一篇。

劉勰在《文心雕龍》中從第六篇《明詩》起到第二十五篇《書記》為止，分別論述了詩、樂府、賦、頌、贊、祝、盟、銘、箴、誄、碑、哀、弔、雜文、諧、讔、史、傳、諸子、論、說、詔、策、檄、移、封禪、章、表、奏、啓、議、對、書、記等三十四種不同的文體，這在當時可以說是包括得相當詳盡了。因為研究文體的分類及其特點，在劉勰以前的中國文學批評史上，其歷史是並不長久的。比較正規地對文體進行辨析的，最早要算是曹丕的《典論論文》了。曹丕區分文體為八種，歸為四類，他說：

> 蓋奏議宜雅，書論宜理，銘誄尚實，詩賦欲麗。

這雖然是比較粗略的分析，但實開六朝文體分類辨析的風氣。後來西晉的陸機在《文賦》中進一步區分為十類。其云：

> 詩緣情而綺靡，賦體物而瀏亮，碑披文以相質，誄纏綿而悽愴，銘博約而溫潤，箴頓挫而清

壯，頌優游以彬蔚，論精微而朗暢，奏平徹以閑雅，說煒曄而譎誑。

這就從內容和形式兩方面論述了這十種文體的不同特徵。爾後，李充《翰林論》及摯虞《文章流別志論》中也對各種文體作了區分，並說明其各自的特徵。但是分法又不完全相同，文體形式也就更多了。如李充說到的「贊」、「駁」、「盟檄」等及摯虞所分之「七」、「哀辭」、「哀策」、「圖讖」等等，均爲《文賦》所無。《文心雕龍》正是在繼承了由曹丕、陸機到李充、摯虞等對文體辨析的基礎上，提出了更全面更詳盡的區分，擴大爲三十四種。與劉勰同時，昭明太子蕭統編集《文選》，將文體分爲三十八類，而經、史、子都不入類，大體上和劉勰所分是接近的。任昉《文章緣起》分爲八十五題，然任書後人或謂唐張讀所補，或疑爲明陳懋仁所僞作，恐非原文如此。但是，六朝人對文體的細微區分，實爲一重要文藝思潮，這是不容置疑的。在這一辨析文體的文藝思潮中，劉勰無疑是最有貢獻的，因爲他不只是對各種文體類別加以區分，也不只是簡單地說明其創作上的特點，而是從其發展源流、代表作品的深入分析中來作全面的研究。那麼，爲什麼劉勰要對各種文體作如此詳盡的辨析？爲什麼六朝時期文體辨析風氣如此盛行呢？這對我們深入研究劉勰的文學思想是一個非常重要的問題。（註一）

六朝文體的分類與辨析之風氣的盛行，究其原因，大致有三：一是政治上的需要；二是創作實踐發展的需要；三是文學理論批評繁榮發展之必然結果。

從政治需要方面來說，最明顯地表現在文體辨析乃是直接受魏晉以來政治學術思想變遷影響的結果。從東漢後期起，統治階級爲了選拔人才，授於官職，注重鄉里的評議，地方官吏的察擧，因而品評人物的清議之風極爲盛行。曹魏時期，鄙棄儒學而提倡名法，曹操在選拔人才上不重儒家那一套仁義道德，而主張「唯才是擧」，注重實際才能。所以，著名的才性之爭成爲轟動一時的大辯論。劉劭因此而有《人物志》之著。如何品評人物、考覈名實，是當時學術思想發展中一個重大理論問題。而這個品評人物、考覈名實的學術思想潮流的中心是：人君在設官分職時如何使官職與爵位相適應，才能與官職相符合。爵位大小與其任職管事的重要與否相一致，官吏的才能高下與所任職事的要求是否相符合，是人君能否高枕無憂、無爲而治的關鍵所在。要解決這個問題，就必須研究人物的才能個性特點以及所任職事的特點，湯用彤先生《魏晉玄學論稿·讀人物志》中論及劉劭《人物志》之「大義」有八，論其二云：

二曰分別才性而詳其所宜。凡人稟氣生，性分所殊，自非聖人，材能有偏。就其稟分各有名目（此卽形名）。陳群立九品，評人高下，各為輩目。傅玄品才有九。《人物志》言人流之業十有二焉。有清節家，師氏之任也。有法家，司寇之任也。有術家，三孤之任也。有國體，三公之任也。有器能，冢宰之任也。有臧否，師氏之佐也。有智意，冢宰之佐也。有伎倆，司空之佐也。有儒學，安民之任也。有文章，國史之任也。有辯給，行人之任也。有雄傑（驍雄），將帥之任也。夫聖王體天設位，序列官司，各有攸宜，謂之名分。人才稟體不同，所能亦異，則有名目。以名目之所宜，應名分（名位）之所需。合則名正，失則名乖。……蓋適性任官，治道之本。欲求其適宜，乃不能不辯大小與同異。

湯用彤先生這一段論述，對當時區別才性、校覈名實的本質，作了十分透辟的分析。其中特別値得我們注意的是他所述劉劭《人物志》中提出的人流之業十二家中，有文章家一類，認爲可充國史之任。又《群書治要》記載，陸景之《典語》亦云：

夫料才覈能，治世之要也。凡人之才，用有所周，能有偏達，自非聖人，誰能兼資百行，備貫衆理乎？故明君聖主，裁而用焉。昔舜命群司，隨才守位；漢述功臣，三傑異稱；況非此儔，而可備責乎？且造父善御，師曠知音，皆古之至奇也。使其換事易使，則彼此俱屈；何則？才有偏達也。人之才能，率皆此類，不可不料也。若任得其才，才堪其任，而國不治者，未之有也。

由此可知，當時學術思想上之品評人物、校核名實，乃是與當時的政治需要有很密切的聯繫的；而文學上之研究作家才能所長與文體性質之辨析，正是其中不可或缺的一個重要組成部分。所以，曹丕《典論論文》的要害也正是在這裏。曹丕的《典論》是一部專著，由於已散失不全，不能窺其全貌了。但是，其書之性質顯然也是一部有關政治、學術等方面的重要論著，而《論文》僅是其中之一個方面而已。曹丕在《典論論文》中分析了建安七子才能各有所偏，指出了不同才能個性的作家，其所擅長的文體也是各不相同的。各種不同文體有自己獨特特點，一個作家一般都只是偏善於一個方面，而很難俱通。其云：「文非一體，鮮能備善。」其論七子云：「王粲長於辭賦，徐幹時有齊氣，然粲之匹也。如粲之《初徵》、《登樓》、《槐賦》、《徵思》，幹之《玄猿》、《漏卮》、《圓扇》、《橘賦》，雖張蔡不過也。然於他文，未能稱是。琳瑀之章表書記，今之雋也。應瑒和而不壯，劉楨壯而不密，孔融體氣高妙，有過人者，雖不能持論，理不勝詞，以至乎雜以嘲戲。及其所善，揚班儔也。」類似七子的才能與個性都有獨到之處，也各有所短，而文體又有四科八類之別，「故能之者偏也。」類似的情況也表現在桓范的《政要論》中。《群書治要》卷四十七記載桓范《政要論》中之《臣不易》篇中說：「夫人君欲治者，既達專持刑德之柄矣。位必使當其德，祿必使當其功，官必使當其能。此三者治亂之本也。」與此同時，他提出了關於贊象、銘誄、序作三類文體的特點，認爲：「贊象之所作，所以昭述勳德，思咏惠政，此蓋詩頌之末流矣。」而銘誄之特點則是：「刊石紀功，稱述勳德。」序作之特點則是：「乃欲闡弘大道，述明聖教，推演事義，盡極情類，記是貶非，以爲法式。」顯然，桓范之所以要作這樣的文體辨析，也正是爲了要使「官必當其能」，讓適合於寫這類文體的人來擔負有關的工作。自曹丕、桓范之後，從陸機到摯虞、李充，文體辨析日益細致，而其與評論人物、考覈名實之學術思想潮流的關係則反而不明顯，亦無直接之論述了。然而，這一條發展線索表明，文體辨析風氣之興盛，確實不是無源之水、無本之木，而是有其深刻的社會政治原因的。劉勰在《文心雕龍》的《體性》一篇中特別提出要「因性以練才」，就正是對作家的才能個性與文體風格關係之間必然性的一種認識，也是對曹丕、桓范等論述的一種理論上的發展。

當然，文體辨析風氣之盛行，並不僅僅只有政治思想方面的原因，我們還必須看到文學創作本身的發展對它所產生的促進作用。因爲文學的體裁與種類也是隨着文學的發展而日益增多，愈來愈豐富的。這種創作實踐必然要求從理論上來闡明它們各自的特點，來研究不同文體在思想內容上的不同要求和藝術表現上的特殊特點，這樣就會有利於人們的學習和寫作。我國在秦漢以前，文史哲等不同學術文化部門之間的界限並不是很嚴格的，因此所謂「文」的觀念也是極爲寬泛的。《論語》中的「文」的概念，幾乎可以包括整個文化在內。到了漢代，「文」的概念就有所不同，有「文學」與「文章」之別，「文學」即指學術，而「文章」則指十分廣義的文章。兩漢期間，文體類別就大大增多了。所以人們已經開始注意到了各種不同文體的特點。然而，在漢代主要還是在對一些新興文體的特徵作一些論述，還沒有對文體作全面的研究。例如關於漢賦，劉向說它的特點是「不歌而頌」，班固說它是「古詩之流」。班固在《漢書・藝文志》中曾取劉歆《七略》而分詩賦爲五類，其中賦佔四類，即所謂：屈原賦、陸賈賦、孫卿賦、客主賦等。爲什麼要這樣分呢？後來清代的章學誠在《校讎通義》卷三中曾提出這個問題，但亦不甚了了。劉師培在《論文雜記》中說：屈原爲寫懷之賦，陸賈爲騁辭之賦，荀況爲闡理之賦，而客主賦以下十二家是屬於漢代之總集類的。又說：「寫懷之賦，其源出《詩經》。騁辭之賦，其源出於縱橫家。闡理之賦，其源出於儒、道兩家。」這種說法當然不盡符合班固之意，但這幾類賦確有不同特點，劉師培的分析是有一定道理的，它說明班固對賦的分類，已包含了文體辨析的含義在內。又據《後漢書・周榮傳》記載，在東漢安帝永寧年間，有一個名叫陳忠的人，曾論述到詔令文章的特點，其云：「古者帝王有所號令，言必弘雅，辭必溫麗，垂於後世，列於典經，故仲尼嘉唐虞之文章，從周室之郁郁。」東漢末年，蔡邕在《獨斷》中對天子令群臣之文及群臣上天子之文的種類的分析，也反映了對新與文體的特點之研究。前者他分爲：策書、制書、詔書、戒書；後者則劃分爲：章、奏、表、駁議，各爲四類，並分別論述了內容與形式之特點。例如：「策者，簡也。」這是皇帝對諸侯三公等下的手諭和命令。「制書者，制度之命也。」這是屬於皇帝對有關國家的重大事件下的命令。「詔書者，詔誥也。」這是皇帝把自己旨意詔誥天下的文書。「戒書，戒勅刺史太守及三邊營官」之文。至於臣下上達皇帝之文：「章」則主要是謝恩、陳事的文章，「奏」屬於彈劾、諷勸之類的文章，「表」是下民請尙書上報皇帝的文章。「駁議」則「其有疑事，公卿百官會議，若台閣有所正處而獨執異議者」所寫的論辨文章。這種詳細的區分，其目的是使有關官吏懂得必要的章程規矩。其他屬於韵文的，則銘誄發展較早，蔡邕曾有《銘論》一篇專論銘的寫作規則。這些都說明了文章體裁、種類的繁榮發展，客觀上提出了要研究它們各自特點的要求。到了魏晉以後，文體類別更爲複雜多樣，爲了了解其各自特點及掌握其不同的寫作方法，自然也就需要對它們作更爲詳盡的研究。不過魏晉以前對文體特點的論述，一般還只是在研究其名稱及基本含義，大致都沒有超出劉勰所說的「釋名以章義」的範圍。

魏晉以後，由於文學理論批評發展到了一個自覺的時代，特別是對文學創作理論的充分重視和深入探討，這就必然要對文體的研究，從理論上更加提高一步。曹丕《典論論文》已經開始對文體作全面的比較研究，並從內容或形式等方面指出其寫作的特點，也就是說，從「釋名以章義」向「敷理以學統」方面發展。曹丕之後，陸機之前，尚有傅玄關於「七」及「連珠」兩種文體的辨析和研究，很值得我們注意。《全晉文》卷四十六載有傅玄的《七謨序》及《連珠序》。「七」本來不是文體名稱，枚乘《七發》乃是「說七事以起發太子也，猶楚辭七諫之流。」（《文選》注）本爲辭賦體，「七」只是「發」的限制詞，但是由於後人仿作甚多，均以「七」冠之，遂漸漸成爲一體。傅玄《七謨序》對於這個發展過程有較爲詳細的介紹。其云：

昔枚乘作《七發》，而屬文之士，若傅毅、劉廣世、崔駰、李尤、桓麟、崔琦、劉梁、桓彬之徒，承其流而作之者紛焉，《七激》、《七興》、《七依》、《七款》、《七說》、《七蠲》、《七舉》、《七設》之篇。於是通儒大才，馬季長、張平子，亦引其源而廣之。馬作《七厲》，張造《七辨》，或以恢大道而導幽滯，或以黜瑰奓而托風咏，揚輝播烈垂於後世者，凡十餘篇。自大魏英賢迭作，有陳王《七啓》、王氏《七釋》、揚氏《七訓》、劉氏《七華》、從父侍中《七海》，並陵前而邈後，揚清風於儒林，亦數篇焉。

傅玄這一大段論述，旨在說明「七」體的歷史演變情況，指出它是怎麼一步步發展成爲一種獨立的文體，這就比蔡邕乃至曹丕的論述有了新的特點，它大體上相當於劉勰論文體之「原始以表末」了。這對劉勰的文體論顯然是有積極影響的。他在上述一段敍述之後，又論曰：

世之賢明，多稱「七」激工，余以爲未盡善也。《七辨》似之，非張氏至思，比之《七激》未爲劣也。《七釋》僉曰妙哉，吾無間矣。若《七依》之卓轢一致，《七辨》之纏綿精巧，《

七啓》之奔逸壯麗，《七釋》之精密閑理，亦近代之所希也。

在敍述歷史源流的基礎上，傅玄對「七」體作了總的評述，指出了其中各有自已鮮明特色的幾篇代表作，這種評論的方法，大體上和劉勰之「選文以定篇」很相近了。傅玄關於「連珠」體的論述，也很值得我們重視。他在《連珠序》中說：

所謂連珠者，興於漢章帝之世，班固、賈逵、傅毅三子受詔作之，而蔡邕、張華之徒又廣焉。其文體辭麗而言約，不指說事情，必假喻以達其旨，而賢者微悟，合於古詩勸興之義。欲使歷歷如貫珠，易覩而可悅，故謂之連珠也。班固喻美辭壯，文章弘麗，最得其體。蔡邕似論，言質而辭碎，然其旨篤矣。賈逵儒而不豔，傅毅文而不典。

傅玄這裏對「連珠」體的評論，不僅有歷史淵源的分析，以及對「連珠」特徵的分析，並進而提出其中之代表作的不同特點，雖尚簡略，實已含有劉勰後來論各類文體之「原始以表末，釋名以章義，選文以定篇，敷理以擧統」之萌芽。

傅玄之後，陸機在《文賦》中分文體爲十類，對各體的內容和形式之創作特徵作了簡要的說明，這對劉勰論文體中所謂「敷理以擧統」的部分是有明顯影響的。陸機在對十種文體特徵的概括中，大部分都以兩字論其內容，兩字論其形式。如說詩的「緣情而綺靡」、銘的「情約而溫潤」等，指出了各體的不同風格特色。與曹丕《典論·論文》相比，要細緻和確切得多了。

我們可以看到劉勰後來對這些文體創作要點分析是吸取了《文賦》的論述的。陸機之後，對文體論研究以摯虞爲最重要。他的《文章流別集》有三十卷，雖已佚，可以看出他是對文體作了詳盡的辨析，並收集了各類文體的代表作的。劉勰之文體論於此自然是得益不少的。現存之《文章流別志論》雖僅是一小部分，但仍可以看出摯虞對文體性質、源流都是有不少分析的。劉勰在他那個時代自然可以看到全文，吸收其研究成果，則更是自然之事。摯虞論詩「以情志爲本」，強調「四言爲正」，這都和劉勰論詩主張一致，從中也可以略微窺見劉勰之文體論與摯虞《文章流別志論》之間的歷史淵源關係。

由此可見，劉勰的文體論是總結了前代有關文體論的研究成果，集其大成，作了更加系統而深入研究的結果。他把以前那些零星、片斷、不完整、不成熟的文體理論，經過歸納、總結、發展，而提到了一個新的高度，其完整性、系統性、科學性和理論深度，不但遠超前人，而且後來的論文體著作也大都難與倫比。因此，把他的各類文體論稱作分體的文學史、文章發展史，是當之無愧的。

劉勰的文體論的突出歷史貢獻，我們可以從以下兩方面來加以論述：

首先，表現在文體分類的科學性上。劉勰在《文心雕龍》中二十篇論文體的篇章次序安排是經過愼重而嚴密的考慮，不是任意安排的。從大的方面來說，他吸收了當時關於文筆之爭的一些成果，是按文和筆次序來安置的。他在《總術》篇中曾論到當時的這一場爭論，並表示了自己的看法。他說：

今之常言，有文有筆，以為無韻者筆也，有韻者文也，夫文以足言，理兼《詩》、《書》，別目兩名，自近代耳。顏延年以為：筆之為體，言之文也；經典則言而非筆，傳記則筆而非言。請奪彼矛，還攻其楯矣。何者？《易》之《文言》，豈非言文？若筆不言文，不得云經典非筆矣。將以立論，未見其論立也。予以為：發口為言，屬筆曰翰，常道曰經，述經曰傳。經傳之體，出言入筆；筆為言使，可強可弱。六經以典奧為不刊，非以言、筆為優劣也。

劉勰在這裏是大體同意文筆之分的，但不同意顏延之那種文、筆、言的三分法。我們知道，當時文筆之爭的實質是要區別文學與非文學，研究文學之特點以及它非文學作品之間的不同。這是符合於社會科學各門類的發展以及文學本身發展的要求的。但是，僅僅以有韵無韵來區別文學與非文學是不科學的，也不能最終將其區別清楚。不過以有韵無韵來區別也有其特定的歷史原因，因爲當時主要的文學形式詩和賦，都是有韵的，而像歷史、哲學、政治著作及實際應用文章則都是不押韵的。不過，情況是複雜的，有些有韵的並非文學作品，而有些無韵的却是很好的文學作品。但從大的方面來說，這是有一定道理的。顏延之之所以要把一般所說的筆又區分爲有文采的筆和無文采的言，正是爲了想進一步去分清一般文章與學術之不同特徵。一般說，筆也確有不同類型。但是有沒有文采，這標準就很難掌握了。爲此，劉勰就尖銳地指出了這一點，他不同意顏延之的觀點也是有道理的。另外，傳統所說的經典，情況也很複雜，有些完全不能算文學，而像《詩經》則是純粹的文學。所以簡單地把「經」劃出文學之外，也是不恰當的。劉勰在《文心雕龍》中對文體分類次序大致按文筆來安排，然而從全書來說，所論之文實際是兼包文筆的，即是他所說的「文以足言，理兼《詩》、《書》。」他的二十篇文體論，自《明詩》至《哀弔》都是有韵之文，下面的《雜文》、《諸讔》兩篇是兼有押韵之文和無韵之筆的，而自《史傳》以至《書記》則均爲無韵之筆。

《文心雕龍》中二十篇文體論，從題目上看共包括三十四種文體，實際上其中還附帶論到許多有關文體。例如「雜文」中包含了「對問」、「七」、「連珠」三類。《詔策》一篇中包括了先秦的「誓」、「誥」、「令」，漢代的「策書」、「制書」、「詔書」、「戒勅」等，並附帶論及由官方的詔策影響到民間的文章體裁而出現的「戒」、「教」、「令」等文體形式。《奏啓》一篇末後還論到與其相接近的「讜言」、「封事」、「便宜」等三種文體。《書記》一篇則論及書信、記牋，而記牋中又分記與牋兩種，篇末又附帶論及書記之各種支流，如譜、籍、簿、錄、方、術、占、試、律、令、法、制、符、契、劵、疏、關、刺、解、牒、狀、列、辭、諺等二十四種名目。因此，實際上論及的文體達六、七十種之多。然而，劉勰並沒有把它們並列在一起，而是按其性質與內容加以歸類，有的一篇一體，有的一篇達數十種文體。他的分類是有大有小，有主有次的。在前後次序上也是有考慮的，以詩爲首，是因爲詩是當時的主要文學形式；其次是樂府，這也是詩，不過是配樂的詩而已，故置於詩之後。賦是詩之變種，或者說是古詩之一種，所以排在詩之後，這就體現了詩賦這兩種文學形式的重要地位。贊頌等是接近詩賦的，但不像詩賦那麼重要。有韵之文是按其地位之重要與否來排列的。無韵之筆也是如此。劉勰以「史傳」列爲筆之首，說明史傳文學乃是散文中成就之最高者。其次爲諸子，諸子中的哲學散文是可與歷史散文並列的，不過按照傳統的經、史、子次序，自然就排在史傳之後了。以後，論說、詔策、檄移等也是按重要性來排列的，所以最後是書記。這個排列次序本身可以看出劉勰比他以前的文體論者都要高出一頭，後來《昭明文選》分類與《文心雕龍》比較接近，可能是他幫助蕭統編選的。不過，蕭統不收經、史、子，這方面和劉勰的觀點不盡相同。蕭統《文選》以「事出於沉思，義歸乎翰藻」爲標準，偏重於純文學，顯然是受時代文藝思潮的影響更爲明顯的。

其次，表現在劉勰對各種文體的源流演變及創作特徵的分析上。劉勰對各類文體的分析，都包括四個方面，即「原始以表末，釋名以章義，選文以定篇，敷理以擧統。」這四個方面歸結起來，「原始以表末」和「選文以定篇」是講的文體的歷史發展狀況；而「釋名以章義」和「敷理以擧統」是講的各種不同文體的性質與創作特徵。劉勰對各種文體的歷史發展、源流演變的論述，具有三個明顯的特點，這就是：全面，深刻，精到。全面是指他對每一種文體發展的狀況掌握得非常全面，從起源、流變到當時的現狀都了解得清清楚楚，敍述得十分周全。我們試擧他對比較簡單的「贊」這種文體的歷史分析來看，他說：

> 贊者，明也，助也。昔虞舜之祀，樂正重贊，蓋唱發之辭也。及益讚於禹，伊陟讚於巫咸，並颺言以明事，嗟嘆以助辭也，故漢置鴻臚，以唱拜為讚，即古之遺語也。至相如屬筆，始讚荆軻，及遷《史》固《書》，託讚褒貶；約文以總錄，頌體以論辭，又紀傳後評，亦同其名。而仲治《流別》，謬稱為「述」，失之遠矣。及景純注《雅》，動植必讚，義兼美惡，亦猶頌之變耳。

贊，本是一種並不很發達的文體，但是劉勰從它是一種讚美之辭的本質意義上，運用《尙書》中的材料，指出了產生這種文體的最早歷史淵源，它最初的意義是「颺言以明事，嗟嘆以助辭也」。闡明了由口頭上的讚語發展到文章中贊辭的過程，分析了贊辭由單純讚美（如司馬相如之《荊軻論》），演變爲《史記》、《漢書》中以贊語來作總結，兼有褒貶兩方面內容的情況。並進一步指出郭璞寫《爾雅圖贊》，已經不限於讚美和批評人物及其行爲，而且可以對動植物等，用贊語來進行褒貶，使贊語的範圍大大地擴大了。與此同時，他還指出了摯虞誤將「贊」稱爲「述」的謬誤。在這不到二百字的敍述中，把「贊」這種文體的始末演變論述得如此全面、脈絡分明，這是很不容易的。這也說明劉勰對每一種文體的研究，都是掌握了十分全面而廣泛的有關資料的。至於他對其他各種重要文體，如詩、賦、史傳、諸子等的分析就更爲詳盡了。《明詩》篇中論述詩歌的起源，一直追溯到上古時代葛天氏樂曲的歌辭和傳說中黃帝《雲門》樂舞的歌辭，把古籍中的謠諺尋找出來，說明詩歌的發展是有悠久歷史的。論到漢代發展起來的五言詩，認爲其淵源實始於先秦。他說：「按《召南·行露》，始肇半章；孺子《滄浪》，亦有全曲；《暇豫》優歌，遠見春秋；《邪徑》童謠，近在成世；閱時取證，則五言久矣。」他鈎深索隱，把許多零星資料收集起來，加以分析，提供佐證。他的觀點是否正確，這是可以研究的，但是，他注重在全面分析材料的基礎上，比較客觀地對文體的歷史發展作出評述，這種嚴肅的精神和客觀的方法，至今還是值得我們學習的。

劉勰論文體歷史發展的第二個特點是深刻，這是指他善於抓住要點，有詳有略，而不是平鋪直敍，泛泛而論。他特別注重在文體發展過程中超過重要作用或有過新的創造發展的作家作品，能夠把它們突出來做比較深入的解剖和分析。每一種文體都有很多的作家和作品，有些是成就高的，有些是平庸的。誰對這種文體發展作出過較大貢獻，誰只是隨波逐流地寫過一些一般作品，要對此作出正確的診斷，就需要高屋建瓴，既有宏觀的研究，又有微觀的研究。但也只有這樣才能對此種文體的歷史發展輪廓，勾勒出一個清晰的面貌。劉勰在這方面就具有這樣的高超才能。可以說，他對每一種文體的歷史發展的分析，都是達到了這樣的水平的。例如《明詩》篇中他對建安和三國時期五言詩發展的分析，他說：

> 暨建安之初，五言騰踊。文帝、陳思，縱轡以騁節；王、徐、應、劉，望路而爭驅。並憐風月，狎池苑，述恩榮，敍酣宴；慷慨以任氣，磊落以使才。造懷指事，不求纖密之巧；驅辭逐貌，唯取昭晰之能。此其所同也。及正始明道，詩雜仙心；何晏之徒，率多浮淺。唯嵇志清峻，阮旨遙深，故能標焉。若乃應璩《百一》，獨立不懼；辭譎義貞，亦魏之遺直也。

劉勰在這裏不僅指出了建安詩歌以曹丕、曹植成就爲最高，七子中王粲、徐乾、應場、劉楨，在五言詩創作上可與曹氏兄弟相匹配，而且對他們詩歌創作內容和形式方面的新特點作了十分精確的概括。從對建安和三國時代的詩歌總的評價上，又突出建安的成就。而對正始文學既指出已有玄言詩傾向，同時又突出了嵇康、阮籍的成就，簡括地分析了他們詩歌創作的基本特徵。劉勰對無韵之筆的各類文體的歷史發展論述，也同樣具有這種深刻性。比如他在《史傳》篇中對史傳文寫作歷史的分析，着重論述了《春秋左傳》、《史記》、《漢書》、《三國志》四部書。他指出中國很古時代就有「左史記事」、「右史記言」的傳統，而後到春秋之時，「諸侯建邦，各有國史，『彰善癉惡，樹之風聲』。」孔子「因魯史以修《春秋》，擧得失以表黜陟，徵存亡以標勸戒」，確立了一字褒貶、微言大義的原則，「然睿旨存亡幽隱，經文婉約，丘明同時，實得微言，乃原始要終，創爲傳體。傳者，轉也。轉受經旨，以授於後，實聖文之羽翮，記籍之冠冕也。」劉勰對《左傳》的評價是相當高的，指出它爲史傳文的寫作立下了楷模。在漢代的史傳文著作中。劉勰對司馬遷的《史記》和班固的《漢書》作了突出的評價。他認爲《史記》的「紀」、「傳」、「書」、「表」的體例，「雖殊古式，而得事序焉」。他對司馬遷寫《史記》的優缺點作了概括論述：「爾其實錄無隱之旨，博雅弘辯之才，愛奇反經之尤，條例踳落之失，叔皮論之詳矣。」這裏雖有從儒家偏見出發的不正確批評（如所謂「愛奇反經之尤」），但大部分意見是正確的。特別是他指出了《史記》的人物傳記價值很高，比《左傳》有了更進一步的發展，他說：「觀夫左氏綴事，附經間出，於文爲約，而氏族難明。及史遷各傳，人始區詳而易覽，述者宗焉。」說明《史記》在史傳文寫作上有重大貢獻，它與體例上之「得事序」，同時《史記》在《左傳》基礎上對史傳文寫作的創造性發展。他又說班固的《漢書》是「因循前業，觀司馬遷之辭，思實過半」，正確地指出了它對《史記》的繼承，讚美其「『十志』該富，『贊』、『序』弘麗，儒雅彬彬，信有遺味」。他對班固也是有褒有貶的，「至於宗經矩聖之典，端緒豐贍之功，遺親攘美之罪，徵晡鬻筆之愆，公理辨之究矣。」他雖然肯定班固的徵聖、宗經思想傾向以及《漢書》文辭之美，但總的評價顯然沒有《史記》高。這也說明他是非常有見地的。從三國到魏晉，他論到了孫盛的《魏氏春秋》、魚豢的《魏略》、虞溥的《江表傳》、張勃的《吳錄》、陳壽《三國志》、陸機《晉紀》、王韶《晉紀》、乾寶《晉紀》、孫盛《晉陽秋》、鄧粲《晉紀》等，而獨對《三國志》給予較高評價，認爲它「文質辨洽，荀、張比之於遷、固，非妄譽也。」劉勰對他以前的這些史學著作的評價是符合實際的。

劉勰論文體歷史發展的第三個特點是精到。這是指他在敍述文體的演變過程中對具體作家作品的評論，不管是讚美還是批評，都能一針見血，擊中要害。這些我們從上面所舉的許多例子都可以看得很清楚。對一個歷史時代的每一類文體總的特點概括是相當精練準確的。如上述對建安時代詩歌特點的概括，便是很突出的例子。又如對南朝劉宋時期詩風的概括，也是相當生動，而能抓住基本特點的，其云：「宋初文咏，體有因革；莊老告退，而山水方滋。儷采百字之偶，爭價一句之奇；情必極貌以寫物，辭必窮力而追新，此近世之所競也。」對一個作家的創作特點的概括也是十分精練準確的，例如《明詩》篇中對嵇康、阮籍等詩人的評論，《詮賦》篇中對十家辭賦英傑的不同特點的評論，都是非常典型的。從無韵之筆來看，史傳文作者已見前引，《諸子》篇中對戰國各家的學說及其文章特點的概括也是極爲切要的。他說：「逮及七國力政，俊乂蠭起。孟軻膺儒以磬折，莊周述道以翱翔，墨翟執儉确之教，尹文課名實之符，野老治國於地利，騶子養政於天文，申、商刀鋸以制理，鬼谷脣吻以策勳，尸佼兼總於雜術，青史曲綴以街談。」對於一部或一篇作品的評價也是十分精練準確的，例如前面已講到的對《史記》、《漢書》等的評論即是如此。他在《檄移》篇中對東漢魏晉幾篇著名檄文的評論中，也可以鮮明地看出這一點。他說：

觀隗囂之《檄亡新》，布其三逆，文不雕飾，而辭切事明，隴右文士，得檄之體矣。陳琳之《檄豫州》，壯有骨鯁，雖奸閹攜養，章密太甚；發邱摸金，誣過其虐；然抗辭書釁，皦然露骨矣。敢指曹公之鋒，幸哉免袁黨之戮也。鍾會《檄蜀》，徵驗甚明；桓公《檄胡》，觀釁尤切，並壯筆也。

這裏，他對隗囂《移檄告郡國》和陳琳《爲袁紹檄豫州》兩文的評述，從內容到形式都作了比較深刻的分析。劉勰在他的文體論中對一個時代的文風及作家作品的精到評論，不是只體現在少數幾個作家、幾篇作品以及個別時代文風上，而是在對各種類型文體的歷史發展評述中，普遍地都有這樣的特點，這確實是難能可貴的。如果沒有對整個文體發展歷史及各個作家作品的深入研究，是不可能作出這樣評述的。

劉勰對各類文體創作特徵的分析，是和他對各類文體歷史演變的分析分不開的，他是從總結各類文體歷史演變的經驗中來歸納出其創作特點的，因此也是相當深入的，對創作實踐具有重大的指導意義。而且應該看到他的文體論的最終目的，是在總結創作經驗，用以指導現實。劉勰很突出的一個特點是他不僅從歷史發展中來總結這一類文體的性質和創作特徵，而且總是和相同類型文體的比較中去加以說明。這種比較的研究，使他對許多性質接近的文體之聯繫與區別、相同處與不同處，辨別得十分細緻，因而能更準確的把握各種文體的獨特創作特徵。比如樂府從文學的角度來說也就是詩，從抒情言志方面來說和詩是沒有區別的，它們都能「情感七始，化動八風」。但是，樂府詩是配樂的，和一般不入樂的詩在創作上是有區別的。他說：「凡樂辭曰詩，詩聲曰歌；聲來被辭，辭繁難節。故陳思稱李延年閑於增損古辭，多者則宜減之」，明貴約也。觀高祖之詠『大風』，孝武之歎『來遲』；歌童被聲，莫敢不協。子建、士衡，咸有佳篇，並無詔伶人，故事謝絲管。俗稱乖調，蓋未思也。」歌辭的文辭應當精練，不應繁多，不配樂的詩則可以複雜一些，聲律上的要求也沒有歌辭那麼嚴格。賦也是詩之一種，從本質上講也是詩，劉勰引班固之語，肯定它是「古詩之流也」。但賦是不配樂的，故劉勰又引劉向之語，肯定它「不歌而頌」的特點。然而，賦和一般不配樂的詩還有不同，它以「鋪采摛文，體物寫志」為其特徵，與詩又「實相枝幹」。這樣，又把賦與詩及樂府之不同，講得很清楚了。又比如他在《頌贊》篇中對頌體的創作特徵分析則是在歷史的比較的分析中提出來的。從頌體的「美盛德而述形容」的方面來說，和詩是相近的，《詩經》中就有頌一體。最初都是從「容告神明」而發展起來的，後來屈原創作《橘頌》，把頌體的寫作範圍擴大了。到秦漢之際又有了進一步發展，從歌頌功德來說，又有接近銘的地方。所以，劉勰歸納頌的特徵是：「原夫頌惟典雅，辭必清鑠，敷寫似賦，而不入華侈之區；敬慎似銘，而異乎規戒之域；揄揚以發藻，汪洋以樹義，唯纖曲巧致，與情而變，其大體所底，如斯而已。」這就把頌怎樣從詩中分離出來，逐漸形成自己的獨特特徵，成為與詩不同的一種文體的歷史過程敍述得一清二楚。又比如銘、箴、碑、誄幾種文體互相之間都是有聯繫的，只是在歷史發展過程中，漸漸區分爲各種不同的文體，而有自己的專門用途。早期的箴銘都是爲了「警戒」的目的，從銘產生看，「昔帝軒刻輿幾以弼違；大禹勒筍簴而招諫；成湯盤盂，著『日新』之規；武王《戶》、《席》，題必戒之訓；周公『愼言』於『金人』；仲尼『革容』於欹器；則先聖鑒戒，其來久矣。」從箴的產生來看，「箴者，針也，所以攻疾防患，喻鍼石也。斯文之興，盛於三代。夏、商二箴，餘句頗存。及周之辛甲《百官箴》一篇，體義備焉。」然而，後來發展各有特點。於是劉勰總結其異同云：「夫箴誦於官，銘題於器，名目雖異，而警戒實同。箴全禦過，故文資確切；銘兼褒讚，故體貴弘潤。其取事也必覈以辨，其摛文也必簡而深，此其大要也。」銘和碑關係也很密切，有的銘文也就是碑文，在歷史發展過程中，碑逐漸演變爲主要是記敍死者的功德，而銘則可以刻記未死的人之功德。碑誄同爲頌揚死者功德之文體，但是，誄是用來確定謚號的，碑是刻於死者墓前碑上的。對這幾種文體的聯繫和區別，劉勰在《誄碑》篇中說：「夫屬碑之體，資乎史才。其敍則傳，其文則銘；標敍盛德，必見清風之華；昭紀鴻懿，必見峻偉之烈；此碑之制也。夫碑實銘器，銘實碑文，因器立名，事先於誄。是以勒石贊勳者，入銘之域；樹碑述亡者，同誄之區焉。」對無韵之筆創作特徵分析，也是如此。比如《檄移》篇中劉勰指出這兩種文體的性質也是相同的。但運用的時候又因對象和意義不同而有所區別，從歷史發展來看，「移」乃是「檄」的一個支流。劉勰比較「移」與「檄」在創作上的異同說：「故檄移爲用，事兼文武，其在金革，則逆黨用檄，順命資移；所以洗濯民心，堅同符契，意用小異而體義大同，與槪參伍，故不重論也。」有比較，才能有鑒別，抓住了各種文體矛盾之特殊性，就可以比較準確地把握住其本質特徵。劉勰這種比較的研究與歷史的研究互相結合的方法，使他能更科學地更深刻地去認識各種文體的創作特徵，同時也更顯示出其見解之獨到。他在《明詩》篇中曾說：「故鋪觀列代，而情變之數可監；撮擧同異，而綱領之要可明矣。」這正是指的這種歷史的、比較的研究方法。「鋪觀列代」，是要看這種文體在歷史演變過程中的不同階段及特點；「撮擧同異」，是要着眼於比較，善於清楚地區別這種文體與相近文體之間的異同。能做到這兩點，則對「情變之數」可瞭如指掌，而「綱領」之要也自可了然於心。《明詩》篇中這一段話我們可以看作是他對各種文體創作特點分析的基本方法。這種比較的研究，既有對同時代相近似的幾種文體的比較，也有這類文體在不同時代不同作品之比較，也有同時代同一類文體的不同作家作品之間的比較。劉勰對文體論的研究之所以能取得如此重大成就，是和他這種科學的研究方法分不開的。

【附　註】

註一　這個問題，我的老師王瑤先生在解放前寫的《文體辨析與總集的成立》一文中曾作了很深刻分析。我在本節寫作中也參考和吸收了王瑤先生的一些研究成果。王先生此文載於解放初棠棣出版社出版的《中古文學思想》一書。

十、文術論（上）

——論文學的寫作技巧：關於結構佈局和比喻誇張

劉勰在《文心雕龍》中除了對文學創作的一些基本理論問題，分別作了專門論述之外，還對文學創作的許多重要的寫作技巧問題，作出了具體而深入的分析。這些寫作技巧問題，從組織材料、謀篇結構、段落剪裁，一直到比喻、誇張、聲律、對偶、用典，以及章法、句法、字法等等，都通過總結前人創作經驗，進行了詳細的論述，我們可以統稱之爲「文術論」。這些內容大致可以包括在《文心雕龍》的《總術》、《附會》、《鎔裁》、《聲律》、《章句》、《麗辭》、《比興》、《夸飾》、《事類》、《練字》、《指瑕》等篇之中。文術論佔據了《文心雕龍》全書將近四分之一的篇幅，可見劉勰對文學創作的寫作技巧問題是相當重視的。這些寫作技巧中的許多問題，都是和當時的文學創作實踐有極爲密切關係的，如聲律、用典、對偶、修辭都是當時文壇上普遍流行的新的寫作技巧問題。六朝是一個十分注重藝術的形式技巧的時代，許多文藝家對這些具體的寫作技巧都作過研究、探討。劉勰對當時偏向於形式主義的文風是很不滿意的，並且是堅決反對的，但是他的可貴之處還在於他並不因此而簡單地否定形式技巧的作用，相反地是在充分肯定內容主導作用的前提下，同時又認眞地研究文學創作中的寫作技巧，並且對當時創作實踐方面在寫作技巧上所提供的豐富經驗，作出了科學的理論總結。從歷史發展的角度，將其提到一個新的高度，用它來爲進一步提高創作水平，發揮積極作用。這也是劉勰在思想方法上具有辯證法色彩而不陷入形而上學片面性的重要表現之一。

劉勰在《文心雕龍・總術》篇中對掌握文術的重要性，作過相當深入的、有見地的分析。他說：「是以執術馭篇，似善弈之窮數；棄術任心，如博塞之邀遇。」明確指出文學創作中「善術」與「棄術」是很不相同的。前者有如善於下圍棋的人，胸中有全局，落子有規律，次序井然，穩操勝劵。後者則如擲采之賭徒，完全憑運氣，是毫無把握的，即使僥倖一時中采，心血來潮，寫出一段好文章，亦決不能持續下去，難以成完美之整篇。也就是說，善術與不善術，對一個作家來說是大不一樣的。當然，善術之人也需要有創作熱情和創作衝動，要有紮紮實實的生活內容，才能寫出好作品；但是，如果不善術或棄術，那麼即使有強烈創作衝動，有豐富的思想感情和生活內容，也是無法寫出好作品來的。打一個比方的話，善術之人好像一個作好了戰略、戰術的充分準備，並已全副武裝好了的指戰員一樣，只要戰鬥命令一下達，戰火一點燃，馬上可以衝上疆場，任意馳突。而不善術之人，則好像懶散而無任何準備的官兵，仗已經打響了，還不知武器放在哪裏呢！故而劉勰說：「若夫善弈之文，則術有恒數，按部整伍，以待情會；因時順機，動不失正。數逢其極，機入其巧，則義味騰躍而生，辭氣叢雜而至。視之則錦繪，聽之則絲簧，味之則甘腴，佩之則芬芳，斷章之功，於斯盛矣。」可見，重視寫作技巧，講究文術，對於創作的成敗，實是極爲重要的大事。

然而，僅僅懂得文術之重要，顯然還是遠遠不夠的，還必須懂得駕馭文術的要害所在。對於文術，歷來的文人並不是完全廢棄不講，而都是重視它、講究它的。問題是在於僅僅注重某些具體的寫作技巧，往往還只是抓住了枝葉，而沒有把握根本。劉勰講究文術之比別人高明之處在於：他強調了必須在統觀全局的指導思想之下，來具體考慮寫作技巧，認爲只有這樣才能使具體技巧達到各得其所的積極效果。他在《總術》篇的贊語中說：

> 文場筆苑，有術有門。務先大體，鑑必窮源。乘一總萬，舉要治繁。思無定契，理有恒存。

文學創作過程中，作家的構思是千變萬化而無定契的，但是創作本身是有一定規律可尋的，故「理有恒存」。一篇作品按照它內容表達的需要，必然有一個總的要求，必須先認識「大體」，然後才能恰如其分地運用各種具體的文術。這樣，就可以做到「乘一總萬，舉要治繁」，而不致於因過分追求具體技巧，而影響內容的充分表達，陷入形式主義泥坑。而正是從這一點上也可以看出一個作家是否眞正有高超才能。所以劉勰又指出：

> 夫不截盤根，無以驗利器；不剖文奧，無以辨通才。才之能通，必資曉術。自非圓鑒區域，大判條例，豈能控引情源，制勝文苑哉？

這裏，劉勰所提出的「圓鑒區域，大判條例」兩句話是至關重要的。然而對這兩句話的解釋，各家甚爲不同。陸侃如、牟世金先生釋「區域」爲「指各種體裁」，周振甫先生釋爲：「指考察各種體勢」，我們覺得似乎都不很妥善。趙仲邑先生譯此兩句爲：「對創作的領域有全面的觀察，從大處判別文章的體例。」雖然接觸到創作問題，但亦強調在判別體例，與上二家接近。我們認爲劉勰在這裏並不是講的文體辨析問題，而是講創作過程的「馭術」問題。「圓鑒區域，大判條例」，是指的一篇著作寫作中「馭術」的基本原則，也就是說，在運用各種文術的過程中，要善於懂得它們各自的不同功能與作用，要根據文章的「大體」來判別它們各自的位置，明確在什麼地方需要用什麼樣的文術。這兩句話的主旨是在說明創作中對文術要有總體的安排，誠如他在批評陸機《文賦》時指出的：「昔陸氏《文賦》，號爲曲盡；然泛論纖悉，而實體未該。故知九變之貫匪窮，知言之選難備矣。」劉勰對陸機《文賦》的批評也許是重了一些，然而，陸機《文賦》在這方面也確有弱點，他沒有像劉勰那樣突出地強調要在統觀全局的思想指導下，來有計劃、有分寸地運用各種文術。這正是劉勰批評他「實體未該」之所在，劉勰批評了當時的文人，「凡精慮造文，各競新麗，多欲練辭，莫肯研術」。他們不懂得駕馭文術之要害在「務先大體」，因此，出現了種種偏向：「精者要約，匱者亦尠；博者該贍，蕪者亦繁；辯者昭晰，淺者亦露；奧者複隱，詭者亦曲。或義華而聲悴，或理拙而文澤。」這都是由於創作中不能統觀全局，常常注意了一方面又忽略了另一方面，其原因均在不識大體，以致於使「落落之玉，或亂乎石；碌碌之石，時似乎玉」。爲此，劉勰又說：「知夫調鐘未易，張琴實難。伶人告和，不必盡窕槬桍之中；動用揮扇，何必窮初終之韵？」一個作家不可能學會所有各類文體作品的寫作，恰如一個音樂家不一定要對所有樂器都會使用一樣，但是他應當對自己所擅長的方面有比較全面的認識和了解，要能站得高、看得遠。所謂「圓鑒區域，大判條例」，正是針對這一要求而來的，着重說明作家對自己的創作要從大處着眼，這樣，具體的文術運用也就有了方向，也比較容易掌握分寸，而不至於出現顧此失彼的弊端。

劉勰在論文的一系列篇章之中，專列一篇《附會》，其中心就是講在創作一篇作品時，如何進行整體佈局，全面安排，以便在這個基礎上來進一步運用各種具體的寫作技巧。關於《附會》篇目的含義，劉勰在一開始就作了非常明確而具體的論述。他說：

何謂附會？謂總文理，統首尾，定與奪，合涯際，彌綸一篇，使雜而不越者也。若築室之須基構，裁衣之待縫緝矣。

文學創作在開始進入具體寫作之前，必須先有一個整體的佈局，然後可以知道每一個部分應放在什麼位置比較合適，而每一個具體部分的取去、詳略，也就有了進行剪裁的標準。部分只有納入整體之中，才能知道它的地位與作用，以及如何使它與別的部分互相銜接，前後呼應，一氣貫通，而沒有縫合之痕迹。作家在創作前有全局在胸，方能落筆自如，而無互相齟齬之病。誠如王元化先生在《文心雕龍創作論》中所指出的，劉勰在這裏所提出的「雜而不越」的思想，即是講的如何正確處理一和多的關係。要使各個部分均在總的整體統轄之下各得其所，而不逾越其界限，亦即不因部分之不恰當而破壞了文學作品的整體之美。「雜而不越」的美學思想，王元化先生已經指出是出於《易經・繫辭》：「其稱名也，雜而不越。」韓康伯的注云：「備物極變，故其名雜也。各得其序，不相逾越。」說明劉勰在藝術結構上的美學觀點，是與《易經》特別是《繫辭》中的思想有直接聯繫的。我們非常同意王元化先生的觀點，同時我們想補充指出的是，劉勰這種重視整體、以整體統率各個部分的思想，也是與老莊及玄學的本體論思想有密切關係的。劉勰在《總術》和《附會》兩篇中，講到整體與部分關係的時候，在強調要統觀全局的時候，都一再的講到老子關於三十輻共一轂的問題。在《附會》篇中他說：

是以駟牡異力，而六轡如琴，並駕齊驅，而一轂統輻，馭文之法，有似於此。去留隨心，修短在手，齊其步驟，總轡而已。

又在《總術》篇中說：

夫驥足雖駿，纆牽忌長，以萬分一累，且廢千里。況文體多術，共相彌綸，一物攜貳，莫不解體。所以列在一篇，備總情變，譬三十之輻，共成一轂，雖未足觀，亦鄙夫之見也。

老子所說的三十輻共一轂的觀點，其目的在於說明「無」和「有」的關係，亦即以「無」統「有」的關係，強調「有」皆以「無」爲本也。所謂「無」和「有」的關係，就老莊哲學來說，是指本體論而言的，即是一本和萬物的關係，一和萬之關係，萬有皆出於一本。這種思想至玄學而得到大發展，王弼注《老子》說：「萬物萬形，其歸一也。何由致一？由於無也。由無乃一，一可謂無。」（二十四章注）又云：「一，數之始而物之極也。各是一物之生所以爲主也。物皆各得此一以成，既成而舍以居成，居我則失其母。」（三十七章注）這種一和多的關係，實際上也即是指一般和個別的關係。用它來分析整體和部分的關係，則整體是一，而部分是多也。宇宙是如此，而文章之道實亦如此。文學創作有了整體全局的考慮，就像房子已經樹起基本間架，其他一切具體建築工藝，均可有條不紊地逐一展開。

劉勰認爲附會之術，其關鍵就在於如何使文學創作的總體佈局合理適宜，所以，「棄偏善之巧，學具美之績」，乃是「命篇之經略」。劉勰在這裏所提出的「偏善」和「具美」的關係，是一個十分重要的美學思想。反對「偏善」，要求做到「具美」，這和老莊的美學思想也有密切的關係。莊子的美學思想就很突出地表現了提倡「全」之美，反對「偏」之美的主張。「大音希聲，大象無形。」這就是一種「全」之美。《莊子．齊物論》云：「有成與虧，故昭氏之鼓琴也；無成與虧，故昭氏之不鼓琴也。」郭象注云：「夫聲不可勝舉也，故吹管操弦，雖有繁手，遺聲多矣。而執籥鳴弦者，欲以彰聲也。彰聲而聲遺，不彰聲而聲全。故欲成而虧之者，昭文之鼓琴也；不成而無虧者，昭文之不鼓琴也。」這就是追求一種「全」的音樂美，而反對「偏」的音樂美。不過莊子是從天然和人爲對立的角度提出問題的，他認爲人爲之美做得再好也總是有局限性的，不如天然之美更完全。後來漢代的《淮南子》一書從莊子這種觀點出發，提出了繪畫上的「謹毛而失貌」的問題，其《說林訓》一篇中說：「畫者謹毛而失貌，射者儀小而遺大」高誘注云：「謹悉微毛，留意於小，則失其大貌；儀望小處而射之，故耐中。事各有宜。」高誘這裏對後一句的注釋是錯誤的，不符合原文之意。原文的意思是射者只注意小目標則會失去大目標。劉勰在《附會》篇中引用此典故時，對原文的兩句理解得都是符合原意的。他說：「夫畫者謹髮而易貌，射者儀毫而失牆；銳精細巧，必疏體統。」只考慮「偏善之巧」，必然會喪失掉「具美之績」。正如畫人物只考慮毛髮形似，必然會失去人物的整個神態，而不能畫得傳神一樣，爲了要使文學作品有「具美之績」，應當重視和講究整體佈局，學會「附會」之術。他說：

> 凡大體文章，類多枝派；整派者依源，理枝者循幹。是以附辭會義，務總綱領；驅萬塗於同歸，貞百慮於一致；使衆理雖繁，而無倒置之乖；群言雖多，而無棼絲之亂。扶陽而出條，順陰而藏跡，首尾周密，表裏一體，此附會之術也。

從這一段論述中，我們可以看出劉勰之所以如此強調文章的總體設計，是和他重視內容的主導作用，形式要爲內容服務的基本觀點密切聯繫着的。這個總體設計首先要考慮到如何爲體現內容的需要而進行佈局。所以，「附會」者，並非只是形式問題，而關鍵是形式如何與內容緊密配合的問題，是「附辭會義」，如何使辭與義協調統一的問題。「附會」的目的是「總文理」，而不是離開內容去考慮表現技巧。劉勰提出的標準是：「夫才量學文，宜正體製，必以情志爲神明，事義爲骨髓，辭采爲肌膚，宮商爲聲氣。」整體佈局的內容就包括着這麼幾個方面。所以，我們看到劉勰在《附會》篇中所說的講究附會而使文章面目一新的例子中，可以看出附會決不僅僅只是技巧問題。其云：

> 昔張湯擬奏而再却，虞松草表而屢譴，並事理之不明，而詞旨之失調也。及兒寬更草，鍾會易字，而漢武嘆奇，晉景稱善者，乃理得而事明，心敏而辭當也。以此而觀，則知附會巧拙，相去遠矣！

附會之要義乃在如何通過文辭妥善安排而使事理明晰，這是劉勰所指出的總體設計、謀篇佈局的基本出發點。

文學創作有了合適的總體設計，謀篇佈局的大方向定下來之後，進入了具體寫作，接着就要碰到剪裁的問題。要按照已安排好的藝術結構的需要，對已掌握好的具體材料和內容加以適當的剪裁，這也是不容易做好的。剪裁的目的，是爲了更好地實現總體佈局的設想。劉勰《文心雕龍》中的《鎔裁》一篇，主要是講這方面問題的。「鎔裁」的含義，劉勰自己的解釋是：「規範本體謂之鎔，剪截浮辭謂之裁。」所謂「規範本體」者，實際上即是說的要在文意的安排上刪去繁瑣、重復以及於全篇無關緊要的那些部分，而把主要之點、有利於使主題思想鮮明突出的部分，擺在最緊要的地位。所謂「剪截浮辭」者，是要從文辭上加以修飾，使之精練明白、生動流暢。鎔裁也是包括了意和辭兩方面的。劉勰說：「立本有體，意或偏長；趨時無方，辭或繁雜。蹊要所司，職在鎔裁；隱括情理，矯揉文采也。」隱括情理，即指鎔也；矯揉文采，則指裁也。

「鎔」的目的是要「規範本體」，而如何才能「規範本體」呢？劉勰提出了著名的「三準論」。他說：

凡思緒初發，辭采苦雜，心非權衡，勢必輕重。是以草創鴻筆，先標三準：履端於始，則設情以位體；舉正於中，則酌事以取類；歸餘於終，則撮辭以舉要。

劉勰這個「三準論」的核心是要使情、事、辭三者達到和諧的統一。「設情以位體」，是強調文體結構的安排應當符合於表達思想感情的需要，應當服從於一定的主題思想的要求。「酌事以取類」，是說要選擇適合於表達思想感情的具體生活內容來加以描寫，使作品的題材能夠與作家所要說明的主題思想相統一。如果情與事不相類，主題思想和題材不協調，那是肯定寫不出好作品來的。「撮辭以舉要」，是說情和事確定之後，應當用合適的文辭確切地表達出來。如果能夠嚴格地遵循「三準論」，那麼就可以做到「蕪穢不生」、「綱領昭暢」。「三準」既定，然後就可以進行更加深入細致的推敲、斟酌，「舒華布實，獻替節文」，否則，「三準」未立，「術不素定」，任意寫作，那麼必然會產生「異端叢至，駢贅必多」的弊病。文章的「三準」能定，那麼大的方面已經沒有問題，隨後就要注意字句的精練。有時兩句要敷寫成一章，有時一章要壓縮爲兩句，這些就要按照「三準」的已定原則，來具體的加以處理。在這方面也是很有講究的。善於敷寫的作者，文辭各殊而含義更爲鮮明；善於刪削的作者，字句雖已剔去，而意思仍然留在篇中，並不因字句之刪除而使意義單調薄弱。但是，才能不高的人，也可以由於敷寫而變得重複拖沓，或由於刪削而使意義短缺。劉勰的「鎔裁」說很明顯是受了陸機《文賦》的影響，並在陸機《文賦》有關剪裁論述的基礎上作了進一步發展的結果。《文賦》指出在創作構思完成之後，要「選義按部，考辭就班」，使「抱景者咸叩，懷響者華彈」。在論文術的第一條中又說：「或仰偪於先條，或俯侵於後章。或辭害而理比，或言順而義妨。離之則雙美，合之則兩傷。考殿最於錙銖，定去留於毫芒。苟銓衡之所裁，固應繩其必當。」不過，《文賦》對剪裁的論述多少還有點劉勰所說的「巧而碎亂」的毛病（見《序志》篇），沒有劉勰那樣的完整性和系統性。

文學創作的佈局、結構、剪裁是寫作的基本功，但僅僅這樣還不一定能使文章很美，從文辭表達方面來說，尚須作很多的修飾，運用各種不同的藝術表現手段，其中比較重要的是藝術描寫中的比喻和誇張問題。劉勰在《文心雕龍》的《比興》和《夸飾》兩篇中曾集中地研究了這兩種藝術表現手法的基本特點。比興是我國古代詩歌創作的基本表現方法，它本是從總結《詩經》的創作經驗中歸納出來的。但是，歷代對比興的解釋是存在分歧的。從漢儒的解釋來看，就有先鄭（鄭衆）與後鄭（鄭玄）的不同解釋。鄭衆是從詩歌藝術表現方法上來解釋比興的含義的。他說：「比者，比方於物。」「興者，托事於物。」但是鄭玄的解釋則不同，他是把藝術表現方法和思想內容混淆在一起來解釋比興的，而實際上是更重在思想內容的褒貶傾向上，因此把比興當作了美刺的代名詞。他說：「比，見今之失，不敢斥言，取比類以言之。興，見今之美，嫌於媚諛，取善事以喻勸之。」這是受儒家思想影響，過分強調政教的作用，而抹殺了藝術本身獨立的一種表現。實際上是政治和藝術關係上，片面地突出政治而否定藝術所導致的必然結果。鄭玄的這種解釋後來唐代的孔穎達就一針見血地指出其荒謬實質。他說：「其實美刺俱有比興者也。」（見《毛詩正義》）美刺和比興之間並無必然聯繫。不過，鄭玄這種說法由於儒家思想定於一尊的地位，而社會上有相當大的影響，這是應當充分估計到的。六朝時期由於儒家思想的衰落，對比興的解釋就比較複雜，並不都符合於鄭玄的解釋。劉勰對比興的解釋，雖然不免還有若干鄭玄影響之殘餘，但他顯然是更側重從藝術表現方法的角度來解釋，對以鄭玄爲代表的傳統解釋有所突破。他在《比興》篇中盡管也講到「比則畜憤以斥言，興則環譬以托諷」，但同時指出：「蓋隨時之義不一，故詩人之志有二也。」沒有再強調比興即美刺了。而他對比興解釋的主要方面，是作爲藝術表現手法來看待的。

劉勰對比興解釋的新貢獻主要有三個方面。第一，他從藝術表現的不同特點上指出了比興的區別。他說：

詩文弘奧，包韞六義；毛公述傳，獨標興體。豈不以「風」通而「賦」同，「比」顯而「興」隱哉？故「比」者，附也；「興」者，起也附理者，切類以指事；起情者，依微以擬議。起情，故「興」體以立；附理，故「比」例以生。

比和興嚴格地說都是一種比喻，不過，比是較爲明顯的比喻；興是較爲隱蔽的比喻。即一是明喻，一是暗喻。比的特點是直接比附於物，「切類以指事」，所以一看就很容易明白；興的特點是引起人們的一種聯想，「依微以擬議」，帶有很強烈的暗示與象徵意味。這樣，劉勰就把比與興這兩種藝術表現方法的同與異、聯繫與區別，分析得很清楚了。後來孔穎達在《毛詩正義》中所講的「比顯而興隱」的特點，正是從劉勰那裏繼承過來的。第二，劉勰在解釋比興特徵的過程中，更進一步突出了興的作用。這一點從上述引文中也可以看出來，他提出了「毛公述傳，獨標興體」的問題。他對漢代辭賦發展過程中，比的方法運用繁多，而興的方法日漸銷亡的情況，是非常不滿意的。他說：「若斯之類，辭賦所先，日用乎比，月忘乎興，習小而棄大，所以文謝於周人也。」劉勰認爲比是一種「小」的方法，也即是說一種簡單的方法；而興則是一種「大」的方法，也即是比較複雜的方法。在文學創作中，興常常是作爲一種藝術形象的整體比喻而出現的，如「關關雎鳩，在河之洲」是一個完整的形象描寫，它蘊含的意義是十分豐富的。又如「孔雀東南飛，五里一徘徊」，象徵着劉蘭芝十分複雜而矛盾的心理。比的方法往往主要是指修辭上的比喻，例如劉勰所舉的：「金錫以喻明德，珪璋以譬秀民，螟蛉以類教誨，蜩螗以寫號呼，澣衣以擬心憂，席卷以方志固。」這種比的方法在任何文章中都可以用，而興則主要是用在純文學的形象描寫上爲多。興的方法具有一定的文學創作之典型概括意義，即所謂「稱名也小，取類也大」的特徵。所以，在劉勰看來《詩經》、《楚辭》皆以興義爲主，比興結合，故而成爲優秀作品，而漢賦僅靠類比推砌而很少用興，所以成就不高，且易陷入形式主義泥坑。他說：「楚襄信讒，而三閭忠烈，依《詩》制《騷》，諷兼比興。炎漢雖盛，而辭人夸毗，《詩》刺道喪，故「興」義銷亡。於是賦頌先鳴，故『比』體雲構，紛紜雜遝，信舊章矣。」劉勰在論述比興過程中特別重視興的意義與作用，這對後來的影響是比較深遠的。後來不少文藝家把興作爲藝術創作的重要特徵來對待，是和劉勰這種觀點分不開的。第三，劉勰對比興的論述能夠聯繫藝術的形象思維特徵來解釋，這是他的一個重大貢獻。他在《比興》篇的贊語中說：「詩人比興，觸物圓覽，物雖胡越，合則肝膽，擬容取心，斷辭必敢。攢雜詠歌，如川之渙。」劉勰在這裏提出了兩個重要的命題，一是「觸物圓覽」，二是「擬容取心」，前者說明比興的產生源於作家對客觀事物的全面觀察與研究，後者則說明比興的本質乃在於通過對現實生活狀況的描寫以寄托作家的思想感情，這就把文學創作過程中的形象思維特徵和作爲藝術表現手法的比興兩者緊密地結合了起來。這一點對後代產生了十分重大的影響。自劉勰之後對比興的解釋大致可以分爲兩大派，一派是經學家的解釋，他們大部分是沿襲鄭玄的解釋的，把比興和美刺聯繫在一起，其中比較好一些的則側重採用鄭衆的解釋。一派是文藝家的解釋，他們是把比興和藝術創作的形象思維特徵聯繫起來講的。例如與劉勰同時的鍾嶸在《詩品序》中就把傳統的《賦比興》次序改爲《興比賦》，更加突出了「興」的地位，並認爲興的特點就是「言有盡而意無窮」。唐代的皎然對比興的解釋也是從形象思維的角度來立論的，故云：「取象曰比，取義曰興，義即象下之意。」（《詩式》）劉勰雖然在比興之中更重視興，但對比的研究分析也相當細致。他在《比興》篇中對「比」的表現及其特徵論述很多，這是與自辭賦盛行以來，比的廣泛運用這種實際狀況有關的。劉勰總結了這方面的藝術經驗，指出比的類別已經非常之多：「比喩於聲，或方於貌，或擬於心，或譬於事。」還有「以物比理」、「以心比聲」、「以辯比響」、「以物比容」等不同方法。但是，「比類雖繁，以切至爲貴；若刻鵠類鶩，則無所取焉。」這就把比的要害一下子概括出來了。在當時以詩賦爲主要文學形式的時代，比興應當說是最主要藝術表現方法。

與比興手法有密切關係的是藝術的誇張描寫，它往往也是通過比喩的方式來表現的。文學創作必然要有藝術的誇張，因此劉勰對藝術誇張問題的論述，也是非常値得我們重視的。劉勰在《夸飾》篇中充分肯定了藝術誇張，並且給以高度的讚揚，這是一種確有見地的藝術家眼光。我們對他有關誇張的論述，必須放到當時文藝思想的歷史發展中去認識。自漢代儒家定於一尊的地位確立以來，不少儒家文藝家對浪漫主義是採取一種否定態度的，而藝術誇張在浪漫主義文學中是尤爲突出的。由於對浪漫主義的否定，也就包括了對藝術誇張的貶斥。這在班固對屈原作品的批評中可以看得很清楚。他說

《離騷》「多稱崑崙冥婚宓妃虛無之語，皆非法度之政，經義所載」。後來東漢時期，王充從古文學派立場反對讖緯神學迷信思想，提倡眞實，反對虛僞。在其著名的「三增」三篇中除了肯定經書中的誇張描寫之外，對其他文章著作中的誇張描寫一概持否定態度。當然，王充對文學的誇張描寫也不是一點認識也沒有，他曾在《藝增》一篇中肯定了《詩經》等經書中的誇張描寫，如說《小雅·鶴鳴》中之「鶴鳴九皐，聲聞於天」，「以喩君子修德窮僻，名猶達朝廷也。」「欲以喩事，故增而甚之。」又說《大雅·雲漢》中之「維周黎民，靡有孑遺」，是「詩人傷旱之甚，民被其害，言無有孑遺一人不愁痛者」。這種誇張的目的是「欲言旱甚也」。所謂「增過其實，皆有事爲，不妄亂誤，以少爲多也」。但是，王充並沒有把這些有價値的正確看法作爲一種普遍原則來對待，而只把它局限在經書之內。對待經書以外的各種文章著作中的此類誇張描寫，他採取了一概否定的態度，用「非其實而增之」一語全部加以否定。這種相互矛盾狀況的出現，我們應該看到是有其內在深刻原因的，是和王充的整個學術思想特點聯繫着的。王充反對神學唯心主義，批判了讖緯之學，提倡科學，反對迷信，這是他思想中具有極大光芒的重要方面。但是，由於他所說的是整個學術思想方面的問題，而不是專論文藝，因此，他所提倡的仍是科學的眞實，而非藝術的眞實。而且，緯書、圖讖中的虛妄不實現象又是非常之嚴重的，所以王充這樣的主張也是完全可以理解的。然而，由於他這種過於偏激而缺乏具體分析的論述，對後來文藝創作思想方面的不良影響也是相當明顯的。左思在《三都賦序》中，就按照王充這種以科學的眞實來要求文藝眞實的思想，對漢賦中的一些浪漫主義的誇張描寫提出了批評。他強調文學描寫要完全符合事實，要「稽之地圖」、「驗之方誌」，而認爲司馬相如、揚雄、班固、張衡等的賦中有些描寫是「考之果木，則生非其壤；校之神物，則出非其所」，其實，這是不恰當的。這顯然是一種對藝術創作發展很不利的文藝思想傾向。

劉勰的《夸飾》篇正是在這樣一種文藝思想發展狀況下來寫的。毫無疑問，劉勰是看到並研究了王充和左思的有關論著的，因爲他在《夸飾》篇中也都對王充、左思論到的內容發表了自己的看法。但是，劉勰的可貴之處正是他不簡單地肯定或否定，而能夠對他們的論述作歷史的具體的分析，發揚其長處，克服其短處，從文藝創作的特點出發，對誇張問題作出了相當正確的深入的論述。劉勰首先充分肯定了誇張的必要性，指出了它是文學創作中普遍存在、而且不可或缺的基本藝術表現方法之一。他說：

> 夫形而上者謂之道，形而下者謂之器。神道難摹，精言不能追其極；形器易寫，壯辭可得喻其真；才非短長，理自難易耳。故自天地以降，豫入聲貌，文辭所被，夸飾恒存。

劉勰進一步發展了王充關於爲什麼要有誇張描寫的正確見解，從哲學本體論的高度說明了「文辭所被，夸飾恒存」的道理。「壯辭可得喻其眞。」誇張是爲了更好地闡明事物的眞相，而不是歪曲事物的本來面目。只要有文學創作，就一定會有誇張。即使像《詩經》、《書經》這樣「風格訓世」的經典文獻也有「事必宜廣，文亦過焉」的許多描寫。例如「言峻則嵩高極天，論狹則河不容舠，說多則『子孫千億』，稱少則『民靡孑遺』；襄陵擧滔天之目，倒戈立漂杵之論。」這裏大半吸取了王充《論衡·

藝增》篇中的例子，劉勰認爲這些描寫「辭雖已甚，其義無害也」。他並進而指出，誇張描寫的重要目的之一，是作者爲了深入說明自己對所描寫事物的褒貶態度，表達作者的思想傾向和感情色彩。故云：「且夫鴞音之醜，豈有泮林而變好？荼味之苦，寧以周原而成飴？並意深褒贊，故義成矯飾。」劉勰認爲對文學創作中的這種誇張描寫，不能拘泥於字面，而必須按照孟子說的「不以文害辭，不以辭害意」的方法去加以領會。

對於經書以外的各類作品中的誇張，劉勰沒有採取王充那種一筆抹殺、全部否定的態度，既不以經書爲局限，也不像左思那樣以地圖、方誌爲標準，而是把誇張作爲一切著作普遍存在的表現方法來看待。不過，劉勰認爲誇張的描寫應當有一定的限度，不可過分，否則反而起不到應有的作用。因此他對漢代辭賦中有些過分誇張而不合事理的描寫也是有所批評的。他說：

自宋玉、景差，夸飾始盛。相如憑風，詭濫愈甚。故上林之館，奔星與宛虹入軒；從禽之盛，飛廉與鷦鷯俱獲。及揚雄《甘泉》，酌其餘波；語瓌奇則假珍於玉樹，言峻極則顛墜於鬼神。至《東都》之比目，《西京》之海若，驗理則理無可驗，窮飾則飾猶未窮矣。又子雲《羽獵》，鞭宓妃以饟屈原；張衡《羽獵》，困玄冥於朔野。孌彼洛神，既非罔兩；惟此水師，亦非魑魅，而虛用濫形，不其疎乎？此欲夸其威而飾其事，義睽刺也。

劉勰在這裏並不是完全否定這些描寫，而是着重指出這些描寫於情理上有「失實」之嫌，使人不易相信，作者之目的雖然是欲「夸其威而飾其事」，而結果却是「義睽刺也」。劉勰這種批評，其出發點是與左思有所不同的，並非從「生非其壤」、「出非其所」的角度來加以否定，而是從誇張過分而喪失現實基礎的角度來說的。不過，這裏也反映了劉勰對浪漫主義的藝術特徵的認識還是不夠的。因爲司馬相如、揚雄、班固、張衡的這些描寫，從藝術上說，應該說本是無可非議的。特別是從浪漫主義的想像誇張上說，還是相當精彩的。這種弱點是與劉勰在《辨騷》篇中對異於經典四事分析上所表現出來的思想矛盾是一致的。出現這種情況的根本原因是劉勰還受有儒家「子不語：怪、力、亂、神」的影響，從而對神話傳說抱懷疑態度的緣故。但是，劉勰雖然對這些具體作品的批評上有欠妥之處，他所要說明的原則，却還是有道理的。劉勰的主要目的是爲了強調誇張描寫雖然是必要的，然而也必須適度，不能任意渲染，必須做到「夸而有節，飾而不誣」，要使人感到合乎情理，恰到好處。他說：「然飾窮其要，則心聲鋒起；夸過其理，則名實兩乖。」既然是一種誇張，就自然不能要求它和實際完全一致；但是誇張又不能太過分，以致違背了人們接受的限度。誇張在人們情理所許可的範圍內，就能起到「心聲鋒起」的積極作用，使人們感到更眞實，體會得更深刻；誇張而超出了人們情理所許可的範圍，那麼就會起到相反的效果，使人感到虛假，不眞實。因此，正確地運用夸飾的方法，就可以收到非常好的藝術效果。劉勰說：

至如氣貌山海，體勢宮殿，嵯峨揭業，熠耀焜煌之狀，光采煒煒而欲然，聲貌岌岌其將動矣。莫不因夸以成狀，沿飾而得奇也。於是後進之才，奬氣挾聲，軒翥而欲奮飛，騰擲而羞跼步。辭入煒燁，春藻不能程其豔；言在萎絶，寒谷未足成其凋；談歡則字與笑並，論感則聲共泣偕。信可以發蘊而飛滯，披瞽而駭聾矣。

劉勰在這裏對誇張的作用給以了極高的評價，說明正確的誇張描寫可以使作品更加感動人，使人感到振奮，從而收到更高的藝術效果。這樣，劉勰在藝術誇張的問題上，既發揚了王充的一些積極主張，同時又克服了王充的一些片面的、消極的、錯誤的方面，這對藝術創作的發展，無疑是具有巨大的積極作用的。

十、文術論（下）

——論文學的寫作技巧：關於聲律、對偶、用典及其他

劉勰的文術論還有很重要的一方面是關於聲律、對偶、用典等問題的論述。這些是六朝時期文學創作上十分流行、又爲大家所普遍重視的問題，也是這一時期強調藝術形式美的很突出的表現。劉勰在《文心雕龍》中以《聲律》、《麗辭》、《事類》幾篇爲中心，總結了當時文學創作實踐中的豐富經驗，從理論上對這些問題作了深入，系統的分析和論述。這裏也很鮮明地體現了劉勰《文心雕龍》的一個重要特點：理論和實踐的緊密結合。這對我們今天的文學理論工作者也是有重要的啓發意義的，說明一個文學理論工作者必須密切地注視當前的創作實踐中提出的問題，從理論上及時地加以總結和提高，使之反過來指導創作實踐，促進它的健康發展。

文學是語言的藝術。文學作品，尤其是詩歌，怎樣使它具有語音上的和美，是我國古代所着重研究的藝術形式美的一個重要問題。聲律說的主要內容就是研究和探討這方面的內在規律。我國是一個詩的國家，詩歌（包括騷、賦、詞、曲）是我國唐宋以前的主要文學形式。聲律是我國古代詩歌格律的基本內容之一。聲律說的盛行是在齊梁之際，然而自覺地從理論上注意到語音的和美，並不始於南朝，而是要更早。《西京雜記》中記載，司馬相如論賦的創作曾講到「一宮一商」的問題當然，研究

者對《西京雜記》的記載是否可靠是有懷疑的，但是我國古代以詩配樂是有悠久的歷史傳統的，詩歌既然要吟唱，就自然會注意到它的語音和美問題，所以司馬相如論及這個問題也是不奇怪的。更何況詩歌的押韻是在原始歌謠中就已經有了的。到了魏晉時期，詩歌語音和美的問題被當時的文學家明確地提了出來。據劉勰《文心雕龍．章句》篇云：「魏武論賦，嫌於積韵，而善於貿代。」曹操所論目前已不可考，從劉勰的引用來看，曹操是主張押韵要富於變化，而不要一韵到底的。注意語言的音韵美，大約也是和漢語的音韵學發展有關係的。魏代李登著《聲類》，以宮、商、角、徵、羽區別字音，孫炎有《爾雅音義》以反切法注音，晉代呂靜仿李登《聲類》作《韵集》，這些著作後來雖已亡佚，但在當時確對音韵學發展作出了貢獻，也爲聲律理論的發展提供了客觀基礎。特別値得注意的是陸機《文賦》中提出的「曁音聲之迭代，若五色之相宜」，明確提出要利用語音的抑揚頓挫，構成作品音節上的和諧美，這實際上已經爲後來聲律說理論奠定了美學思想基礎，也給劉勰的聲律理論以重要啓示。

聲律說的形成在南齊永明年間。郭紹虞先生早已正確地指出，我國文學史上的永明體的特點就是講究聲律。劉勰雖然不是聲律派的成員（當時他還很年輕，也沒有地位），但是他後來在《文心雕龍》中對聲律理論的論述，其見解之理論深度，實質上是比沈約等人都要高出一頭的。爲了說明這一點，我們需要對以沈約爲首的聲律派理論和劉勰的聲律論作一番比較的研究。聲律派的主要貢獻是發現漢語聲調上的四聲差別，並把它運用到詩文語音樂美上來，使文學創作上的聲律美建立在一個客觀的科學的基礎之上，這確實是具有重大意義的。《南史·陸厥傳》云：

> 永明末，盛為文章。吳興沈約、陳郡謝朓、琅琊王融以氣類相推轂，汝南顒善識聲韻，為文皆用宮商，以平上去入為四聲，以此制韻，有平頭、上尾、蜂腰、鶴膝；五字之中，音韻悉異，兩句之內，角徵不同，不可增減，世呼為永明體。

聲律派的創作在當時造成了很大的聲勢和影響，因爲沈約「以爲在昔詞人，累千載而不悟，而獨得胸襟，窮其妙旨，自謂入神之作。」（《南史·沈約傳》）又由於沈約等人社會地位很高，所以大家也都爭相仿作。「至是轉拘聲韵，彌爲麗靡，復踰往時。」（《南史·庾肩吾傳》）恰如《文鏡秘府論》所說：「盛談四聲，爭吐病犯，黃卷盈篋，緗帙滿車。」關於聲律說的美學原理，沈約在其《宋書·謝靈運傳論》中曾有所述，他說：

> 夫五色相宣，八音協暢，由乎玄黃律呂，各適物宜，欲使宮羽相變，低昂互節，若前有浮聲，後須切響。一簡之內，音韻盡殊；兩句之中，輕重悉異，妙達此旨，始可言文。

所謂「浮聲」即指平聲，所謂「切響」，即指仄聲。講究聲律之目的，即是要使詩歌語言在語音上做到以平仄相間而構成和韵之美。所謂「八病」，即平頭、上尾、蜂腰、鶴膝、大韵、小韵、旁紐、正紐，就是經常易患的幾種影響和韵之美的病犯。沈約等人之感到自傲的，是前人雖也懂得要做到語音的抑揚迭代，但不能自覺的掌握其規律，所謂「高言妙句，音韵天成，皆闇與理合，匪由思至」。而他們則能自覺地運用四聲，掌握語音抑揚迭代的規律。可是，他們又走向了另一極端，對平仄的運用規定得過於細碎，而流於繁瑣，其流弊是常常拘限聲病，反喪失了自然流暢之美。誠如鍾嶸在《詩品序》中所批評的那樣：「於是士流景慕，務爲精密，襞積細微，專相陵架。故使文多拘忌，傷其眞美。」使文學創作又陷入一條狹窄的死胡同。鍾嶸對聲律派的批評是正確的，然而也有片面性，他沒有充分肯定他們的積極貢獻，一棍子打死，這是不合適的。

在這場爭論中，劉勰的主張是比較妥善的，沒有爭論雙方的片面性。劉勰既不陷入繁瑣的聲病規範之中，也不簡單的否定聲律派理論，而是深入地探討了聲律說的美學原理，並聯繫我國古代美學思想，對它作了理論上的概括。首先，劉勰指出作爲語言藝術的文學作品客觀上存在一個語言的音韻美問題。他說：

> 夫音律所始，本於人聲者也。聲含宮商，肇自血氣，先王因之，以制樂歌。故知器寫人聲，聲非學器者也。故言語者，文章神明樞機，吐納律呂，脣吻而已。

文學是以語言作爲工具來體現的，語言是由人的聲音來表示的，因此文學作品必然存在一個語言音韻美的問題。文學和音樂都是和「人聲」有不可分割關係的，都要求聲音的和諧。聲音有高有低，有輕有重，我國古代很早就講到宮、商、角、徵、羽五聲的不同，當然，音樂上的五聲和文學作品的語言音韻美是兩回事，用五聲來講語言的音韻美也只是一種比喻的說法。但不管是音樂美還是語言的音韻美，都要求和諧，這是一致的。一般說，音樂的和諧與否，人們是比較容易發現並加以調節的，而語言的音韻美、文學作品的聲律和諧，就較難求得協調，因爲它不是操縱樂器可以解決的，而要求之於內心發出的語言。他說：

今操琴不調，必知改張；摛文乖張，而不識所調。響在彼絃，乃得克諧，聲萌我心，更失和律，其故何哉？良由外聽易為巧內聽難為聰也。故外聽之易，絃以手定；內聽之難，聲與心紛；可以數求，難以辭逐。

劉勰認爲文學創作上追求聲律之美的本質，是和音樂一樣爲了求得和諧之美，爲此他論聲律的重點也就在探討語言音韻上的這種和諧之美的特點。所以，他不陷入瑣碎的四聲八病爭執之中，他明確地提出了講究聲律的關鍵是在於如何做到「和」與「韵」。他說：

凡聲有飛沈，響有雙疊。雙聲隔字而每舛，疊韻雜句而必睽；沈則響發而斷，飛則聲颺不還，並轆轤交往，逆鱗相比，迂其際會，則往蹇來連，其為疾病，亦文家之吃也。

這裏劉勰講的實際上即是當時聲律派的主要理論內容。所謂「聲有飛沉」者，即平聲和仄聲也。平聲飛而聲颺不還，仄聲沉且響發而斷。所謂「雙聲隔字而每舛」，即八病中之「旁紐」；所謂「疊韵雜句而必睽」，即八病中之「大韵」。劉勰提出的「轆轤交往，逆鱗相比」，正是要求做到「低昂互節」，「前有浮聲，後須切響」也。但是，劉勰只是講一個基本原則，並不像沈約那樣講得又死又機械。劉勰的目的是要做到「聲轉於吻，玲玲如振玉；辭靡於耳，纍纍如貫珠矣」。爲此，他說道：

是以聲畫妍蚩，寄在吟詠，吟詠滋味流於字句，氣力窮於和、韻：異音相從謂之和，同聲相應謂之韻。韻氣一定，故餘聲易遣；和體抑揚，故遺響難契。屬筆易巧，選和至難；綴文難精，而作韻甚易。

詩歌語言音韻相同的聲韻互相呼應，稱爲「同聲相應」，比如押韻、雙聲、疊韻，都可以看作是一種「同聲相應」的「韻」之美。然而，僅有這種相同音韻之間的呼應，還是比較單調的，語言音韻美的更重要方面還是在於不同聲音之間的諧和配合，這就是劉勰所說的「異音相從」之「和」。這樣就能構成抑揚頓挫的節奏，從而形成搖曳多姿的聲律之美。「韻」與「和」相比，要達到「和」是比較困難的、不容易的，因而也是講究聲律的主要內容。而「韻」是比較容易做到的，不困難的。怎樣使「飛」與「沉」相配合而達到「和」，這是頗費斟酌的，其規律亦不好掌握。劉勰指出這一點是非常深刻而精辟的。

劉勰在聲律理論上所提出的和與韻的美學原理，並不是偶然的，而是與我國傳統的美學思想發展有密切關係的。劉勰在聲律問題上所提出的和與韻的美學原則實際上就是我國傳統所講的和與同之美。早在孔子之前，我國古代的美學理論中就已經提出了和與同的概念，並對這兩種美作了比較分析。「同聲相應」的「韻」之美比較容易做到，所以在藝術的起源時期，人們已經不自覺地在運用了。比如《淮南子．道應訓》記載：「今夫舉大木者，前呼『邪許』，後亦應之，此舉重動力之歌也。」說明「同聲相應」本源於勞動。例如《吳越春秋》所載《彈歌》或傳爲黃帝時歌謠，這雖無根據，但很可能是一首原始獵歌。其云：「斷竹，續竹，飛土，逐實（古肉字）。」就已經是押韻的了。講究和之美要晚一些，但是，我國古代顯然是認爲和之美比同之美更有價值，更爲重要。比如《國語．鄭語》記載，史伯就曾提出了「和實生物，同則不繼」的命題。他認爲宇宙萬物都是由不同的因素結合才構成的，如果都是相同的因素，就無法產生衆多的百物。「聲一無聽，物一無文，味一無果，物一不講。」因此，藝術的美不在其重複共同的方面，而在其各種不同的方面如何和諧地配合好。《左傳》昭公二十年晏子也對齊侯說：政治上也要聽取不同的意見，不能只聽相同的意見。「君所謂可而有否焉，臣獻其否可以成其可。君所謂否而有可焉，臣獻其可以去其否。是以政平而不幹，民無爭心。」這也是「和」比「同」重要的表現，這個原理也可用於藝術，音樂也要「清濁、小大、短長、疾徐、哀樂、剛柔、遲速、高下、出入、周疏，以相濟也。」這種關於「和」與「同」的美學觀影響很大，後來陸機在《文賦》中提出「應、和、悲、雅、豔」的要求，其中的「應」即是「同」，「和」即是史伯等講的「和」。劉勰在《文心雕龍》中提出「和」與「韵」的問題，正是對我國古代「和」與「同」的美學思想的繼承與發展。有的研究者說，劉勰之《文心雕龍》所以受到沈約的喜愛賞識，可能就是因爲他的《聲律》篇使之感到欽佩，這也許不是毫無道理的。

關於對偶的問題，劉勰也作了十分重要的理論總結。對偶是我國古代文學特有的重要藝術表現手段，這是和漢語本身的特點有密切關係的。六朝的駢文和後來的近體詩是運用對偶的最突出代表，但是，對偶並不只是在駢文中才開始運用，而是我國古代文學創作中很早就有了的。對偶主要是講究語言修辭上的對稱之美，運用得好，可使詩文讀起來朗朗上口，十分流暢，而且於意義的表達來說，也可以反覆從不同角度深入，使讀者感到十分充實。爲此，劉勰對於對偶的方法也是充分肯定的。他指出了對偶的運用在我國有源遠流長的歷史。他說：

唐虞之世，辭未極文，而《皋陶贊》云：「罪疑惟輕，功疑惟重。」益陳謨云：「滿招損，謙受益。」豈營麗辭，率然對爾。易之文繫，聖人之妙思也。序乾四德，則句句相銜；龍虎類感，則字字相儷；乾坤易簡，則宛轉相承；日月往來，則隔行懸合：雖句字或殊，而偶意一也。至於詩人偶章，大夫聯辭，奇偶適變，不勞經營。自揚馬張蔡，崇盛麗辭，如宋畫吳冶，刻形鏤法，麗句與深采並流，偶意共逸韻俱發。至魏晉群才，析句彌密，聯字合趣剖毫析釐。然契機者入巧，浮假者無功。

在這一大段分析中，劉勰指出了對偶的運用有一個由不自覺到自覺的發展過程。先秦時期無論是散文還是詩歌，都有自然的對偶表現。唐虞三代，聖人文章中的對偶，都是「率然對爾」，不是自覺地講究對偶的。《周易》中或「字字相偶」，或「隔行懸合」，已經有多種形式。不過，劉勰這裏所說「隔行懸合」引的是《繫辭》的例子，而《繫辭》的寫作時代實際是很晚了，大約是戰國的中後期。劉勰所說仍本傳統說法，謂孔子作十翼也。（此可參見《原道》篇。）劉勰又指出到了《詩經》和《左傳》，也還是一種自然的對偶，所謂「奇偶適變，不勞經營」也。劉勰認爲到了漢代的辭賦作家那裏，才開始比較自覺的運用對偶，而且也特別盛行對偶，對偶的廣泛應用，也爲辭賦創作增添了華麗的光輝。魏晉之後，它開始被普遍地運用到詩歌創作之中，同時也特別注意對偶的工整、嚴密。不過，於對偶的原理，並不是所有的人都很明白，更不是人人都有深入研究的。「契機者入巧，浮假者無功。」

爲此就需要對它從理論上加以總結。

爲了更好地發揮對偶這種藝術表現手段的美學效果，劉勰首先指出文辭之對偶，其本源是在於客觀事物本身是自然成對的。《麗辭》篇一開始就說：

造化賦形，支體必雙；神理為用，事不孤立。夫心生文辭，運裁百慮，高下相須，自然成對。

語言文辭是表現客觀事物的，自然也會有對偶的特點。然而，這種對偶應當以所描寫的事物本身爲基礎，應當符合於事物本身「自然成對」的狀況，而不要人爲地硬加上去。劉勰在這裏提出了一個運用對偶不可勉強，必須任其自然的基本原則。他認爲這是合乎聖人運用對偶的本意的。這種觀點顯然也是和劉勰《文心雕龍》全書以循自然爲原則的思想是一致的。後來日本空海在其《文鏡秘府論》中曾對劉勰這一思想作了進一步闡述，他說：

凡為文章，皆須對屬；誠以事不孤立，必有配匹而成。至若上與下，尊與卑，有與無，同與異，去與來，虛與實，出與入，是與非，賢與愚，悲與樂，明與暗，濁與清，存與亡，進與退：如此等狀，名為反對也。除此之外，並須以類對之：一二三四，數之類也；東西南北，方之類也；青赤玄黃，色之類也；風雪霜露，氣之類也；鳥獸草木，物之類也；耳目手足，形之類也；道德仁義，行之類也；唐、虞、夏、商，世之類也；王侯公卿，位之類也。及於偶語重言，雙聲疊韻，事類甚衆，不可備敘。

空海把劉勰關於「神理爲用，事不孤立」的思想具體化了，說明對偶的運用不是偶然的，而是必然的。

關於對偶的種類，劉勰總結了創作實踐的經驗，提出有四種基本類型：言對、事對、正對、反對，並且對這四類對偶的特點及其相互關係進行了分析。言對的特點，劉勰說是：「對比空辭者也。」這是對文辭句法、格式、詞類方面的對偶。比如劉勰所舉《上林賦》的例子：「修容乎《禮》園，翱翔乎《書》圃。」事對的特點是不只是語言文辭格式、詞類等的對偶，同時還有運用典故意義上的對偶。所以說是「並舉人驗者也」。比如他所舉的宋玉《神女賦》的例子：「毛嬙鄣袂，不足程式；西施掩面，比之無色。」反對的特點是「理殊趣合」，所說事情的義理是相反的，但說明的問題則是一致的。比如他所舉的王粲《登樓賦》的例子：「鍾儀幽而楚奏，莊舄顯而越吟。」鍾儀和莊舄都吟奏楚聲（南音），但他們的遭遇却完全相反，一則處於被幽囚的地位，一則處於受寵顯赫的地位。正對的特點是「事異義同」，比如他所舉張載《七哀詩》的例子：「漢祖想枌榆，光武思白水。」具體情事雖異，但內容性質是完全一樣的。（今存張載《七哀詩》無此二句。）在這四類對偶中，還有互相交叉的關係。比如言對中既有正對，亦有反對，像劉勰所舉《尚書．大禹謨》中的「罪疑惟輕，功疑惟重」，「滿招損，謙受益」等即屬於反對。事對中亦可有正對、反對，上舉王粲《登樓賦》例即是事對中之反對，而《神女賦》例則爲事對中之正對。反過來說，正對、反對中也都可以有言對、事對。總起來說，言對、事對是一組，反對、正對是一組，兩組之間又有交叉關係。同時，劉勰也涉及到了隔句相對的方法，例如《神女賦》即是如此。對偶的方法與種類在文學創作發展過程中是十分繁多複雜的。

劉勰所舉只是幾種最基本的對偶方法和類別。後來像《文鏡秘府論》中就歸納有二十九種對偶方式。如雙擬對、聯綿對、雙聲對、疊韵對、回文對、意對、字對、聲對、側對、鄰近對、交絡對、含鏡對、背體對、雙虛實對等等，還有叫總不對對，即是全詩不對者。劉勰對四種基本對偶方式的運用之難易也作了分析。他說：「凡偶辭胸臆，言對所以爲易也；徵人之學，事對所以爲難也；幽顯同志，反對所以爲優也；並貴共心，正對所以爲劣也。」言對是比較容易的，因爲主要是文辭格式上的對偶，事對要運用典故，沒有淵博學識，就難以找到合適對偶，自然要比較難一些。正對是相類似之事，這種對偶含義淺顯，而反對是「理殊趣同」，這就更加意味深長了。

怎樣才能把對偶的方法運用得好？劉勰認爲首先要懂得文章的對偶是形式問題，它是爲內容服務的，如果內容平庸貧乏，則對偶再好也是沒有用處的。他說：「若氣無奇類，文乏異采，碌碌麗辭，則昏睡耳目。必使理圓事密，聯璧其章；迭用奇偶，節以雜佩，乃其貴耳。」所以，「理圓事密」是精妙麗辭的內在靈魂，若徒有麗辭，事理不立，只能使人感到厭煩，耳昏目睡，沒有任何意義。其次在做到「事圓理密」的前提下，又必須講究對偶的精巧，這裏最重要的是確切、精密。「是以言對爲美，貴在精巧；事對所先，務在允當。若兩事相配，而優劣不均，是驥在左驂，駑爲右服也。」言對關鍵在於精確而巧妙，事對關鍵在於允當，不僅用事恰到好處，而且所對雙方要能高下相當，否則就不能平衡，而且喪失了對稱之均勻，自然也就不那麼美了。

用典也是六朝文學創作中的一個重大問題。正確地、恰如其分地運用典故，可以使作品的思想內容進一步深化，並且具備文辭上的豐贍之美。然而，用典過多，連篇累牘，也會造成作品的艱澀，從而喪失自然眞美。此類情況，蕭子顯《南齊書．文學傳論》中曾作過這樣的描述，他說：「緝事比類，非對不發，博物可嘉，職成拘制。或全借古語，用申今情，崎嶇牽引，直爲偶說。唯覩事例，頓失精彩。」特別是鍾嶸，在《詩品序》中針對堆砌典故的創作傾向，作了嚴厲的批評。他說：

> 夫屬詞比事，乃為通談。若乃經國文符，應資博古；撰德駁奏，宜窮往烈。至乎吟咏情性，亦何貴於用事？「思君如流水」，既是卽目；「高台多悲風」，亦惟所見；「清晨登隴首」，羌無故實；「明月照積雪」，詎出經史。觀古今勝語，多非補假，皆由直尋。顏延、謝莊，尤為繁密，於時化之。故大明、泰始中，文章殆同書鈔。近任昉、王元長等，辭不貴奇，競須新事，爾來作者，寖以成俗。遂乃句無虛語，語無虛字，拘攣補衲，蠹文已甚。但自然英旨，罕值其人。詞既失高，則宜加事義，雖謝天才，且表學問，亦一理乎！

鍾嶸在這裏指出一般應用文章，可以大量用典，而作爲抒發感情的詩歌來說則不宜堆砌典故，否則就會喪失「自然英旨」。他認爲不能用學問來代替文學創作，這無疑是正確的。但是，正像他對於聲律的態度一樣，也有其片面性，把用典一概都否定了，也是不合適的。劉勰在《文心雕龍》中對用典看法，和鍾嶸是不同的。劉勰是充分肯定用典的意義和作用的。他認爲用典在我國古代文學創作中是有長遠的歷史傳統的，而且對文章寫作是有積極作用的。他說：「事類者，蓋文章之外，據事以類義，援古以證今者也」。「明理引乎成辭，徵義擧乎人事，迺聖賢之鴻謨，經籍之通矩也」。從漢代崔駰、班固、張衡、蔡邕這些作家的創作實際來看，他們「捃摭經史，華實布濩；因書立功，皆後人之範式也」。劉勰《文心雕龍》的寫作比鍾嶸《詩品》、蕭子顯《南齊書》都要早，當時從理論上明確反對用典愈多愈好，他在《事類》篇中所反映的主要思想是，在肯定用典是一種傳統的藝術表現方法的前提下，深入地研究如何才能用好典故，以增加文學作品的藝術美。

劉勰指出：文學創作一則要依靠作家的天資，一則要依靠作家的學問。才和學兩者不可缺一，如果只有單方面的長處，是很難創作出全美之作來的。他說：「才自內發，學以外成；有學飽而才餒，有才富而學貧。學貧者，迍邅於事義；才餒者劬勞於辭情：此內外之殊分也」。用典不是一個簡單的鈔書問題，而是作家是否有廣博而深淵的學識之表現。因此，「屬意立文，心與筆謀，才爲盟主，學爲輔佐。主佐合德，文采必霸；才學褊狹，雖美少功」。寡聞陋見者，寫不出眞正的好作品，必然會流於淺薄。而前人豐富的著作，「實群言之奧區，而才思之神皐也」。許多著名的作家都是從前人創作中得到啓迪的。故而，「任力耕耨，縱意漁獵，操刀能割，必裂膏腴」，那麼，文學創作是不是單靠這些學問堆積起來就能成功呢？當然不是。劉勰認爲一個作家的學問必須深廣，可是在創作中運用這些學問，以古証今，則必須十分精練、確切。他說：

是以綜學在博，取事貴約，校練務精，捃理須覈：衆美輻輳，表裏發揮。劉劭《趙都賦》云：「公子之客，叱勁楚令歃盟；管庫隸臣，呵强秦使鼓缶。」用事如斯，可稱理得而義要矣。故事得其要，雖小成績，譬寸轄制輪，尺樞運關也。或微言美事，置於閑散，是綴金翠於足脛，靚粉黛於胸臆也。

劉勰所提出的博、約、精、覈四個字，對用典的原則和要領已經概括得十分全面了。作家的學識要廣博，這樣就能爲用典之選擇提供客觀基礎；採用典故貴在簡約；選擇考校務須精確；而義理契配更尙核實，這樣才能達到「衆美輻輳，表裏發揮」的結果。用典必須抓住要害，這樣方能恰到好處，使文章生輝，否則就像把珠玉掛在脚上，脂粉塗在胸前，毫無用處，反而把它醜化了。用典用得好，就不會有像鍾嶸所說的那種「拘攣補衲」的弊病，而和自己發自內心的創作一樣。劉勰說：「凡用舊合機，不啻自其口出；引事乖謬，雖千載而爲瑕。」可見，劉勰也是反對因用典不當，而使作品失去其自然流暢之美的。他的目的也是要研究怎樣用典才能既發揮其長處，而又避免其容易造成的弊端。

除了上面這些重要的寫作技巧之外，劉勰在《章句》和《練字》等篇中對作品的語言修辭方面問題提出了不少自己的見解。首先，他認爲任何一篇作品在語言表達方面都必須條理分明，脈絡清楚。章和句的安排都是按照表達思想內容的需要來定的。「設情有宅，置言有位；宅情曰章，位言曰句」。必使字、句、章各有它相應的地位，充分發揮其應有之作用，這樣才能寫出精練的篇章。「篇之彪炳，章無疵也；章之明靡，句無玷也；句之清英，字不妄也：振本而末從，知一而萬畢矣」。這也正是對陸機《文賦》中「選義按部，考辭就班，抱景者咸叩，懷響者華彈」的進一步發揮。然而，文情多變，「篇有小大」，「調有緩急」，又需要作家能夠「隨變適會」使「其控引情理，送迎際會，譬舞容迴環，而有綴兆之位；歌聲靡曼，而有抗墜之節也」。這顯然也是本於《文賦》提出之「因宜適變，曲有微情」，「譬猶舞者赴節以投袂，歌者應弦而遺聲」而來的。劉勰還指出全篇必須前後呼應，構成一完整的整體，因此，「原始要終，體必鱗次」。使「啓行之辭，逆萌中篇之意，絕筆之言，追媵前句之旨；故能外文綺交，內義脈注，跗萼相銜，首尾一體」。必須要避免因「辭失其朋」，而「羈旅而無友」；防止由「事乖其次」，而「飄寓而不安」。這也就是《文賦》所指出的「俯寂寞而無友，仰寥廓而莫承」；「言寡情而鮮愛，辭浮漂而不歸」的文病。其次，在文字運用上，劉勰主張要簡易明白，以充分表達內容爲目的，而反對用深奧怪僻的字，也反對把許多繁體複雜的字堆積在一起。他說：「自晉來用字，率從簡易，時並習易，人誰取難？今一字詭異，則群句震驚；三人弗識，則將成字妖矣。後世所同曉者，雖難斯易；時所共廢，雖易斯難；趣舍之間，不可不察。」劉勰主張運用文字要符合時代的潮流，因爲語言是隨着社會發展而發展的，硬要去運用很多已經爲今人所不用的死去了的語言，就必然要造成閱讀上的困難。爲此，他提出：「是以綴字屬篇，必須練擇：一避詭異，二省聯邊，三權重出，四調單複。」避詭異，是指不用難懂的怪字；省聯邊，是指盡量減少像漢賦中那種排列許多相同偏旁的詞語的做法；權重出，是指努力避免重複字詞的出現。如果表達意義時確實需要，也可以有字詞的重複，但總之不宜太多；調單複，是指筆劃少的字和筆劃多的字要交錯出現，不要把很多筆劃簡單的字或很多筆劃繁多的字排列在一起，以免造成「纖疎而行劣」或「黯黕而篇闇」的缺點。第三，劉勰在《指瑕》篇中還特別指出寫作中應當注意克服的一些常見的毛病，比如文辭要有自己的獨創性，不要去因襲前人。他說：「又製同他文，理宜刪革；若掠人美辭，以爲己力，寶玉大弓，終非其有。」這自然也和《文賦》中說的：「必所擬之不殊，乃闇合於曩篇。雖杼軸於予懷，怵他人之我先。茍傷廉而愆義，亦雖愛而必捐。」其主旨是完全一致的。又比如他指出文章的字和義都應當十分明確，不能追求奇特而搞得模糊不清。他說：「若夫立文之道，惟字與義。字以訓正，義以理宣。」他指出晉末以後的作品，出現了一些奇言怪語，如「賞際奇至」、「撫叩酬酢」之類，「依希其旨」，「何預情理」，這也正是對當時不良文風的一種批評。

上述種種劉勰有關文術的論述，說明他對文學創作的寫作技巧是非常重視的。他的可貴之處，是在於論述文術而處處不忘記把內容放在首要地位。在爲表達好內容的前提下來研究文術，因此能夠對寫作技巧之運用作出正確的分析。所以，雖然都是研究的形式問題，却絕不使人感到有形式主義之弊病。

十、時序論

——論文學發展與時代的關係

劉勰對文學發展與時代的關係，在《文心雕龍》中有極爲深刻而精彩的論述，提出了大家所十分熟悉的著名論斷：「文變染乎世情，興廢繫乎時序。」這兩句名言集中地反映了他在文藝與現實關係問題上的基本思想。劉勰認爲文學是隨着時代的發展變化而發展變化的。他在《時序》篇中曾經以風和水的關係作比喻，生動而形象地闡明了時代對文學發展的影響。他說：「故知歌謠文理，與世推移，風動於上，而波震於下者。」這裏，「風動於上」指的是時代的變遷，「波震於下」指的是文學受時代變遷而發生的變化。沒有風動於上，就不會有波震於下；現實的世情有了新的面貌，文學發展也必然會有新的姿態。文學的發展是依賴時代的發展，並受其制約的。時代對文學發展的影響，不僅可以關係到文學發展是繁榮還是蕭條，而且可以直接影響到文學創作的思想內容和藝術風貌特徵。劉勰在《時序》篇中論西漢文學發展的狀況道：

爰至有漢，運接燔書；高祖尚武，戲儒簡學。雖禮律草創，《詩》、《書》未遑，然《大風》、《鴻鵠》之歌，亦天縱之英作也。施及孝惠，迨於文、景，經術頗興，而辭人勿用；賈誼抑而鄒、枚沈，亦可知已。逮孝武崇儒，潤色鴻業，禮樂爭輝，辭藻競鶩。柏梁展朝讌之詩，金堤製恤民之詠，徵枚乘以蒲輪，申主父以鼎食，擢公孫之《對策》，嘆兒寬之擬奏；買臣負薪而衣錦，相如滌器而被繡。於是史遷、壽王之徒，嚴、終、枚皐之屬，應對固無方，篇章亦不匱；遺風餘采，莫與比盛。

劉勰在這裏正是從時代政治狀況的分析出發，指出了西漢文學由蕭條而變得繁榮的過程及其社會原因。劉邦以武力取得天下，對文學並不重視。王充在《論衡・對作》篇中說：「高祖不辨得天下，馬上之計未轉，則陸賈之語不奏。」按《史記・酈生陸賈列傳》云：「陸生時時前說稱《詩》《書》。高帝罵之曰：『乃公居馬上而得之，安事《詩》《書》！』陸生曰：『居馬上得之，寧可以馬上治之乎？且湯武逆取而以順守之，文武並用，長久之術也。昔者吳王夫差、智伯極武而亡；秦任刑法不變，卒滅越氏。縱使秦已並天下，行仁義，法先聖，陛下安得而有之？』高帝不懌而有慚色，乃謂陸生曰：「識爲我著秦所以失天下，吾所以得之者何，及古成敗之國。』陸生乃粗述存亡之徵，凡著十二篇。每奏一篇，高帝未嘗不稱善，左右呼萬歲，號其書曰《新書》。」劉邦感興趣的是如何得天下、安天下，對《詩》、《書》這樣的經典都不放在眼裏，更何況文學創作？漢文帝、漢景帝等雖設經學博士多種，但對賈誼、枚乘等文人並不重用。漢武帝時，處於一個封建帝國繁榮發展的新時期，需要文學來「潤色鴻業」。漢武帝崇尚儒學，重用文學之士，於是文學遂得極大的繁榮發展，尤其是辭賦的發展達到一個高潮時期。劉勰在分析正始前後的文學時說：

至明帝纂戎，制詩度曲，徵篇章之士，置崇文之觀，何、劉群才，迭相照耀。少主相仍，唯高貴英雅，顧盼含章，動言成論。於時正始餘風，篇體輕澹，而嵇、阮、應、繆，並馳文路矣。

社會政治發展的狀況滲透到了文學之中，玄學清淡興起，使一時期的文學在思想內容和藝術風貌方面，形成了自已很鮮明的特點。

劉勰在論述文學發展和時代關係時，所反映的這種對文藝和現實關係認識上的樸素唯物主義思想，是和他對文學本質問題的看法有密切關係的。劉勰認爲「文」原於「道」，「道」是內容，「文」是其表現形式。「道」是指事物的本質和規律。宇宙萬物是不斷發展變化的，「道」在不同時期有不同的內容，因此，文也必然有不同的特點。「道」是第一位的，「文」是第二位的。這種思想反映在對文學發展和時代關係的認識上，即是重視社會現實的「世情」對文學發展及其特點的制約作用。從文學創作的角度來說，由於劉勰接受了《樂記》中「人心感動」思想的影響，認爲詩歌的產生乃是人心受外物的觸動與感化的結果。前面我們已經說過，劉勰所說物的內容，不僅有自然事物，也包括社會生活內容，因此，時代變遷對文學發展的影響，也正是物對心的作用之一種表現。

劉勰強調「文變染乎世情，與廢繫乎時序」，那麼，現實的「世情」究竟是那些因素對文學的發展產生着直接的影響呢？從劉勰在《時序》篇中對文學發展與時代關係的分析來看，歸納起來，大約有以下幾個主要的方面：

第一，是政治對文學的影響。政治的治或亂，深刻地反映在文學的風貌特徵之中。堯舜之際，「

德盛化鈞」，「政埠民暇」，所以「『薰風』」詩於元后，『爛雲』歌於列臣。盡其美者何？乃心樂而聲泰也。」到西周末年，政治昏暗，至平王東遷，國力亦已衰微，於是「幽、厲昏而《板》、《蕩》怒，平王微而《黍離》哀。」詩歌發展到了變風、變雅的時代。這種觀點基本上是承襲季札觀樂、《禮記・樂記》、《毛詩大序》等而來，並沒有什麼新的特點。不過，在文學和政治的關係上，劉勰的眼光顯然是比傳統儒家的見解要更爲開擴的。他並沒有局限在政治亂對文學的一般影響上，而是善於比較深入地具體分析特定歷史時期的政治鬥爭特點，以及對文學發展的具體影響，這是很不容易的。比如他對以屈原和宋玉爲代表的《楚辭》的藝術特徵形成原因的分析，就很突出地反映了這種特點。他把屈原和宋玉的作品放在戰國的歷史環境裏，聯繫孟子、荀子的散文，鄒衍、騶奭的說辭，指出它們的共同特點，然後來尋找其社會原因。他說明當時政治鬥爭的特點是七雄爭霸，圖謀統一，縱橫之說遂成爲各國君主所歡迎的時髦學說。縱橫家爲了使自己的主張爲當權者所重視和接受，盡量誇張描述，努力把自己有關統一的方針敍說得頭頭是道，甚至把它理想化，以求得主人賞識。當時各國的執政者爲求得實現統一霸業的策略、方針，也很樂意聽他們的詭說。因此，這個時代人們的思想極爲活躍，智力也特別發達，尤其善於用誇張、比喻的方法來表達自己的思想感情。例如《戰國策・楚策》中記載莊辛說楚襄王一段。楚襄王因「淫逸侈靡，不顧國政」，給楚國帶來了嚴重危機，於是悔不聽莊辛之言，重新召莊辛至。其云：

莊辛至。襄王曰：「寡人不能用先生之言，今事至於此，為之奈何？」莊辛對曰：「臣聞鄙語曰『見兎而顧犬，未為晚也；亡羊而補牢，未為遲也。』臣聞昔湯、武以百里昌，桀、紂以天下亡。今楚國雖小，絶長續短，猶以數千里，豈特百里哉？

王獨不見夫蜻蛉乎，六足四翼，飛翔乎天地之間，俯啄蚊虻而食之，仰承甘露而飲之，自以為無患，與人無爭也；不知夫五尺童子，方將調鈎膠絲，加己乎四仞之上，而下為螻蟻食也。

蜻蛉其小者也，黄雀因是已。俯噣白粒，仰棲茂樹，鼓翅奮翼，自以為無患，與人無爭也；不知夫公子王孫，左挾彈，右攝丸，將加己乎十仞之上，以其頸為的，倏然之間，墜於公子之手，晝游乎茂樹，夕調乎酸鹹。

夫雀其小者也，黄鵠因是已。游乎江海，淹乎大沼，俯噣鱔鯉，仰嚙蔆衡，奮其六翮而凌清風，飄揺乎翱翔，自以為無患，與人無爭也；不知夫射者，方修其笲盧，治其矰繳，將加己乎百仞之上，被礛磻，引微繳，折清風而抎矣。故晝游乎江河，夕調乎鼎鼐。

夫黄鵠其小者也，蔡靈侯之事因是已。南游乎高陂，北陵乎巫山，飲茹溪之流，食湘波之魚，左抱幼妾，右擁嬖女，與之馳騁乎高蔡之中，而不以國家為事；不知夫子發方受命乎宣王，繫已以朱絲而見之也。

蔡靈侯之事其小者也，君王之事因是已。左州侯，右夏侯，輦從鄢陵君與壽陵君；飯封祿之粟，而載方府之金，與之馳騁乎雲夢之中，而不以天下國家為事；不知夫穰侯方受命乎秦王，填黽塞之內，而投己乎黽塞之外。」

莊辛這一番誇誕的說辭，使「襄王聞之，顏色變作，身體戰慄。」這種鋪張、瑰麗的文辭確是和《楚辭》具有相類似的特點。劉勰說屈原、宋玉作品中「暐燁之奇意，出乎縱橫之詭俗」，是很有道理的。清代章學誠在《文史通義·詩教》篇中說：「戰國者，縱橫之世也。」縱橫家之說辭「抵掌揣摩騰說以取富貴，其辭敷張而揚厲，變其本而加恢奇焉，不可謂非行人辭命之極也」。故能「委折而入情，微婉而善諷」。這也可以看出它確是和《楚辭》有很多共同之處的。

第二，是社會經濟發展狀況以及所造成的風俗習氣對文學的影響。社會經濟發展是繁榮昌盛還是衰敗凋弊，會直接影響到社會的風俗習氣以及人們的思想狀況，這些必然會反映到文學創作中來，並形成爲某種特殊的風貌。劉勰對建安文學特徵及其與社會時代關係的分析就比較突出地說明了這一點。他說：「觀其時文，雅好慷慨，良由世積亂離，風衰俗怨，並志深而筆長，故梗概而多氣也。」建安時期由於戰亂頻繁，社會經濟遭到嚴重破壞，民不聊生。曹操在《蒿里行》中說：「白骨露於野，千里無鷄鳴，生民百遺一，念之斷人腸。」王粲《七哀詩》中說：「出門無所見，白骨蔽平原。」繁華富饒的中原地區，變得一片荒涼。爲此許多有志向、有抱負的進步知識分子面對這樣的現實都有很深沉的感慨。他們希望改變動亂、分裂的政治局面，發展生產，使百姓能安居樂業，但是又痛感自己力量之不足，隨着年華之消逝，理想不能實現，都懷有一種慷慨悲壯的憤激之情，它傾瀉到詩歌之中，遂形成爲後人所說的「建安風骨」。曹操在《短歌行》中寫道：「對酒當歌，人生幾何？譬如朝露，去日苦多！慨當以慷，幽思難忘，何以解憂，唯有杜康。」時光流馳，歲月蹉跎，功業未成，壯志未酬，是多麼使他感到心憂啊！建安時代的代表詩人曹植也是如此，《雜詩》其五云：「江介多悲風，淮泗馳急流，願欲一輕濟，惜哉無方舟。」空有濟世安民之志而找不到實現它的途徑。他一生被排擠、遭猜疑的坎坷遭遇，使其「戮力上國，流惠下民」的理想，終成泡影。其《野田黃雀行》云：「高樹多悲風，海水揚其波。利劍不在掌，結交何須多！」世態的炎涼，人心之叵測，使他感到深深的悲哀，空有藩侯之位，而無絲毫實權，如何能「建永世之業，流金石之功」？只能對知己傾訴衷腸：「慷慨有悲心，興文自成篇。……彈冠俟知己，知己誰不然！」（《贈徐幹》）因此他的詩中處處充溢着悲慨之情、不平之氣。其《雜詩》之一云：「高臺多悲風，朝日照北林。之子在萬里，江湖迥且深。」《雜詩》之二又云：「轉蓬離本根，飄飄隨長風。何意迴飆擧，吹我入雲中。高高上無極，天路安可窮？」一生漂泊，有如轉蓬，江湖歧路，天門難覓。這樣一種詩歌的風貌特徵，正是和時代的社會經濟狀況有着深刻的內在聯繫的。所以，劉勰在《明詩》篇中概括建安詩歌的內容。是以寫「憐風月，狎池苑，述恩榮，敍酣宴」爲主。三曹七子都有「慷慨以任氣，磊落以使才」的特色，在藝術描寫上力求清晰明朗，「造懷指事，不求纖密之巧；驅辭逐貌，唯取昭晰之能」。

第三，是學術思想的變遷對文學的影響。兩漢魏晉南北朝時期，我國的學術思想曾經歷了幾次大的變遷。西漢前期黃老思想比較盛行，而儒家思想不受重視。所以，司馬遷寫《史記》也反映了「論大道則先黃老而後六經」（班固《司馬遷傳贊》）的傾向。但是，從漢武帝「罷黜百家，獨尊儒術」之後，儒家思想成爲統治階級的統治思想，好幾百年間幾乎處於壟斷地位。到東漢末年儒家思想開始衰落，刑名法道等爭相興起，爾後，玄學思想得到大發展，盛行於兩晉南北朝時期。這種學術思想發展上的重大變化，對文學發展產生了極爲深刻的影響。劉勰對這一點是有十分清楚的認識的。他論東漢的文學狀況道：

> 自哀、平陵替，光武中興，深懷圖讖，頗略文華，然杜篤獻誄以免刑，班彪參奏以補令，雖非旁求，亦不遐棄。及明帝疊耀，崇愛儒術，肄禮璧堂，講文虎觀，孟堅珥筆於國史，賈逵給札於瑞頌，東平擅其懿文，沛王振其通論，帝則藩儀，輝光相照矣。自和、安已下，迄至順、桓，則有班、傅、三崔，王、馬、張、蔡，磊落鴻儒，才不時乏，而文章之選，存而不論。

劉勰指出東漢時期正是由於纖緯迷信學說的廣泛流行，許多文人崇儒尊經，去搞繁瑣的經書注釋，因此文學創作不受重視，也很蕭條。這個時期可以舉出許多有名的鴻儒，但文學家和優秀的文學作品則不多，只好存而不論了。而從西漢時期文學創作的特點來看，西漢前期由於黃老思想影響，作家偏重於發揮自己的天賦才氣，其創作不以學識淵博見長；而從西漢後期開始，由於儒學的影響遍及各方面，注解經書的風氣籠罩整個學術文化領域，所以文學創作也多以學識豐富爲優，而不以才氣居勝。故而劉勰在《才略》篇中說：「然自卿、淵以前，多俊才而不課學；雄、向以後，頗引書以助文：此取與之大際，其分不可亂者也。」魏晉玄學的興起和發展，對文學創作的影響就更爲顯著了。他說：

> 自中朝貴玄，江左稱盛；因談餘氣，流成文體。是以世極迍邅，而辭意夷泰；詩必柱下之旨歸，賦乃漆園之義疏。

他在「明詩」篇中亦有一段類似的重要論述，他說

江左篇制，溺乎玄風，嗤笑徇務之志，崇盛忘機之談。袁、孫已下，雖各有雕采，而辭趣一揆，莫與爭雄。

玄學清談風氣對文學發展的影響很大，但也是相當複雜的。從其流弊的方面來說，主要是有些作家簡單地把詩賦作爲談玄的工具，而忽略了詩賦這種文學形式本身的審美特徵和藝術本身的規律，混淆了文學與非文學的區別，於是把文學創作變成了老莊玄學的疏解，即所謂「詩必柱下之旨歸，賦乃漆園之義疏」。由於這種玄言詩喪失了美學特徵，就變得「辭意夷泰」「辭趣一揆」，缺少感情抒發與生動形象，於是就沒有滋味了。誠如鍾嶸在《詩品序》中所說的：「理過其辭，淡乎寡味。」劉勰對玄言詩的批評正是從這一角度出發的。但這並不意味着劉勰對玄學的否定，更不等於他不接受玄學的美學思想影響。事實上，玄學對文學的影響還有積極的一方面，這就是玄學的言不盡意論、形神關係論、虛實關係論等，對六朝乃至整個中國文學的發展以及中國古代文學藝術的民族傳統之形成，都有着不可估量的深刻影響。即以六朝的文學創作而言，在六朝文學創作中占有十分重要地位的山水、田園、隱逸詩，像陶淵明、謝靈運這樣的重要詩人，都是在玄學思想影響下產生的。而劉勰在《文心雕龍》中對山水田園詩的評價也是充分肯定的。所謂「莊老告退，而山水方滋」，不過是說明由單純描寫空虛玄理，而發展到借山水意境來體現玄理，克服了不重視文學審美特徵的缺點，並非指玄學對文學影響已經告終。同時劉勰本人的創作思想，實際上也是以玄學道家的美學和文藝思想爲主的。他論文以

自然爲最高美學原則，強調神思、虛靜、隱秀等等，如我們前面所論，均足以充分說明這一點。

第四，是帝王的提倡和尊重文才對文學發展的影響。劉勰在《時序》篇中對帝王和掌權者對文學的態度是十分重視的。這裏當然也有誇大帝王作用的封建時代歷史局限性在內，但是，我們也的確不能否認統治者的態度及對文人的政策，是和文學的發展有重大關係的。劉勰指出漢高祖劉邦和光武帝劉秀對文人都不重用，也不喜愛文學，是造成西漢初年和東漢初年文學不很繁榮的重要原因之一。而漢賦的發達就和漢武帝喜好文學，要求以文學來「潤色鴻業」有很大的關係。他又指出建安文學之所以欣欣向榮，文人之所以集中於曹魏一方，是和曹氏父子的態度與政策分不開的。他說：

自獻帝播遷，文學蓬轉，建安之末，區宇方輯。魏武以相王之尊，雅愛詩章；文帝以副君之重，妙善辭賦；陳思以公子之豪，下筆琳瑯；並體貌英逸，故俊才雲蒸。仲宣委質於漢南，孔璋歸命於河北，偉長從宦於青土，公幹徇質於海隅，德璉綜其斐然之思，元瑜展其翩翩之樂，文蔚、休伯之儔，于叔、德祖之侶，傲雅觴豆之前，雍容衽席之上，灑筆以成酣歌，和墨以藉談笑。

眞是盛況空前啊！曹氏父子不僅自己喜愛文學創作，而且十分尊重人才，愛惜人才，即使像陳琳那樣原先依附袁紹痛罵過曹操的人，後來歸附曹魏的時候，曹操也並沒有對之進行報復，只是和他開了個玩笑，說：「卿昔爲本初（袁紹之字）移書，但可罪狀孤而已。惡惡止其身，何乃上及父祖邪？」（《三國志·魏志·陳琳傳》）仍然對他很重用。這不僅說明曹操的寬宏大量，而且也充分說明他對人才之重視。這自然會吸引文人投身於其門下，也會對文學創作發展產生積極的促進作用。

第五，前代文學遺產對文學發展的影響。文學的發展除了社會原因之外，還要受到前代文學遺產的影響，這一點劉勰也看到了。任何一個時代的文學之發展，都不可能是完全憑空而出現的，都只能在前代文學遺產基礎上來發展。劉勰在論到漢代辭賦的發展演變時說：

爰自漢室，迄至成、哀，雖世漸百齡，辭人九變，而大抵所歸，祖述《楚辭》，靈均餘影，於是乎在。

漢代辭賦是在《楚辭》的基礎上發展起來的，劉勰在《詮賦》篇中列舉十家辭賦之英傑的特點，說明漢賦在不同發展階段，確是各有特點的。此處所謂「九變」，乃言其多也。然而，不管變化有多大，都可以清楚地看到屈原及《楚辭》的影響。

對於文學發展和時代關係的這些分析，說明劉勰的認識是有相當的深度的。不過，我們追溯其歷史淵源，應該看到關於文學藝術是反映時代狀況和現實世情的觀點，在我國古代也是有悠久的傳統的。《詩經》的作者就已經明確地說明過他們的詩篇是針對政治良窳和現實世情而寫的。「家父作誦，以究王訩，試識爾心，以畜萬邦。」（《小雅・節南山》）「維是褊心，是以爲刺。」（《魏風・葛履》）「夫也不良，歌以訊之。」（《陳風・墓門》）《國語・周語》中記載召公諫厲王說：「故天子聽政，使公卿至於列士獻詩，瞽獻曲，……」也正是因爲從詩中可以察見民情風俗。而季札觀樂則是從理論上自覺地把詩樂和社會政治緊密地聯繫了起來。《左傳・襄公元二十九年》載其評論云：「使工歌《周南》、《召南》，曰：『美哉！始基之矣，猶未也，然勤而不怨矣！』爲之歌《邶》、《鄘》、《

衞》，曰：『美哉，淵乎！憂而不困者也。吾聞衞康叔、武公之德如是，是其《衞風》乎？……』強調文學藝術是政治狀況的反映，從中可以了解風俗民情，察見人心之向背，這是儒家文藝思想的一個核心內容。從孔子、孟子、荀子一直到《禮記·樂記》，對文藝和社會政治關係的理論，逐步發展成熟。「治世之音安以樂，其政和；亂世之音怨以怒，其政乖；亡國之音哀以思，其民困。聲音之道與政通矣。」劉勰關於文學和時代關係的論述，正是在這樣一種歷史傳統觀點的影響下提出來的。但是，傳統儒家所說的文藝和政治的關係，是從文藝的社會教育作用方面提出問題的，側重說明文藝對政治所起的影響和作用。而劉勰是從文藝反映現實的角度提出問題的，側重在社會現實對文藝所產生的影響和作用。所以，劉勰的這種觀點，又和漢代一些文藝思想家對文藝和現實關係的論述有密切聯繫。比如班固論漢樂府民歌時說的「皆感於哀樂，緣事而發」，（《漢書藝文志·詩賦略論》），以及何休《春秋公羊傳解詁》中所說的《詩經》乃是「男女有所怨恨，相從而歌。飢者歌其食，勞者歌其事」。詩歌既然是描寫社會現實的，那麼，社會現實的發展變化，自然也要使詩歌的內容發生變化，從而也在藝術上形成新的特點。再從心物關係方面說，《禮記·樂記》中有關人心感動而後動的觀點，也爲劉勰有關文藝和時代關係的論述，奠定了具有樸素唯物主義色彩的哲學思想基礎。因此，劉勰《詩序》篇中這樣一種對文藝和時代關係的深刻分析，也決非偶然。

三、知音論

——論文學的欣賞與批評

劉勰在《文心雕龍》中對文學的欣賞和批評也提出了許多很好的見解，這些集中反映在他的《知音》篇裏。但是，我們分析劉勰的欣賞論與批評論，又不能局限於《知音》一篇，因爲《知音》篇的論述是在全書的基本文藝思想基礎上來進行的。

劉勰很清楚他認識到文學的欣賞與批評，和文學的創作有很不同的特點。他說：「夫綴文者情動而辭發，觀文者披文以入情。」作家的創作是一個由情到辭的過程。作家在生活中獲得感受，由於外物的觸動，興起了情，凝聚成爲構思中的意象，醞釀成熟了，才用語言文辭將之表達出來。而欣賞者、批評者則正好與此相反，他們是先接觸文辭，是一個由文而入情的過程。讀者先受到藝術形象的感染，然後再深入一步體會到作家主觀的情志。「情動而辭發」和「披文以入情」是兩個剛好相反的過程。前者是由隱到顯，由內到外，恰如《體性》篇所說：「情動而言形，理發而文見，蓋沿隱以至顯，因內而符外者也。」後者則是由顯而探隱，從外而入內，因辭而見理，借文而體情。按照《隱秀》篇的論述來說，文學創作是隱借秀而外現，文學批評則必須由秀而知隱。劉勰揭示文學欣賞批評和文學創作不同的特點，是很有意義的。因爲這正是文學批評家對作品評價往往與作家本人有所不同的原因之一。讀者欣賞文藝作品，首先接觸作品的語言形象，而文學作品的藝術形象是包含着作家的主觀因素和現實生活客觀因素兩方面，作家的主觀情意和褒貶態度是體現於客觀現實生活內容之中的。讀者接觸藝術形象，一般說首先要了解其客觀現實生活內容，而對於這種客觀生活內容，也即是客觀物象，由於讀者本人的生活、思想、經歷等等的不同，可以得出和作家的主觀認識很不同的理解，這不僅有深淺之差別，而且可能得出和創作者相反的看法。這種情況，後來王夫之在《姜齋詩話》中曾經說過：

> 作者用一致之思，讀者各以其情而自得。故《關雎》，興也；康王晏朝，而即為冰鑒。「訏謨定命，遠猷辰告」，觀也；謝安欣賞，而增其遐心。人情之游也無涯，而各以其情遇，斯所貴於有詩。

同樣一篇作品，讀者和作者可以得出不同的結論，不同的讀者也可以得出不同的結論。《詩經》中的《關雎》一篇按毛詩解釋是「興」詩，《毛詩序》云：「《關雎》，后妃之德也。」「《關雎》樂得淑女以配君子，憂在進賢，不淫其色，哀窈窕，思賢才，而無傷善之心焉。是《關雎》之義也。」但是，按照齊、魯、韓三家詩說，則以爲是諷刺周康王荒淫失政的。《魯詩》說：「後夫人鷄鳴佩玉去君所，周康王后不然，故詩人嘆而傷之。」《後漢書·皇后記》云：「康王晚朝，《關雎》作諷。」而《大雅·抑》篇中「訏謨定命，遠猷辰告」兩句，是勸告當政者應以遠大的謀劃來確定政令，發布詔誥的。但是東晉時的謝安特別欣賞這兩句詩，認爲「偏有雅人深致」（《世說新語·文學》），這是因爲謝安是有理想抱負的，希望在政治上有所作爲，統一南北，曾領導著名的淝水之戰，指揮其侄謝玄獲得大勝。這兩句詩正好能代表他的這種志向，所以特別喜愛。這就說明文學的欣賞與批評和批評者本人很密切的關係，同時也是文學欣賞和批評本身的規律和特點決定的。

劉勰認爲要開展正確的文學批評，是一件很困難的事，《知音》篇中一開始就說：「知音其難哉！音實難知，知實難逢；逢其知音，千載其一乎！」一則文學作品本身門類衆多，品種複雜，萬紫千紅，各有千秋，要正確地鑒別其優劣，實在是不容易的。二則批評者的狀況也各不相同，愛憎好惡懸殊極大，水平修養也有高低。爲此，歷史上的文學批評存在着主觀、片面、淺薄等許多不良傾向。對於這種狀況，劉勰是很不滿意的。他說：

> 夫麟鳳與麏雉懸絕，珠玉與礫石超殊，白日垂其照，青眸寫其形。然魯臣以麟爲麏，楚人以雉爲鳳，魏氏以夜光爲怪石，宋客以燕礫爲寶珠。形器易徵，謬乃若是，文情難鑒，誰曰易分？夫篇章雜沓，質文交加；知多偏好，人莫圓該。慷慨者逆聲而擊節，醞藉者見密而高蹈，浮慧者觀綺而躍心，愛奇者聞詭而驚聽。會己則嗟諷，異我則沮棄；各執一隅之解，欲擬萬端之變；所謂「東向而望，不見西牆」也。

由於批評者的主觀和無知，往往會埋沒一些優秀的作品，以劣爲優，就會對文學創作的發展產生不好的影響。批評者只以個人愛好爲標準，必然要出現片面性，結果就「各執一隅之解，欲擬萬端之變」，這就難以對文學作品作出全面的公正的評價。所以，劉勰在《序志》篇中曾對他以前的文學批評著作進行了批評，他說：

詳觀近代之論文者多矣！至於魏文述《典》、陳思序《書》、應瑒《文論》、陸機《文賦》、仲洽《流別》、宏範《翰林》，各照隅隙，鮮觀衢路，或臧否當時之才，或銓品前修之文，或泛舉雅俗之旨，或撮題篇章之意。魏《典》密而不周，陳《書》辯而無當，應《論》華而疏略，陸《賦》巧而碎亂，《流別》精而少巧，《翰林》淺而寡要。又君山、公幹之徒，吉甫、士龍之輩，泛議文意，往往間出，並未能振葉以尋根，觀瀾而索源。

劉勰認爲歷代這些文學批評著作之所以有這樣或那樣的缺點，歸結起來，都是由於「各照隅隙，鮮觀衢路」，缺乏一種宏觀的批評，而過多地強調了一隅之見。以偏概全，以「一隅之解」來說明「萬端之變」，就必然要發生偏差。

劉勰還進一步指出，這種主觀的、片面的文學批評主要表現在三個方面。第一，是「貴古賤今」，比如：「昔《儲說》始出，《子虛》初成，秦皇、漢武，恨不同時；既同時矣，則韓囚而馬輕，豈不明鑒同時之賤哉？」這種弊病確是古已有之，它大約是和儒家所提倡的「述而不作，信而好古」有關係的。劉勰還引用了《鬼谷子·內揵》篇中的兩句話：「日進前而不御，遙聞聲而相思」，來批評這種「賤同而思古」的傾向。第二，是「崇己抑人」，比如：「至於班固、傅毅，文在伯仲，而固嗤毅云：『下筆不能自休。』及陳思論才，亦深排孔璋；敬禮請潤色，嘆以爲美談；季緒好詆訶，方之於田巴，意亦見矣。故魏文稱『文人相輕』，非虛談也。」一般的文人往往有缺乏自知之明的毛病，總喜歡誇大自己的長處，看不到自己的短處，對別人看到人家缺點，看不到人家長處，容易以己之長比人之短，這自然也就不能對別人創作作出恰當的評論。第三，是「信僞迷眞」，比如：「至如君卿脣舌，而謬欲論文，乃稱『史遷著書，諮東方朔』；於是桓譚之徒，相顧嗤笑。彼實博徒，輕言負誚，況乎文士，可妄談哉？」批評者本人學識淺薄，只憑能言善辨，而隨便評論文學創作，這自然只能造成混亂。這三種不良的文學批評傾向，有的是由於認識不足，思想方法上有片面性；有的是由於突出個人，恃才傲物；有的是由於不學無術，信口開河，都是不健康，不正確的。劉勰認爲眞正的健康的正確的文學批評，應當堅持客觀的、科學的原則，必須做到「無私於輕重，不偏於愛憎」。

那麼，怎樣才能堅持文學批評中的客觀的、科學的正確態度呢？劉勰認爲關鍵是批評者本人必須加強自己的修養，提高自己水平。他說：「凡操千曲而後曉聲，觀千劍而後識器；故圓照之象，務先博觀」。「要進行文學批評，批評者本人必須有廣博的知識，最好自己有豐富的創作實踐經驗，能懂得和掌握文學批評和文學創作的規律，即或自己創作實踐不多，也必須要閱讀和研究大量的作品，加以比較和鑒別。必須是內行，才能識別好壞。這一點，曹植在《與楊德祖書》中曾經說過類似的意思。他說：「蓋有南威之容，乃可以論於淑媛；有龍泉之利，乃可以議於斷割。」強調批評家本身必須首先是一個有才能的作家，如果自己寫不出優秀作品，沒有創作才華，就沒有資格去批評別人。這個說法是有道理的，但未免對批評家過於苛求了。我們不能要求批評家一定也必須是作家，當然，批評家如果本人有創作實踐經驗，這是有利於他提高文學批評水平的，但是創作和批評畢竟是有區別的，不可能人人都是通才。劉勰提出的「圓照之象，務先博觀」之說，比曹植之論要更合乎實際，也公正得多了。批評者有「博觀」的基礎，就能夠「閱喬岳以形培塿，酌滄波以喻畎澮」，綜觀全局，給作品以恰如其分的歷史評價，眞正做到「平理若衡，照辭如鏡矣」。

然而，批評者僅有「博觀」的修養還是不夠的，還必須懂得欣賞和批評文學作品的方法，知道從什麼地方去判別作品的優劣。爲此，劉勰提出了「六觀」的問題，他說：

將閱文情，先標六觀：一觀位體，二觀置辭，三觀通變，四觀奇正，五觀事義，六觀宮商。斯術既形，則優劣見矣。

劉勰提出的這「六觀」，是與文學批評的「披文以入情」特點有關的。「六觀」即是「披文以入情」的具體途徑與方法。「六觀」都是指「文」（即文辭）的特點而說的，然而，又並非與「情」割裂的，它是要求批評者以「文」的六個關鍵方面來觀其「情」的。目的還是在「入情」，而不只是在「文」，但是不從這六個方面去探求，則無以「入情」。「六觀」是分析文學作品優劣的方法，而並不是批評標準。現在我們來分析「六觀」的具體內容。「一觀位體」，是指要考察文學作品的體裁風格和它所包含的情理是否相契合。〈定勢〉篇云：「夫情致異區，文變殊術，莫不因情立體，即體成勢也」。文學作品的「體」是因「情」的內容來立的，故而要從「位體」的角度來研究它是否能最充分地體現「情理」。〈鎔裁〉篇云：「情理設位，文采行乎其中。剛柔以立本，變通以趨時。立本有體，意或偏長；趨時無方，辭或繁雜。」可見，「位體」的本質是在情理之安排是否妥當。「二觀置辭」，是指文辭運用是否能充分表達內容。〈情采〉篇云：「是以聯辭結采，將欲明理，采濫辭詭，則心理愈翳。」置辭是否妥貼，是和內容密切聯繫著的，而不是只看它是否華麗。〈附會〉篇云：「若統緒失宗，辭味必亂，義脈不流，則偏枯文體。」文學作品的創作要「附辭會義」，由辭而明義，辭和義是不能分開的。「三觀通變」，是指要考察文學作品在處理繼承和創新方面是否做到了在通的基礎上有變，在認眞繼承前代文學優秀傳統的前提下，有所創造，有所發展，作出新的貢獻。能不能「憑情以會通，負氣以適變」，而做到「望今制奇，參古定法」。劉勰是反對因襲模擬的，但也反對一味追求新變，而丟掉自己的傳統。「四觀奇正」，是指內容是否純正、形式是否華美，以及兩者的關係處理得是否正確。〈辨騷〉篇云：「若能憑軾以倚〈雅〉〈頌〉，懸轡以馭楚篇，酌奇而不失其眞，翫華而不墜其實；則顧盼可以驅辭力，欬唾可以窮文致，亦不復乞靈於長卿，假寵於子淵矣。」這裡「酌奇而不失其眞」的「眞」，唐寫本作「貞」即「正」之意。劉勰這一段中所說的奇不失正、華不墜實，亦即此篇上文所說《楚辭》能「取鎔經意」又「自鑄偉辭」之意。「奇正」即「華實」，能「銜華而佩實」，則能得奇正之旨矣。故〈風骨〉篇云：「若夫鎔鑄經典之範，翔集子史之術，洞曉情變，曲昭文體，然後能孚甲新意，雕畫奇辭。昭體故意新而不亂，曉變故辭奇而不黷。」要做到意新辭奇，則能達到奇正合宜之目的。劉勰在這裡也明顯地表現了他的儒家思想影響之局限性，他所謂的「正」，即是要符合於儒家經義之規範。〈定勢〉篇中說：「舊練之才，則執正以馭奇；新學之銳，則逐奇而失正。」劉勰之所以要「觀奇正」，正是要考察文學作品是「執正以馭奇」呢，還是「逐奇而失正」。「五觀事義」是指要考察文學作品中所描寫的客觀內容與作家主觀情志是否協調，亦即作品中思想內容的客觀因素是否統一。劉勰在〈附會〉篇中說文學作品「必以情志爲神明，事義爲骨髓，辭采爲肌膚，宮商爲聲氣」。事義是要體現情志的，如果事義與情志相乖戾，則文學作品肯定是寫不好的。同時，事義本身也有是否眞實可信的問題。所以，劉勰在〈宗經〉篇提出了「事信而不誕」、「義直而不回」的問題。如果是運用典故，還有是否確切的問題。「六觀宮商」，是指文學作品的聲律美問題。聲律美關鍵是能否做到有和、韵之美。同時，聲律也能體現作者的感情狀態。〈聲律〉篇說：「標情務遠，比音則近。」情和聲是有密切關係的。可見，「六觀」從表面上看似乎主要是從藝術形式方面來考察的，但是實質上都和內容有不可分割的內在聯繫，均是由「文」以「入情」的具體途徑。

不過，「六觀」畢竟還只是一般的考察文學作品優劣的幾個方面，要眞正有精深的鑒別能力，善於一針見血地指出作品的要害所在，關鍵是在能夠「見異」。他說：「昔屈平有言：『文質疏內，衆不知余之異采。』見異唯知音耳。」優秀的文學作品必然會有自己的獨特特點，有其不同於一般作品的「異采」，能夠發現作品「異采」之所在，就是具有「識深鑒奧」能力的表現，才可以稱得上是一位有水平的批評家，是作家的「知音」。「見異唯知音」，這是劉勰對文學批評理論的一個十分重要的見解。「見異」就是要發現作家作品在思想和藝術上的獨創性和不同於其他作家作品的特徵所在。

我們從《文心雕龍》中劉勰對歷代作家作品的評論來看，他本人確實是一位善於「見異」的知音。劉勰在他的文學批評實踐中，對作家作品的評論，總是要指出它比前代作家作品有些什麼新的地方，作出了一些什麼新的貢獻，同時也總是要指出它和同時代作家作品相比，又有什麼自己的特色。在〈詮賦〉篇中我們可以看到他對辭賦發展過程中十家「辭賦之英傑」各自特點的概括，是多麼的精練而準確！〈時序〉篇中，他對每一個時代文學發展特點的分析，又是何等的深刻而透闢！後來許多文藝家正是從這裡受到啓發，而特別重視文學批評要善於發現同中之異的。比如明代的謝榛在《四溟詩話》中就強調只有「異其異」才是最難的，他說：「人但能同其同，而莫能異其異。吾見異其同者，代不數人爾。」能不能「見異」，對一個批評家來說，不僅要博觀多識，而且要靠他識鑒的深度，能「心敏理達」，洞察玄奧，方可「曉聲」、「識器」，而後「見異」。

劉勰關於文學的欣賞和批評方面的這些重要思想，也是有其歷史淵源的。其中孟子、王充、曹丕、葛洪等人對文學欣賞和批評的態度與方法的論述，對劉勰的影響最爲深刻。孟子提出的「知人論世」、「以意逆志」的文學批評方法，其實質正是要求批評家要比較客觀地去評論作品，避免「斷章取義」的那種主觀主義的文學批評，以免曲解了詩歌的本意。同時，孟子也指出了要按照文學創作的特點和規律去理解作品，而不能局限於字面上的一知半解。這些對劉勰的文學批評論的提出是有很大啓發作用的。劉勰在〈夸飾〉篇中還特別提到對文學誇張描寫的意義，就應當按照孟子所說的「不以文害辭，不以辭害意」的原則去理解。王充在《論衡》中曾對當時批評界那種貴古賤今的傾向，進行了尖銳的諷刺和揭露，有力地駁斥了其荒謬、有害的種種論調。他在〈案書篇〉中說：「夫俗好珍古不貴今，謂今之文不如古書。夫古今一也。才有高下，言有是非，不論善惡而徒貴古，是謂古人賢今人也。」而實際上，「才有淺深，無有古今；文有僞眞，無有故新。」不能以古今來論高下，而應當以客觀存在的作家實際才能、作品的實際水平，來評論優劣。《齊世篇》中說：「世俗之性，賤所見，貴所聞也。有人於此，立義建節，實覈其操，古無以過，爲文書者，肯載於篇籍，表以爲行事乎？作奇論，造新文，不損於前人，好事者肯舍久遠之書，而垂意觀讀之乎？」主張實事求是的、客觀的、科學的文學批評，這是王充論文的一個非常突出的方面，它對劉勰也有非常明顯的影響。王充是非常重視批評家要有眞知灼見的，優秀作品畢竟是少數，「飾面者皆欲爲好，而運目者希；文音者皆欲爲悲，而驚耳者寡。」（《超奇篇》）合衆心、順人意者不一定是好作品，一些眞正有價值的作品常常是「謠常心，逆俗耳」（《自紀篇》）的，只有能識深鑒奧者方能成爲其知音。其《自紀篇》又云：「有美味於斯，俗人不嗜，狄牙甘食；有寶玉於是，俗人投之，卞和佩服。孰是孰非？可信者誰？禮俗相背，何世不然？魯文逆祀，去者三人；定公順祀，畔者五人。蓋獨是之語，高士不舍，俗夫不好；惑衆之書，愚者欣頌，賢者逃頓。」這不正是劉勰所說「音實難知，知實難逢」的意思嗎？王充在《佚文篇》中說：「孟子相人以眸子焉。心清則眸子瞭，瞭者目文瞭也。」這個道理劉勰在《知音》篇中也說過：「故心之照理，譬目之照形，目瞭則形無不分，心敏則理無不達。」其精神實質是完全一致的。至於後來曹丕《典論論文》中批評文人相輕，「各以所長，相輕所短」，「不自見之患」，則更是直接爲劉勰所肯定。曹植《與楊德祖書》中對文學批評的看法，劉勰在《知音》篇中也作了評論。特別值得我們重視的是葛洪在《抱朴子》中對文學批評的態度與方法的有關論述對劉勰的影響。葛洪在《抱朴子·辭義》篇中指出：「夫文章之體，尤難詳賞。」因爲人們的「觀聽殊好，愛憎難同。飛鳥睹西施而驚逝，魚鱉聞九韶而深沉。故袞藻之粲煥，不能悅裸鄉之目；采凌之清音，不能快楚隸之耳；古公之仁，不能喩欲地之狄；端木之辨，不能釋繫馬之庸」。欣賞者和批評者各有自己的標準，因此對文學作品優劣的評價也難於取得一致。本來，「五味舛而並甘，衆色乖而皆麗。」然而，「近人之情，愛同憎異，貴乎合己，賤於殊途。」其《尙博》篇指出，「夫賞其快者必譽之以好，而不得曉者必毁之以惡，自然之理也。」只憑主觀愛惡，就必然會丟掉客觀的、科學的事實求是的態度，也不可能對文學作品作出正確的公正的評價。許多批評家由於自己識見的淺薄，不能認識眞正優秀的作品。「若夫馳騁於詩論之中，周旋於傳記之間，而以常情覽巨異，以褊量測無涯，以至粗求至精，以甚淺揣甚深，雖始自髫齔，訖於振素，猶不得也。」（《尙博》）爲此，葛洪也強調批評家本人必須要提高自己的修養和水平，有廣博的見識，善於比較和鑒別。《抱朴子．廣譽》篇云：「不睹琼琨之熠爍，則不覺瓦礫之可賤；不覿虎豹之彧蔚，則不知犬羊之質漫；聆《白雪》之九成，然後悟《巴人》之極鄙。」葛洪這種重要意見，我們都可以在劉勰《知音》篇中找到它的影子。劉勰反對以主觀好惡去武斷地評論作品，批評世俗之人不辨眞僞，「以雉爲風」，「以夜光爲怪石」，他提倡批評家要有「博觀」之能，要「識深鑒奧」，善於「見異」，可以說都與葛洪的上述主張有着一脈相承的思想聯繫。所以，劉勰的文學欣賞和批評論，也是總結了前代有關的歷史經驗，在一個新的高度上作了進一步發揮，並使之理論化和系統化。

十四、折衷論

——論《文心雕龍》的研究方法

《文心雕龍》是一部體大思精的巨著，這是前人早已指出了的。其理論之系統、分析之深刻、邏輯之嚴密，在中國古代文學理論批評論著中，確實可以說是無與倫比的。劉勰《文心雕龍》之所以能取得這樣大的成就，除了他本人學識淵博和才華超群之外，還有一個很重要的原因，是他運用了在當時不同一般的科學的研究方法。劉勰在《序志》篇中對他在《文心雕龍》中的研究方法有一個準確而概括的說明：

> 夫銓序一文為易，彌綸群言為難。雖復輕采毛髮，深極骨髓，或有曲意密源，似近而遠，辭所不載，亦不勝數矣。及其品列成文，有同乎舊談者，非雷同也，勢自不可異也；有異乎前論者，非苟異也，理自不可同也。同之與異，不屑古今，擘肌分理，唯務折衷。按轡文雅之場，環絡藻繪之府，亦幾乎備矣。

根據劉勰自己的上述論述，他的研究方法之特點即是「唯務折衷」。那麼，究竟什麼是「折衷」呢？從字面上來看，我們很容易聯想起儒家的「折中」論，認爲它是對儒家研究方法的繼承。從劉勰論文強調徵聖、宗經的角度看，這種推論也是很自然的，其實，劉勰的「折衷」論與儒家傳統的「折中」

論是有很大差別的，其豐富內容遠非儒家「折中」論所能包括。關於儒家「折中」論的含義，司馬遷在《史起·孔子世家》一篇末尾，曾經說過這麼一段話：「孔子布衣，傳十餘世，學者宗之。自天子王侯，中國言『六藝』者折中於夫子，可謂至聖矣。」這裏所說的「折中」，司馬貞《史記索隱》曾注釋道：「《離騷》云：『明五帝以折中』。王師叔云：『折中，正也』。宋均云：『折，斷也。中，當也。』按：言欲折斷其物而用之，與度相中當，故以言其折中也。」「折中」本意是「使之恰當」的意思，問題在於「中」的標準，怎樣才算「中」、亦即是「當」？儒家的「折中」是要以孔子的言行爲標準，折中於聖道。《漢書·貢禹傳》云：「四海之內，天下之君，微孔子之言，亡所折中。」顏師古注云：「折，斷也。非孔子之言，則無以爲中也。」王充《論衡·自紀篇》末亦云：「上自黃唐，下臻秦漢而來，折衷以聖道，析理於通材，如衡之平，如鑒之開。」由此可知，儒家傳統講的「折中」，並非泛指，而是指要以是否符合於儒家的聖人之道，來作爲衡量一切言論是非的標準。

然而，劉勰的「唯務折衷」就上述《序志》篇中所論來看，却並不是要以聖道爲標準之意。他非常鮮明的指出，他論文的觀點無論與前人同還是不同，都是以是否符合客觀的「勢」和「理」來作爲依據的。他非常清楚地告訴我們，他在《文心雕龍》中的論斷，凡與前人所論相同者，是因爲「勢自不可異也」；凡與前人所論不同者，「理自不可同也」。「勢」是什麼呢？他在《定勢》篇中說：「勢者，乘利而爲制也。如機發矢直，澗曲湍回，自然之趣也。」也即是說，「勢」指的是事物本身所具有的一種內在的客觀規律，它是不以人的主觀意志爲轉移的。所以，「圓者規體，其勢也自轉；方者矩形，其勢也自安。」他論文之所以「勢自不可異也」，乃是因爲這種論斷是符合於客觀實際的。劉勰所說的「理自不可同也」的「理」，是指事物內在的客觀自然之理。其《原道》篇云天文、地文均爲「道之文」，而「人文」呢？「心生而言立，言立而文明，自然之道也。」上述「理」字的含義即指「自然之道」，亦即自然之道理。劉勰所說的「神理」，我們在前面已經指出，除了有神秘色彩的一面外，也有「自然之理」的一面，即此「理」之含義。總起來說，他的「折衷」是折衷於客觀的「勢」與「理」，而非折衷於聖道也。以客觀眞理爲標準，而不是以聖人言行爲標準。再進一步說，聖人之言行之所以正確，那也是因爲它首先是符合於自然之道，符合於客觀眞理的緣故。劉勰論文在某些方面之尊重聖與經，正是由於聖和經是對自然之道的一種正確的典範的運用。「自然之道」是高於「聖人之道」的。劉勰「折衷」論的含義是和他的基本思想分不開的。他對「道」的解釋，首先強調它是自然的本質與規律之體現，而聖人之「道」，乃是將這種「自然之道」運用於社會政治方面的表現。因此，我們不能把他的「折衷」論和儒家傳統的「折中」論相提並論。事實上，劉勰在許多重要的論文原則上，並不是簡單地盲從儒家觀點，而是表現了和聖道不同的獨立見解的。比如他在《辨騷》一篇中對《楚辭》中許多「異乎經典」的神話傳說等浪漫主義內容，就沒有完全按孔子的「子不語：怪、力、亂、神」，而簡單地加以否定，而是對這種「奇」給以了充分的肯定和很高的評價。他對緯書的評價是從是否眞實出發，既揭露其虛僞荒誕，又肯定其「事豐奇偉，辭富膏腴」，與儒家古文學派觀點亦不完全相同。對先秦諸子的思想和文學，他都有比較公允的、中肯的評價，而不是站在儒家偏見的立場上來加以貶斥的。尤其是他的文學創作和文學批評理論上，更多是吸收了道家、玄學的文藝和美學觀點，絕非簡單地以儒家聖道來作爲論斷之依據。因此，不加分析地把劉勰的「折衷」論看作是對儒家「折中」論的繼承和發展，是很不合適的，必然會降低了對劉勰「折衷」論的意義的認識。

劉勰的「折衷」論的研究方法，是建立在對事物的認識必須客觀、全面、深入，而切忌主觀、片面、浮淺的思想基礎上的，從這個基本原則出發，他的「折衷」論表現出了以下三個明顯的特點：

第一，強調識「大體」、「觀衢路」，注重對事物的整體的宏觀的研究，從歷史發展中尋根討源，從對立統一中發現聯繫，辯證地而不是形而上學地去揭示事物本質。他指出歷史各家文學批評在研究方法上的主要缺點是「各照隅隙，鮮觀衢路」，「並未能振葉以尋根，觀瀾而索源」。他們只看到事物的一個局部、一個側面，而不能統觀全局。沒有整體觀念，又不作歷史研究，這樣就不能把握事物的本質，也無法對它作出公正的、科學的評價。劉勰在《總術》篇贊中所說的「務先大體，鑑必窮源」，應該看到不僅僅只是就駕馭「文術」來說的，而首先是反應了劉勰「折衷」論的方法論特點的。《文心雕龍》全書從研究「文」的本質開始，追溯各類文體的源流演變，然後逐個分析創作、批評、作家等方面的理論問題，正是「務先大體，鑑必窮源」的具體體現。對於當時文學理論批評上許多有爭議的重大問題，劉勰都沒有簡單地肯定或否定，而是採取了一種從具體分析研究出發，善於吸取和綜合對立雙方意見中的合理因素，提出了自己有充足理由、又比較穩妥的持平之論。從當時兩種尖銳對立的美學觀的爭論中劉勰的態度來看，他是比較傾向於以自然爲中心的「芙蓉出水」之美的，但又不否定以人工爲中心的「錯采鏤金」之美。他主張由人工而達到自然，在《隱秀》篇中提出要以「自然會妙」爲主，又輔以「潤色取美」，認爲這才是最高的美的境界。在文學創作方面的「言志」與「緣情」的爭論中，他是主張情志統一的。劉勰認爲從文學的本質上來看，情和志是不能分開的。他指出如果把文學作品比作一個人的話，那麼，「情志爲神明，事義爲骨髓，辭采爲肌膚，宮商爲聲氣」。劉勰的整部《文心雕龍》都非常重視感情在文學創作中的作用，而且對此有非常清的理論分析。其《體性》篇云：「吐納英華，莫非情性。」《詮賦》篇說文學創作乃是「覩物興情」的結果。然而，在《情采》篇中，又清楚地指出，情中是有志的，既要「爲情造文」，而實質上又是「述志爲本」的。《明詩》篇中說：「大舜云：『詩言志，歌永言。』聖謨所析，義已明矣。」「詩者，持也，持人情性；三百之蔽，義歸無邪，持之爲訓，有符焉爾。」如果說：「言志」派偏重於強調文學表現思想，「緣情」派偏重於強調文學要表現感情，那麼，在劉勰看來，思想和感情是緊密聯繫着的，情理是統一的。《文心雕龍》中劉勰是處處把情和理密切結合在一起來論述，而不可分割的。《情采》篇云：「情者，文之經；辭者，理之緯。」《鎔裁》篇云：「情理設位，文采行乎其中。」鎔裁的作用即是要「檃括情理，矯揉文采」。對於當時文學創作中十分流行、而又有很大爭論的一些藝術技巧問題，例如聲律、對偶、用典等，他都不走極端，而採取比較公正的見解，着重於理論上的深入探討。在聲律問題上，劉勰既不像沈約等人那樣，講究繁瑣的四聲八病，也不像鍾嶸那樣因強調自然的音韻之美而對聲律理論全盤否定，他着眼於聲律美學原理之闡明，提出了關鍵是要做到有「和」、「韵」之美。在用典問題上，劉勰既不像顏延之、謝莊那樣過分強調用典，致使「文章殆同書鈔」，也不同意鍾嶸對用典完全否定的主張（指詩歌創作），而是提倡學識貴「博」，用典貴「約」，選擇貴「精」，取得貴「覈」，既不乖謬，又如「口出」一般，吸取用典之長處，又不因之而影響自然之美。這些都非常突出地體現了劉勰在方法論上善識「大體」，不執一端的科學性和進步性。他的「折衷」論不是一種調和折中抹稀泥的方法，而是反對形而上學的片面性，堅持辨証的對立統一原理。他在《文心雕龍》中提出了一系列對立統一的美學命題，如文與道、奇與正、華與實、情與理（情與志）、心與物、隱與秀、才與學、體與勢、情與采、文與質、通與變、多與少、一與萬等等，他認識到正是這些不同角度的對立雙方之和諧統一，才構成了文學作品。劉勰懂得這些對立因素相互之間的聯繫與依存，因此，他不偏於一面，而是運用辯證的觀點來闡述他們之間的關係。從文學本質來說，文乃是道之文，道則又需文以顯，兩者不可偏廢，爲此，他主張要「執正以馭奇」，「銜華而佩實」，努力做到通中有變，變中有通。從文學創作來說，心物交融，情景合一，既「隨物宛轉」，又「與心徘徊」，故「隱」寓「秀」中，「秀」中含「隱」，「以少總多」，「乘一總萬」。從文學作品的構成來說，則「文附質」，「質待文」，情采不可或缺。從作家才能來說，是「才爲盟主，學爲輔佐；主佐合德，文采必霸」。劉勰在理論分析上的全面性和深刻性，是和他的研究方法分不開的。

近年來有的《文心雕龍》研究者已經正確地指出了劉勰在方法論上所受的《周易》之樸素辯證法影響，然而，劉勰上述方法論特點除接受《周易》影響外，還有很重要的一方面是受荀子《解蔽》篇中方法論原則的啓示。荀子指出：「凡人之患，蔽於一曲，而闇於大理。」梁啓雄《荀子簡釋》引梁啓超云：「此語蓋謂：不見全體而但見一偏之謂；略如佛家『盲人摸象』之喻。」所謂「一曲」，即是指一部分、一個側面；所謂「大理」，即是指全部、總體。荀子曾經從這個方法論原則出發。對先秦的許多思想家作過十分深刻的批評。他說：「墨子蔽於用而不知文，宋子蔽於欲而不知得，愼子蔽於法而不知賢，申子蔽於執而不知知，惠子蔽於辭而不知實，莊子蔽於天而不知人。」荀子認爲他們都是過於強調了一個方面，而忽略了與之相對的另一方面，這樣就不能對事物有全面正確的認識。他指出墨子只知道物質實用的重要，而不懂得思想文化等精神因素的重要性；宋子只知道人有寡欲的一面，而沒有看到人還有貪得的一面；愼子主張絕對的法治，排斥人治，忘記了法是不能自己去實行的，還必須依靠賢能之人；申子徒知用術，以勢力箝制天下，而不知人和之爲貴；（按：此句第二個「知」字，當從梁啓超說爲「和」。）惠子僅以形式邏輯來推斷一切，結果往往違背了事物的實相，不懂得只靠形式邏輯是不能解釋複雜的現實事物的；莊子只強調了事物的客觀自然規律的重要，而根本否定了人的主觀能動作用。因此，他們都是「曲知之人」，「觀於道之一隅而未之能識也」。劉勰的「折衷」論和荀子《解蔽》篇中這種認識方法有着明顯的深刻的歷史淵源關係。劉勰批評前代文學批評家「各照隅隙，鮮觀衢路」的缺點，和荀子批評先秦諸子的「蔽於一曲，而闇於大理」是完全一致的。「一曲」即「隅隙」，「大理」即「衢路」也，明「大理」即識「大體」也。劉勰和荀子在方法論上的相似是和他們在認識論上的聯繫一致的。他們都是主張要通過「虛靜」而達到「大明」境界的。這種認識論和方法論的目的是相同的，即求得對事物本質的比較全面、比較客觀、比較深入的把握。

第二，強調「圓通」、「圓照」，注重對事物的全面的、深入的、細致的微觀研究，要善於發現事物各個側面之間的相互聯繫，看到事物各個部分之間都有相通的一面，從而才構成爲一個和諧的整體。劉勰在《文心雕龍》中對各個具體理論問題的研究，從不把它們看成是孤立的、互不相關的個體，而是認爲不管從那一個側面和角度的研究，條條道路都可以通向客觀眞理。一個理論體系的各個分支，獲如百川歸海，最終都要歸攏到基本原理上去。因此，他對每個具體理論問題的研究，都主張要做到「圓通」，從研究者來說，要能夠「圓照」。「圓通」和「圓照」都是佛學術語。佛學上稱性體周徧爲圓，妙用無礙爲通。對佛法理解能達到「圓通」的程度，即是最高之聖境，故觀音菩薩又別號圓通大士。劉勰把這種佛學上的認識論和方法論運用到《文心雕龍》中來，所謂「圓」，是指理論本身是全面的，凡一切有關的方面都必需要照顧到，要能包括進來，沒有遺漏，沒有不足，沒有缺陷。所謂「通」，是指理論本身要有充分的科學性和合理性，能經得起種種客觀實踐的檢驗，能完滿地解釋各種與它有關的現象，合情合理而無矯揉造作之感，以達到融會貫通的境界。「圓照」，是指對事物的全面深入的觀察。《文心雕龍》中雖只在《知音》篇中運用過這個佛教術語，但這種觀察事物的方法，則是貫穿於全書的。范文瀾先生《中國通史簡編》第二編修訂本中說劉勰在《文心雕龍》中「嚴格保持儒學的立場，拒絕佛教思想混進來，就是文字上也避免用佛書中語（全書只有《論說篇》偶用『般若』、『圓通』二詞，是佛書中語）」，這是不確切的，也是顯然不符合事實的。即以「圓通」一詞而論，《文心雕龍》中凡三見，而且都不是僅僅借用詞句，而恰恰是對這個佛教術語含義上的發揮。《明詩》篇云：

然詩有恒裁，思無定位；隨性適分，鮮能圓通。（按：原作「通圓」，此據唐寫本改）。若妙識所難，其易也將至；忽之為易，其難也方來。

這裏說明詩歌的體裁雖有一定規格，但詩人的構思是各不相同的；每個詩人都按照自己的才能和個性愛好來創作，很難把各種體裁、風格的詩歌都寫得很好。能「圓通」者實微也。其《論說》篇中說到「論」這種文體寫作方法時說：

故其義貴圓通，辭忌枝碎；必使心與理合，彌縫莫見其隙；辭共心密，敵人不知所乘；斯其要也。

此處之「義貴圓通」，即要做到「心與理合」、「辭共心密」，說理之嚴密，使人無隙可擊，流暢的文辭，使內容表達得透徹而又精練。他在《封禪》篇中論揚雄《劇秦美新》一文云：

觀《劇秦》為文，影寫長卿，詭言遯辭，故兼包神怪。然骨掣靡密，辭貫圓通，自稱「極思」，無遺力矣。

這裏的「圓通」雖指文辭，然而其含義亦是要求做到全面而透徹地體現其內容之意。而且，我們還應該看到劉勰在《文心雕龍》中曾多次運用「圓」這個詞，這也是與佛學思想影響有關的。「圓」這個詞是佛學中的慣用語，它是指全面不偏之義。而劉勰也正是用這樣一個標準來要求他的理論研究和分析方法的。這也是他的「折衷」論的重要內容之一。《文心雕龍》中除上述有關「圓通」、「圓照」的論述外，運用「圓」、「圓鑒」、「圓覽」、「圓合」、「圓該」等概念凡九見，現列舉如下：（按《文心雕龍》篇目次序。）

《雜文》：（下指連珠創作）足使義明而詞淨，事圓而音澤，磊磊自轉，可稱「珠」耳。

《體性》：故童子雕琢，必先雅製；沿根討葉，思轉自圓。

《風骨》：若骨采未圓，風辭未練，而跨略舊規，馳騖新作，雖獲巧意，危敗亦多。

《鎔裁》：然後舒華布實，獻替節文；繩墨以外，美材既斲，故能首尾圓合，條貫統序。

《麗辭》：必使理圓事密，聯璧其章；迭用奇偶，節以雜佩，乃其貴耳。

《比興》：詩人比興，觸物圓覽。

《總術》：自非圓鑒區域，大判條例，豈能控引情源，制勝文苑哉？

《指瑕》：古來文才，異世爭驅，或逸才以爽迅，或精思以纖密，而慮動難圓，鮮無瑕病。

《知音》：夫篇章雜沓，質文交加，知多偏好，人莫圓該。

當然，上述各個有關「圓通」、「圓照」以及其他與之相類似的論述，絕大部分是針對創作提出的要求。但是，我們必須看到，劉勰對創作上的「圓」的要求，是與他本身寫作《文心雕龍》時所運用的研究方法上的「圓」的要求一致的，也是無法分開的。

劉勰的整部《文心雕龍》就貫穿了「圓通」、「圓照」的特色。《文心雕龍》全書五十篇，包括了劉勰那個時代所能夠涉及到的所有有關「文」的問題，眞可以說是毫髮無遺漏。而且從五十篇的篇目次序上看，也是互相聯繫、溝通，而成爲一個完整整體的。前二十五篇我們在《原道論》、《文體論》兩節中已作過分析，後二十五篇雖然是對不同理論問題的論述，但其內部結構也是相當嚴密的，前後次序不容顚倒。創作是由構思開始的，故首標「神思」。由構思完成而進入創作，必先選擇體裁與風格，故次述「體性」。體性確立，需講究風骨之美。風骨之美來自正確處理繼承與創新關係，於是要講「通變」。要解決文學創作中的繼承和創新問題，必須研究各種文體的內在客觀規律，爲此要講「體勢」，遂有《定勢》之篇。開始具體寫作要抒情布采，部署意辭，於是有《情采》之篇。緊接着要剪裁、修飾，故置《鎔裁》。爲使作品成爲美的藝術，要講究表現手法和藝術技巧，所以，《聲律》、《章句》、《麗辭》、《比興》、《夸飾》、《事類》、《練字》，一一按其重要性次序排列於後。作品寫成之後，一要講究符合「隱秀」之美，二要進行潤色修改，於是有《隱秀》、《指瑕》。文學作品的創作和修改，均需作家集中精力，專心至致，必須心平氣和，方能文思泉湧，故論《養氣》，以補《神思》論虛靜之不足。下論謀篇布局之統籌兼顧及熟練駕馭文術之重要，以《附會》、《總術》爲創作論之總結。《時序》、《物色》分別論述文學創作與社會、自然之關係，《才略》論作家才能之重要，《知音》論文學批評，《程器》論文學之功用與作家之仕途升沉，最後以《序志》作爲全書之總結。這樣精心而周密的安排，又豈只是「圓通」，眞可謂滴水不漏也！對於每一個重要的創作理論問題的分析，都要揭示出它與其他理論問題之間的聯繫和相通之處。「神思」是講藝術構思的，重點是分析藝術想像的特徵。但是他指出從心物關係角度看，又和《物色》篇不可分割，其贊中所說「物以貌求，心以理應」，即把這兩篇內在聯繫交代得一清二楚。從形象的構成角度說，神思又是和比興緊密聯繫着的，故其贊中又說：「神用象通，情變所孕。」「刻鏤聲律，萌芽比興。」「神用象通」實質上也就是《比興》篇所說之「擬容取心」。從解決構思和創作中「意翻空而易奇，言徵實而難巧」的困難來說，《神思》篇中提出之「養心秉術，無務苦慮；含章司契，不必勞情」，則又是和《養氣》篇中「率志委和」論完全一致的。從藝術構思中作家的才能來說：《神思》篇中「人之稟才，遲速異分」之論，可和《才略》篇中之論互相發明。從藝術構思中形成之意象的特點說，它又和《隱秀》篇的內容，完全一致。在《隱秀》篇中一開始就指出了「隱秀」正是「神思」活動的必然結果。《風骨》篇的中心是講文學作品的精神風貌美，但是就風骨美的內容看，則又是和《宗經》篇中之「文能宗經，體有六義」聯繫着的。從風骨與辭采的關係來說，實質上又是一個內容與形式關係問題，故與《徵聖》篇之「銜華佩實」原則及《情采》篇之「爲情造文」說是相通的。而「風清骨峻」的優美作品之創造，又必須「熔鑄經典之範，翔集子史之術；洞曉情變，曲昭文體」，善於掌握「通變」之原則。風骨和氣關係密切，也就是說，風骨之美是作家的一種特定的精神氣貌在作品中的表現，因此，它和《體性》

中所論藝術風格又有關係，不過它不是一種風格，而是對各種風格作品的共同美學要求。類似這樣的例子，幾乎每一篇都有。劉勰對每一個理論問題的闡述都不是孤立的，而是把它作爲整個理論體系中的一部分，完全周全地分析它與其它部分的關係，無不使人感到「圓通」之極！劉勰在《文心雕龍》中無論是對歷史問題還是理論問題的論述，其深入細微、務求究竟的精神，也是不能不使我們感到深深敬佩的。即以《辨騷》中對《楚辭》的分析來說，他在具體辨析漢代劉安、班固、王逸、漢宣帝、揚雄等各家的評論之後，指出他們的爭論實質即在《楚辭》是否符合經典之意。然後，他詳盡地分析了《楚辭》中同乎《風》、《雅》的「四事」，以及「異乎經典」的「四事」，這裏既有思想內容方面的特點，也有藝術表現方面的特點，這種具有相當理論深度的評論，不僅遠遠超出他以前各家對《楚辭》的評論，而且在他以後各家對《楚辭》的評論，也很少能與他相比的。他對《離騷》、《九章》、《九歌》、《九辨》、《遠遊》、《天問》、《招魂》、《招隱》、《卜居》、《漁父》各篇的特點，都作了概括的分析，雖然只有一句話，但是十分精確，而且可以清楚地看出各篇的不同之處。「見異，唯知音耳。」劉勰可謂是眞正難得的「知音」者！

第三，強調「善於適要」，「得其環中」，在研究中注重於去發現事物的要害和關鍵之處，並對之作細致而深入的剖析，使複雜的事物主次分明，脈絡清楚，從而起到「乘一總萬，舉要治繁」（《總術》）的作用，以便更深刻地揭示事物內在的本質和規律。劉勰認識到事物雖然有許多不同的方面有種種複雜的聯繫，但是並非一盤散沙，而總是有一個統率各部分、成爲各種聯繫中心的樞紐。必須善於抓住這個樞紐，才能帶動各部分、各方面，處理好各種複雜的關係。研究者只有掌握了研究對象的要害和關鍵，才能夠從頭緒紛繁、雜亂無章的現象中理出一個清楚的系統來。《文心雕龍》中涉及到那麼多的大大小小文學理論問題，互相之間的關係錯綜複雜，如果不能抓住它們各自的要害和關鍵，是決不可能論述得這樣有條不紊，井然有序的。劉勰「折衷」論的這種特點，非常明顯是受老莊思想影響的結果，是老子的「三十輻共一轂」和莊子的「得其環中」論啓發下的產物。老子在《道德經》中說：「三十輻共一轂，當其無，有車之用。」他認爲沒有車轂中間的空隙，就沒有車輪的作用。因此，「無」是主宰和統率「有」的，以「無」爲本，「一本」率「萬有」。這自然是老子以虛無爲本的哲學思想之具體體現。莊子的「得其環中」論正是對老子這種思想的發揮。《齊物論》云：「樞始得其環中，以應無窮。」陳鼓應先生《莊子今注今澤》引蔣錫昌《莊子哲學·齊物論校釋》云：「『環』者乃門上下兩橫檻之洞；圓空如環，所以承受樞之旋轉者自如，而應無窮。」「得其環中」，正是指善於以虛無來駕馭和主宰萬有，以本統末。劉勰在《文心勰龍》中正是運用這種思想方法來闡述文學理論的。這種情況在六朝時期是不奇怪的，許多佛教徒在闡述佛理時也常運用這種思想方法。梁代高僧慧皎《高僧傳·釋叡傳》云：「後適京師，止烏衣寺，皆思徹言表，理契環中。」強調說理要「得其環中」，是那個時代玄學道家思想盛行和玄佛合流的思想發展特點所產生的必然結果，劉勰自然也不例外。

《文心雕龍》全書中老莊的「一轂統輻」、「得其環中」論的影響，是非常之多也是非常之明顯的。從「文之樞紐」來說，文學創作的基本原則，他認爲都集中在聖人的經書裏面：所以能善於「宗經」，即可謂「得其環中」矣。因爲經書「根抵槃深，枝葉峻茂，辭約而旨豐，事近而喻遠。是以往者雖舊，餘味日新；後進追取而非晚，前修文用而未先。可謂泰山徧雨，河潤千里者也」。（《宗經》）他論述文學的歷史發展，認爲它雖然情況複雜，但都離不開時代的制約和影響。「故知文變染乎世情，興廢係乎時序，原始以要終，雖百世可知也。」。懂得這個基本原理，那麼對一切文學的發展變化，就都能理解了；一切複雜現象的認識，也都可以迎刃而解了。他在贊中說：「蔚映十代，辭采九變，樞中所動，環流無倦」。「文變染乎世情，興廢係乎時序」，就是文學發展理論的「環中」所在。在對待文學發展的繼承和創新關係上，也必須「先博覽以精閱，總綱紀而攝契」。（《通變》）掌握好通與變的關鍵所在，「憑情以會通，負氣以適變，」這樣就不至於會在繁多的作品面前，茫然失措，不知所從事。《體性》篇中，劉勰指出八種基本文學風格之間錯綜複雜的交叉融合，可以形成千千萬萬種不同風格，只要懂得「體」與「性」之間的內在必然聯繫，就可以自由駕馭，創造出恰到好處的獨特風格。他說：「八體雖殊，會通合數；得其環中，則輻輳相成。」每一種體裁的文學作品，都有它自己獨特的風格要求，「若雅鄭而共篇，則總一之勢離。」（《定勢》）要創作出優秀的文學作品，要研究很多理論問題，有不少重要的環節要掌握好，但是方面雖多，總離不開情和辭這兩個基本因素。爲此，他在《鎔裁》篇中說：「夫百節成體，共資榮衞；萬趣會文，不離辭情。」《文心雕龍》後半部分的中心就是要「剖情析采」。抓住了「情」和「辭」這兩個關鍵，其他各個具體藝術表現問題，技巧問題，都有了歸依，容易把握了。《物色》篇講到對自然景物的描寫時說：「且《詩》《騷》所標，並據要害；故後進銳筆，怯於爭鋒。莫不因方以借巧，即勢以會奇；善於適要，則雖舊彌新矣。」這裏提出的「善於適要」也就是「得其環中」之意。《附會》篇中說文學創作的總體安排，必須條理清楚，掌握要領。「是以駟牡異力，而六轡如琴；並駕齊驅，而一轂統輻：馭文之法，有似於此。」《總術》篇指出文學創作中的各個理論問題、技巧問題，必須統籌兼顧，「所以列在一篇，備總情變；譬三十之輻，共成一轂，雖未足觀，亦鄙夫之見也。」劉勰認爲只有抓住了要害和關鍵之處，才能帶動全盤，像下圍棋一樣，使子子皆活，各就其位。就能做到如《文賦》所說的「抱景者咸叩，懷響者畢彈」。

綜上所述，我們可以看到劉勰「折衷」論的內容是非常豐富的，它是對《文心雕龍》整個研究方法的總結。劉勰吸收了儒、道、佛各家在方法論上的長處和優點，融會貫通，從而形成了帶有自己獨創性的、在當時是最科學的研究方法論。這裏我們還應該看到，荀子的明「大理」、佛學的重「圓通」、老莊的「環中」論，互相之間也是有相通之處的，它們都要求比較客觀、比較全面、比較深入地來認識和掌握事物的本質。劉勰的「折衷」論正是從方法論的角度，綜合了這些成果，因而在文學理論批評實踐中取得了豐富的成果。這對我們今天革新研究方法，創造新的研究方法，仍有着很多有價值的、發人深省的啓示！

叁、《文心雕龍》在中國古代美學和文學理論批評史上的地位

上面我們比較具體地分析了《文心雕龍》的文學理論體系及其歷史淵源，由此可以看出，劉勰無論在哲學思想、美學思想還是文學思想方面，都是比較全面地總結了歷史上的優秀遺產，廣泛地接受了各種有益的思想資料的。尤其是對我國古代思想文化影響最深的儒、道、佛三家學說，劉勰都是相當精通的。應該說，《文心雕龍》主要就是在儒、道、佛三家的哲學、美學和文學思想熏陶下產生的，是綜合這三家的基本文藝觀而形成的一部偉大的文學理論巨著。劉勰在《文心雕龍》中所表現的對待前代思想資料的基本特點是：高屋建領，不落一邊；集其大成，取其精華；融會貫通，自成體系。這種基本特點使《文心雕龍》比較全面地反映了我國古代文學理論的民族傳統，並且對後代文學理論批評的發展具有奠基作用，使它在中國古代美學和文學理論發展史上具有非常突出的重要地位。

對於《文心雕龍》在我國古代美學和文學理論發展史上的這種重要地位，絕大多數學者是給予了充分肯定的，並且也爲國際上的許多著名漢學家所承認。但是，國內學術界也出現過一些貶斥《文心

雕龍》的個別看法，有人認爲它根本不能「代表我國古代文論的最高成就」，「在一些重要問題上，它對前人的結論往往不是擇善而從，而是把前代的許多糟粕當作精華繼承了下來，甚至加以發揮。這樣，這本書對文論的發展就不易起到較大的推動作用，甚至有時還會阻滯古代文論沿着正確的道路生氣勃勃地前進。」本來對這種毫無根據的指摘，在《文心雕龍》和廣大古代文論的研究者中間，絕大多數人是不同意的，而且也覺得對這種意見根本不屑於一爭。不過，之所以會出現這樣的看法，也說明我們對《文心雕龍》的意義和價值的研究，確實還是很不夠的。另外，近年來有較大發展的關於中國古代美學的研究中，很多同志比較重視《樂記》、《二十四詩品》、《滄浪詩話》、以及王夫之、葉燮等人的美學思想之研究，而對《文心雕龍》美學思想的研究，則也是很不夠的。因此，認眞地深入地探討一下《文心雕龍》在中國古代美學和文學理論發展史上的地位和作用，看來也還是很有必要的。

中國古代的美學思想和文學藝術理論的聯繫是十分密切的。嚴格地講，中國古代（鴉片戰爭以前）基本上沒有專門的、系統的美學著作。除了一些哲學家、思想家的著作中包含有一些重要美學思想和美學觀點外，中國古代美學思想主要是從文學和藝術理論著作中反映出來的。像《樂記》這樣一篇秦漢時期最完整的美學論著，即是一篇音樂理論著作。而在文學藝術理論著作中，文學理論又占有主要地位，因此，研究中國古代美學，必須充分重視時《文心雕龍》美學思想的研究。《文心雕龍》有沒有重要的、系統的美學思想？其實這也是一個有爭議的問題。雖然這種爭議似乎還未明顯地見之於文章，不過確有一些同志認爲《文心雕龍》根本沒有什麼美學思想，而只不過是一部文章學著作。但是，一個無可辨駁的事實是：當我們越是深入地研究《文心雕龍》，就越覺得它有十分豐富的美學思想，並且在中國古代美學的發展中，具有極其重要的地位。

其實，劉勰在《文心雕龍》中所論之「文」，就其最寬廣的含義來說，和「美」的概念是一致的。劉勰認爲最廣義的「文」，比用語言文字書寫的文章之「文」的含義要大得多。《情采》篇說：「故立文之道，其理有三：一曰形文，五色是也；二曰聲文，五音是也；三曰情文，五性是也。五色雜而爲黼黻，五音比而成《韶》、《夏》，五情發而爲辭章，神理之數也。」由此可見，廣義的「文」可以包括各種形式藝術在內，繪畫、音樂、書法，也都是一種「文」，不過和「情文」有所不同而已。再由《原道》篇看，「文」的範圍不僅包括一切藝術美，而且也包括各種自然美在內。「天文」、「地文」、「人文」，都是「文」；「傍及萬品，動植皆文」。自然界也有形文、聲文，「龍鳳藻繪」、「虎豹炳蔚」、「雲霞雕色」、「草木賁華」，這都屬於「形文」；「林籟結響」、「泉石激韵」，這都屬於「聲文」。人區別於物，是因爲人是「有心之器」，而不是「無識之物」，故而「人文」即是「情文」。這樣一種廣義的「文」的概念，不是就相當於「美」的概念嗎？把廣義的「文」理解成「美」，這並不是劉勰之首創，而是對我國古代美學思想的繼承與發揮。春秋之前，我國古代的「文」與「美」的概念即是很接近的，並且常常是互相交叉使用的。《國語·鄭語》中記載史伯提出的「物一無文」，即是說事物太單調，沒有對立統一構成的和諧，則沒有美。《國語·晉語》中說的「身爲情，成於中。言，身之文也」。此所說「文」，則和劉勰所說的「人文」、「情文」是完全一致的。

我國古代所謂的「文身」，即是在身體上刺畫花紋以爲美的修飾。《禮記·樂記》中所說：「禮減而進，以進爲文；樂盈而反，以反爲文。」此所謂「文」亦即是美的意思，也有善的意思。在我國古代，廣義的「文」也即是「美」，不過它是指以某種具體形式表現出來的「美」。劉勰從廣義的「文」說到狹義的文，正是爲了說明「人文」也是一種「美」。他的《文心雕龍》所論之「文」，主要是「人文」，而不是最廣義的相當於「美」的「文」，但是「人文」是廣義的「文」之一種，從根本上說它也是「美」的一種表現形式。《文心雕龍·原道》篇雖未講到一個「美」字，但實際上是一篇極爲重要的美學論文！

劉勰說廣義的「文」乃是「道之文」，實質上正是要說明事物之所以具有這種美的形式，從基本原由上說，乃是因爲它是「道」的體現。形式是表現內容的，內容藉形式以顯。所以「美」的本質是在於「道」。而宇宙萬物的「道」，是一種客觀存在的、不以人的主觀意志爲轉移的自然規律。任何事物都有它內在的「道」，也有它外在的「文」。由此可知，「美」正是「道」以具體感性形式的顯現。劉勰的這種基本的美學觀，大體上接近於後來黑格爾在《美學》中所提出的美是理性的感性顯現的意思。「人文」也是「道」的一種表現形式。「道」在「人」身上的體現即是「心」，所以說：「心生而言立，言立而文明，自然之道也。」《序志》篇中說：「夫《文心》者，言爲文之用心也。昔涓子《琴心》、王孫《巧心》，『心』哉美矣，故用之焉。」「人文」是「心」之美的表現形式。劉勰之所以定其書名爲《文心雕龍》者，正是爲了表明他的書要探討的即是「人文」之美。他從最廣義的「文」來說明「人文」的本質和起源，把文學理論提到了美學的高度來認識，這是非常清楚的，就他本人來說，也是非常自覺的。

從這樣一種對美的本質認識出發，劉勰十分突出地強調了美的客觀性，在文學批評上把自然之美作爲最高的標準。美既然是事物內在的客觀的自然規律——「道」的一種具體的感性的表現，那麼，它必然是不依賴於人爲的一種客觀存在。《原道》篇中說：「龍鳳以藻繪呈瑞，虎豹以炳蔚凝姿。雲霞雕色，有逾畫工之妙；草木賁華，無待錦匠之奇。夫豈外飾，蓋自然耳。」美是事物的本質所決定的，而不是人力所外加的。《情采》篇說：「夫鉛黛所以飾容，而盼倩生於淑姿；文采所以飾言，而辯麗本於情性。」倩美淑姿在於天生麗質，胭脂粉黛決不可能使嫫母變作西施。這裏也涉及到了自然美和藝術美的關係問題，「畫工」、「錦匠」的創造，都是以自然爲模型的，是對自然的一種摹仿，因此，從某種角度來說，它總不如自然本身來得更美，說明藝術美之源泉在於自然美。劉勰在文學和現實關係上，強調現實的決定作用，提出「情以物興」、「情以物遷」，「文變染乎世情，興廢繫於時序」等一系列重要命題，都是建立在對藝術美的樸素唯物主義認識上的。然而，更爲可貴的是劉勰在強調美的客觀性同時，並沒有否定人在創造美的過程中的作用，相反地是比較充分地肯定這種作用的。藝術美都是人所創造的，從自然美到藝術美有一個「抒軸獻功，煥然乃珍」的過程。藝術美應當以自然美作爲其最高標準，但是，只有經過人的艱苦努力才能接近和達到標準，《隱秀》篇云：「故自然會妙，譬卉木之耀英華；潤色取美，譬繒帛之染朱綠。朱綠染繒，深而繁鮮；英華曜樹，淺而煒燁。」天然美和人工美的結合，才能創造最高的美的境界。因此，《文心雕龍》中處處強調美的客觀性，以自然爲遵循原則，然而，決不廢棄人爲努力，以極大篇幅，從各個方面具體論述了人工創造美的途徑和方法。

劉勰在指出美的客觀性同時，又深刻地看到人的審美意識是主觀的，因此往往產生片面性，不能正確地對客觀的美和醜作出實事求是的公正評價。他在《知音》篇中說：「夫麟鳳與麐雉懸絕，珠玉與礫石超殊，白日垂其照，青眸寫其形。然魯臣以麟爲麐，楚人以雉爲鳳，魏氏以夜光爲怪石，宋客以燕礫爲寶珠。」麟鳳與麐雉，誰美誰醜，這本來是非常明顯的；珠玉與礫石，誰貴誰賤，也是一眼就可以看出來的，都是有客觀標準的。但是，並非所有的人都能認識它們之間的區別，由於人的審美觀念的差異性，有的人就會以醜爲美，以貴爲賤。文學批評中之所以產生「知多偏好，人莫圓該」的狀況，其中很重要的原因之一是人的美感的主觀性而造成的種種複雜差別。人的審美觀念的主觀性與差異性，也造成了文學作品藝術風格上的千差萬別的多樣性。在《文心雕龍》中，也反映出了劉勰對形成人的審美觀念的主觀性和差異性的原因的認識。這裏既有人的天資稟賦不同造成的個性氣質差別，也有不同的學識水平、家庭環境、社會風氣等條件所產生的影響。正是這些因素構成了人們不同的心理、愛好、興趣、習慣，造就了人們特定的政治、倫理、道德觀念，使他們對美的認識和判斷，具有各自不同的標準。然而，劉勰認爲，雖然人的美感、審美趣味是存在種種差異和不同的，但是美畢竟是有客觀標準的，因此，在對事物作審美判斷時，應當力求使美的客觀性與美感的主觀性相統一，努力避免主觀片面性。

劉勰在《文心雕龍》中對形式美基本要求是強調和諧。美是和諧的思想在我國古代美學史上有悠久的傳統。春秋時期史伯、晏子等論和與同，強調和的重要性，認爲「和實生物，同則不繼」。「聲一無聽，物一無文，味一無果，物一不講」。（《國語·鄭語》）到了六朝時期，陸機、葛洪等均對此有所發揮。《文賦》提出「應、和、悲、雅、豔」的美學原則，葛洪提出了「非和弗美」（《抱朴子·勗學》）的命題。劉勰於此更有進一步發展，在《文心雕龍》中關於整個藝術創造論述都貫穿了這一重要美學思想。它比較突出地反映在以下幾個方面：首先，他強調藝術創造中的整體和部份的和諧統一，「棄偏善之巧，學具美之績」。務必使「衆美輻輳」、「而一轂統輻」。其次，不僅形式美應當是多樣性的統一，而且形式和內容也應當達到和諧的統一，力求做到「文不滅質，博不溺心」，否則，「吳錦好渝，舜英徒豔。繁采寡情，味之必厭」。第三，藝術創造中各種對立因素的辯證統一構成的和諧之美。例如：奇與正的統一、通與變的統一、隱與秀的統一、一與萬的統一、風骨與辭采的統一等等。不僅如此，劉勰在論述許多具體藝術創作問題時，也都以和諧爲形式美之最高標準。比如講聲律注重「同聲相應謂之韵，異音相從謂之和」。講對偶注重和諧的對稱之美，「左提右擘，精味兼載」。講用典注重才學之和諧配合，「主佐合德，文采必霸；才學褊狹，雖美少功。」對和諧的形式美的論述，在《文心雕龍》中可以說是到處都是。

劉勰對文學創作理論的論述，善於提到美學的高度來認識，因此，他的精彩的創作理論中包含了極爲豐富的美學思想。誠如我們前面已經詳細分析過的，他對文學創作過程中的主觀和客觀的融合統

一、心和物的交互作用，有非常深入的研究；他對藝術風格美的基本類型及其多樣化的分析，對藝術風格美形成原因的分析，在我國古代美學的有關論述中是最爲傑出的；他對藝術構思中的想像活動的生動描繪，以及對它的特點的分析，毫無疑問也是獨一無二的；他對藝術形象的構成及其特點的認識，「神用象通」及「擬容取心」說的提出，深刻地提示了藝術形象的美學特徵；他對藝術創作中言、意關係的分析，以及對「文外之重旨」的強調，爲後來的意境說奠定了基礎。特別值得我們重視的是，他在《文心雕龍》中創造性地提出了一系列重要的文學理論概念，同時也是極爲重要的古典美學範疇，例如神思、虛靜、意象、隱秀、風骨、通變、奇正、體勢等等，這些對中國古代美學的發展都產生了極爲深刻的影響。劉勰《文心雕龍》一書的文學創作理論中的美學內容，王元化同志在《文心雕龍創作論》一書中曾經作了相當深刻的論述，並與西方美學作了對比研究，它可以使我們更清楚地看到劉勰《文心雕龍》在中國古代美學思想發展中的重要地位。

我們可以毫不誇張地說，劉勰《文心雕龍》中的美學思想乃是對他以前的古代美學思想的繼承與發展。從本書關於劉勰的文學理論體系及其歷史淵源的分析中，我們可以非常清楚地看到：劉勰的《文心雕龍》和我國歷史上的重要美學思想都有明顯的承傳關係。尤其是孔子、老莊、荀孟、《易傳》、《樂記》、揚雄、王充等重要美學思想家和美學著作，以及魏晉以後的玄學家、佛教徒的美學思想，對他都產生了重大的影響。《文心雕龍》的美學思想和文學理論體系正是在這些古代美學思想的直接影響下形成的。

《文心雕龍》作爲一部文學理論批評巨著來說，它不僅全面地繼承和總結了前代文學理論批評的成就，而且在這個基礎上，從總結當時的文藝創作實踐經驗出發，在一系列重大文學理論問題上有了極大的發揮與創造，形成了一個完整的文學理論體系。我們縱觀歷史，可以發現，後來許多文學理論發展中的重要問題，都可以在《文心雕龍》中找到它的雛形，而在有一些問題上可以說始終沒有能達到《文心雕龍》中有關論述的高度。以唐代白居易爲代表的傾向於現實主義的詩歌理論派別，其理論核心是強調文藝是現實的反映，主張形式必須爲內容服務，反對內容貧乏而一味追求形式美的創作傾向，提倡「實錄」精神，重視文藝的眞實性。而這種基本思想在《文心雕龍》的《情采》、《時序》、《明詩》等篇中早已有了系統的闡述。白居易提出的「根情、苗言、華聲、實義」與劉勰所說的「以情志爲神明，事義爲骨髓，宮商爲聲氣，辭采爲肌膚」，是完全一致的。唐宋以來盛極一時，以創造意境爲中心的司空圖、嚴羽一派的理論，也和劉勰《文心雕龍》有密切關係。劉勰的「隱秀」說所論述的，實際上就是意境的基本特點：言有盡而意無窮。所謂「文外之重旨」，與司空圖所提倡的「味外之旨」，也是沒有什麼本質區別的，不過前者從創作角度講，後者從欣賞角度講，稍有不同。這點我們也可以從「隱秀」說之得到梅堯臣、張戒等的進一步發揮，而在宋人詩話中所產生的巨大影響中看出來。「意在言外」作爲中國詩歌的一個基本的傳統藝術特點，它最早應該說就是劉勰首先提出來的。我國古代浪漫主義的文學理論有一個核心內容，就是十分注重浪漫主義文學的現實基礎，提倡「幻中有眞」、「誇不失實」，而這一基本思想最早見於《文心雕龍·辨騷》篇，劉勰對《楚辭》的評價中非常鮮明的提出了「酌奇而不失其眞」的原則。如果說明淸之交是可以與六朝相比美的一個我國古代文學理論批評發展的高峰時期的話，那麼，我們也可以淸楚地看到這時期許多重要文藝理論批評觀點和《文心雕龍》之間的內在緊密聯繫。在反前後七子的復古主義文藝思潮中起了重要作用的公安派理論，不僅其揭櫫的「性靈」最早出自《文心雕龍》，而且其反復古的主要武器——強調文學之「變」，亦正是在劉勰「通變」說基礎上之進一步發揮。淸代的性靈派代表人物袁枚說：「抄到鍾嶸《詩品》，該他知道性靈時。」（《倣元遺山論詩》）其實，劉勰論「性靈」比鍾嶸要更早更淸楚。《原道》篇云：「惟人叁之，性靈所鍾，是謂三才。」人才就是「性靈」之表現，故《宗經》篇說聖人之經書「洞性靈之奧區。」《情采》篇論文學創作是「綜述性靈，敷寫器象」。劉勰強調文學發展是隨時代之變化而變化，又說：「文律運周，日新其業。變則其久，通則不乏。」「這就爲袁宏道的《雪濤閣集序》中著名的「時變」說奠定了理論基礎，後來葉燮在《原詩》中的「正變」的觀點，也是在這個基礎上發展出來的。明末淸初的著名詩歌理論批評家王夫之，他的不少重要理論觀點和《文心雕龍》有着深刻的內在聯繫。比如他觀於情景交融的論述，就和《文心雕龍》中關於心物或情物關係的論述，有密切關係。《物色》篇所論實質上就是情景交融的基本理論。而王夫之的「情中景」與「景中情」之說，也是從劉勰的「情以物興」、「物以情觀」和「隨物宛轉」、「與心徘徊」說中脫胎而出的。至於劉勰的「神思」、「虛靜」的藝術構思論，則從唐宋到明淸，一直爲詩家所崇奉，並從具體創作中做過許多發揮。劉勰有觀藝術風格的一系列理論，更是後來各種藝術風格理論發展的基礎，而且從理論的系統和周密上來說，後來的風格理論確是很少有能趕得上它的。清代桐城派著名的陽剛之美和陰柔之美說，從文學理論淵源上看，最早也是從劉勰那裏開始的。它正是對劉勰《文心雕龍·體性》篇中「氣有剛柔」、「風趣剛柔，寧或改其氣」說的進一步發揮。這裏我們只是舉個明顯的例子，實際上，《文心雕龍》對後代文學理論批評的影響是遠比這些要多得多、深得多的。從楊明照先生《文心雕龍校注拾遺》一書中附錄部分所錄前人對《文心雕龍》一書的摘引、評述和爲它寫的序跋中，也可以非常清楚地看到這一點！

當然，《文心雕龍》是不可能概括它產生以後的一千多年的文學理論發展的豐富內容的，我們也決不能這樣去要求它，後人總是要比前人有更多的新的發展與創造的，更何況像我們中華民族這樣一個偉大的民族！「江山代有才人出，各領風騷數百年。」劉勰的時代，還沒有成熟的小說、戲劇，因此小說、戲劇理論在《文心雕龍》中是沒有的。雖然《文心雕龍》中的一些基本文學原理，對於小說、戲劇也是適用的，但畢竟小說和戲劇是各有自己獨特特點的，這些是《文心雕龍》所不可能涉及到的。然而，只要我們遵循歷史主義原則，是不難理解的，自然也決不會用金聖嘆或李漁去壓劉勰，那就未免太可笑了。歲月流馳，各擅勝場，完全不必厚此薄彼，硬要較量出一個高低來。對於歷史人物的評價，大家都喜歡引用列寧《評經濟浪漫主義》中所說的：「判斷歷史的功績，不是根據歷史活動家沒有提供現代所要求的東西，而是根據他們比他們的前輩提供了新的東西。」如果從這一點來說，那麼劉勰確實是偉大的，他比他的前輩提供了那麼多新的東西，這是後來很多文學理論批評家所難以相比的，他確實像魯迅所說的那樣，是可以「爲世楷式」的。即以《文心雕龍》本身來說，作爲一部美麗的駢文，也可以說是舉世無雙的，更何況它還具有那麼豐富的理論內容呢！

後記

這本書稿是我近年來學習、研究《文心雕龍》的一些體會和心得。其中《原道論》、《體性論》、《物色論》、《折衷論》等幾節曾以論文形式分別發表於《文心雕龍學刊》、《北京大學學報》、《學術月刊》等刊物，這次又作了補充與修改。

近年來，《文心雕龍》的研究取得了很大的成績。在譯注、考證方面，楊明照先生的《文心雕龍校注拾遺》，王利器先生的《文心雕龍校證》，周振甫先生的《文心雕龍注釋》、《文心雕龍選譯》，陳伲如、牟世金先生的《文心雕龍譯注》等，都是有很高水平的學術專著。王元化先生的《文心雕龍創作論》則在對《文心雕龍》的美學與文學理論的研究方面有重大突破，使之深入了一大步，並且開拓了把《文心雕龍》和西方美學、文學理論對照研究的新路。這些都是我所深感欽佩的。同時，我在寫作本書過程中，從上述諸位先生的專著中均得益不少。至於我在個別方面提出的一些不同看法，也正是爲了向這幾位專家和其他同行請教，謬誤不當之處，定所難免，務祈專家和同行予以指正。本書初稿寫成後，曾以此爲主要內容，爲我校中文系高年級學生及研究生講授《文心雕龍》專題課，在教學過程中，我又對書稿作了若干補充和修改。

要寫一本全面論述《文心雕龍》的書稿，從我產生這個願望至今已有整整二十年了。一九六五年冬，我還是一個剛工作了五年的青年教師，有機會與當時在北大進修的日本京都大學的青年研究工作者興膳宏先生一起學習和研究《文心雕龍》。當時，興膳宏先生正在着手翻譯《文心雕龍》，希望與中國的同行一起討論一些問題。翻譯《文心雕龍》這是一件艱巨的工作，我爲他這種魄力與毅力深深地感動。在我們友好而親切的相互討論過程中，我漸漸產生了要寫一部論《文心雕龍》的研究專著的想法。然而，在興膳宏先生回國後不久就開始了「文革」十年的漫長歲月，我的這種研究計畫，自然也成了泡影。一九七二年春，興膳宏先生托人轉送給我他的《文心雕龍》日文全譯本，書後的《文心雕龍總說》一文末尾，還特別提到了我們那一段友誼以及相互之間的學術交流。那時，由於大家都能夠理解的原因，我沒有給興膳宏先生回信。今年五月，興膳宏先生在給我的《先秦諸子的文藝觀》一書的日譯本（釜谷武志先生翻譯，東京汲古書院出版）寫的序中曾回憶到這件事，他說：「在我逗留期間，正是那場『文化大革命』的前夜，那種『山雨欲來風滿樓』的緊張氣氛，已經令人有觸膚可感之勢。我回國後不久，『文革』就開始了，因此和張先生也就完全斷絕了聯繫。以後一直到文革結束的十幾年之間，張先生的消息一無所聞。在文革漸漸趨於收尾的時候，我托人將舊著（按：即指《文心雕龍》日文全譯本）送給張先生，根據『似乎確實是送到了』的可疑的傳言，僅僅能確認他還健在。」一直到一九八一年秋後，我才給興膳宏先生回信，感謝他贈書盛情以及對中國人民的深厚友誼。去年九月，我從開羅回國途中，應興膳宏教授邀請，在日本作短暫訪問，得以重逢。興膳宏先生的《文心雕龍》日譯本我一直珍藏著，因爲它不僅是我們友誼的象徵，而且也時時給我一種鞭策。我覺得作爲一個中國古代文學理論的研究者，我應當爲《文心雕龍》研究的深入，作出自己的貢獻。那怕是微小的貢獻，也要盡到自己的責任。近幾年來，我又陸續收到興膳宏教授贈送的許多學術論文，其中有好幾篇是論《文心雕龍》的專著。齊魯書社還專門出版了《興膳宏〈文心雕龍〉論文集》。去年十一月在上海復旦大學主辦的《中日學者〈文心雕龍〉學術討論會》上，我們有幸再次相會，興膳宏先生在會上作了關於《文心雕龍》在日本的研究狀況的報告。現在《文心雕龍》不僅在國內，而且在國外（特別是日本和歐美各國）也受到了普遍的重視，有許多人在研究它。因此，我也更加強烈地感到應當爲「龍學」的發展，多做一點工作。這本書就正是在這樣一種心情之下寫出來的。

拙稿寫成後，承蒙復旦大學教授王運熙先生在百忙中爲我審閱，提出了許多寶貴的意見，並熱情爲本書作序。學友張澄寰先生又特爲本書題簽，對拙作十分關心。這都使我非常感激。齊魯書社素重學術著作出版，恰好劉勰的祖籍又是山東，因此我是很高興由齊魯書社來出版這本書的。文學編輯室任篤行先生極其關心和支持本書的出版，爲此付出了辛勤的勞動，僅在此一并致以衷心的謝意！

一九八五年十二月三十日**張少康**於北京大學燕東園

附記

承彭正雄先生盛意，本書與『中國古代文學創作論』均得以在台出版，又蒙台灣師範大學國文研究所蔡璧名小姐熱忱相助，代爲校對，感激不盡，謹以數字，略表謝意，亦資紀念。

張少康一九九〇年八月於日本福岡，

時正應邀任教於九州大學。